LE POUVOIR DES ÉTOILES

LA GUERRE DES
CLANS

Cycle III – Livre I

Vision

L'auteur

Pour écrire *La guerre des Clans*, **Erin Hunter** puise son inspiration dans son amour des chats et du monde sauvage. Erin est une fidèle protectrice de la nature. Elle aime par-dessus tout expliquer le comportement animal grâce aux mythologies, à l'astrologie et aux pierres levées.

Vous aimez les livres de la collection
LA GUERRE DES
CLANS
Écrivez-nous
pour nous faire partager votre enthousiasme :
Pocket Jeunesse, 12 avenue d'Italie, 75013 Paris.

Erin Hunter

Le pouvoir des Étoiles
La guerre des
Clans

Cycle III – Livre I

Vision

Traduit de l'anglais par Aude Carlier

POCKET JEUNESSE
PKJ·

Titre original :
The Sight

Loi n° 49 956 du 16 juillet 1949 sur les publications
destinées à la jeunesse : juillet 2017.

ISBN : 978-2-266-27731-0

Remerciements tout particuliers à Kate Cary.

CLANS

CLAN DU TONNERRE

CHEF **ÉTOILE DE FEU** – mâle au beau pelage roux.

LIEUTENANT **GRIFFE DE RONCE** – chat au pelage sombre et tacheté, aux yeux ambrés.

APPRENTI : NUAGE DE SUREAU.

GUÉRISSEUSE **FEUILLE DE LUNE** – chatte brun pâle tigrée, aux yeux ambrés et aux pattes blanches.

GUERRIERS (mâles et femelles sans petits)

PELAGE DE POUSSIÈRE – mâle au pelage moucheté brun foncé.

APPRENTIE : NUAGE DE NOISETTE.

TEMPÊTE DE SABLE – chatte roux pâle.

APPRENTIE : NUAGE DE MIEL.

FLOCON DE NEIGE – chat blanc à poil long, fils de Princesse, neveu d'Étoile de Feu.

APPRENTIE : NUAGE DE CENDRE.

POIL DE FOUGÈRE – mâle brun doré.

CŒUR D'ÉPINES – matou tacheté au poil brun doré.

APPRENTIE : NUAGE DE PAVOT.

CŒUR BLANC – chatte blanche au pelage constellé de taches rousses.

PELAGE DE GRANIT – chat aux yeux bleu foncé et à la fourrure gris pâle constellée de taches plus foncées.

POIL DE CHÂTAIGNE – chatte blanc et écaille aux yeux ambrés.

PATTE D'ARAIGNÉE – chat noir haut sur pattes, au ventre brun et aux yeux ambrés.

APPRENTI : NUAGE DE MULOT.

SOURCE AUX PETITS POISSONS (SOURCE) – chatte au pelage brun et tigré.

PELAGE D'ORAGE – chat gris sombre aux yeux ambrés.

AILE BLANCHE – chatte blanche aux yeux verts.

BOIS DE FRÊNE – mâle au pelage brun clair tigré.

APPRENTIS (âgés d'au moins six lunes, initiés pour devenir des guerriers)

NUAGE DE SUREAU – mâle couleur crème.

NUAGE DE NOISETTE – petite chatte au pelage gris et blanc.

NUAGE DE MULOT – matou gris et blanc.

NUAGE DE CENDRE – chatte grise.

NUAGE DE MIEL – chatte à la robe brun clair tigrée.

NUAGE DE PAVOT – chatte au pelage blanc et écaille.

REINES (femelles pleines ou en train d'allaiter)

FLEUR DE BRUYÈRE – chatte aux yeux verts et à la fourrure gris perle constellée de taches plus foncées. Mère des petits de Pelage de Poussière : Petit Givre et Petit Renard.

CHIPIE – femelle au long pelage crème venant du territoire des chevaux.

POIL D'ECUREUIL – chatte roux foncé aux yeux verts. Mère des petits de Griffe de Ronce : Petit Lion, Petit Houx, Petit Geai.

ANCIENS (guerriers et reines âgés)

LONGUE PLUME – chat crème rayé de brun.

POIL DE SOURIS – petite chatte brun foncé.

CLAN DE L'OMBRE

CHEF   **ÉTOILE DE JAIS** – grand mâle blanc aux larges pattes noires.

LIEUTENANT   **FEUILLE ROUSSE** – femelle roux sombre.

GUÉRISSEUR   **PETIT ORAGE** – chat tigré très menu.

GUERRIERS   **BOIS DE CHÊNE** – matou brun de petite taille.

     PELAGE FAUVE – chat roux.

     APPRENTIE : NUAGE DE LIERRE.

     PELAGE DE FUMÉE – mâle gris foncé.

     APPRENTI : NUAGE DE CHOUETTE.

REINE   **PELAGE D'OR** – chatte écaille aux yeux verts.

ANCIENS   **CŒUR DE CÈDRE** – mâle gris foncé.

     FLEUR DE PAVOT – chatte tachetée brun clair, haute sur pattes.

CLAN DU VENT

CHEF   **ÉTOILE SOLITAIRE** – mâle brun tacheté.

LIEUTENANT   **PATTE CENDRÉE** – chatte au pelage gris.

GUÉRISSEUR   **ÉCORCE DE CHÊNE** – chat brun à la queue très courte.

     APPRENTI : NUAGE DE CRÉCERELLE.

GUERRIERS   **OREILLE BALAFRÉE** – chat moucheté.

     APPRENTI : NUAGE DE LIÈVRE.

     PLUME DE JAIS – mâle gris foncé, presque noir, aux yeux bleus.

     APPRENTIE : NUAGE DE MYOSOTIS.

     PLUME DE HIBOU – mâle au pelage brun clair tigré.

     AILE ROUSSE – petite chatte blanche.

     APPRENTI : NUAGE DE BRUME.

     BELLE-DE-NUIT – chatte noire.

ANCIENS

POIL DE BELETTE – matou au pelage fauve et aux pattes blanches.

BELLE-DE-JOUR – femelle écaille.

PLUME NOIRE – matou gris foncé au poil moucheté.

CLAN DE LA RIVIÈRE

CHEF

ÉTOILE DU LÉOPARD – chatte au poil doré tacheté de noir.

LIEUTENANT

PATTE DE BRUME – chatte gris-bleu foncé aux yeux bleus.

APPRENTIE : NUAGE POMMELÉ.

GUÉRISSEUSE

PAPILLON – jolie chatte au pelage doré et aux yeux ambrés.

APPRENTIE : NUAGE DE SAULE.

GUERRIERS

GRIFFE NOIRE – mâle au pelage charbonneux.

POIL DE CAMPAGNOL – petit chat brun et tigré.

APPRENTIE : NUAGE D'ANGUILLE.

CŒUR DE ROSEAU – mâle noir.

APPRENTI : NUAGE DE GRENOUILLE.

PELAGE DE MOUSSE – reine écaille-de-tortue.

APPRENTI : NUAGE DE GRAVIERS.

BOIS DE HÊTRE – chat au pelage brun clair.

PELAGE D'ÉCUME – mâle gris sombre.

REINE

FLEUR DE L'AUBE – chatte gris perle.

ANCIENS

GROS VENTRE – mâle moucheté très trapu.

PLUME D'HIRONDELLE – chatte brun sombre au pelage tigré.

PIERRE DE GUÉ – matou gris.

DIVERS

PLUME GRISE – chat gris plutôt massif à poil long.

MILLIE – petite chatte domestique au pelage argenté et tigré.

Des agents de garde nous précédèrent le long d'une grotte creusée au fil des longs siècles par... Ils faisaient ombre au tremblement de la lueur...

Les yeux baissés, un vieil homme apparut. Il s'y conduisait. Son pelage couleur de flamme avait un éclat de lune. Ses oreilles frémirent et se soulevèrent pour se tourner vers la...

— Turial, as-tu mandé de venir...

Tu imaginais donc pâle devant la vieille...

— ... un chef d'État face au talion grand devant... monarchie despotique... palabres... des... d'innombrables oreilles... que son apparition...

— Salutations, Peuple de Feu, monarque révéré et puissant chef du Clan du Feu...

Face à... réunion... de vous... digne représentant de... clan disparu, le seul de ta... qui soit en cette capitale...

— ...Ta figure mon devoir... frémir et se dérober de... en courbant la tête.

PROLOGUE

DES RACINES D'ARBRE BOUEUSES encadraient l'entrée d'une grotte, creusée au fil des lunes par les intempéries. Il y faisait si sombre qu'on apercevait à peine le sol lisse.

Les yeux plissés, un félin grimpait la pente raide qui y conduisait. Son pelage couleur de flamme luisait au clair de lune. Ses oreilles frémirent, et sa fourrure soudain gonflée trahit sa nervosité lorsqu'il s'assit devant l'entrée, la queue enroulée autour des pattes.

« Tu m'as demandé de venir. »

Du fond du terrier, une paire d'yeux le dévisageait – des yeux aussi bleus qu'un étang reflétant un ciel d'été. Puis un matou gris, dont le museau moucheté de blanc portait les balafres laissées par d'innombrables batailles, fit son apparition.

« Salutations, Étoile de Feu, miaula-t-il en venant frôler la joue du chef du Clan du Tonnerre. Je voulais te remercier. » Sa voix rauque trahissait son grand âge. « Tu as ressuscité le clan disparu, le Clan du Ciel. Toi seul en étais capable.

— Je n'ai fait que mon devoir », répondit Étoile de Feu en inclinant la tête.

Le vieux guerrier acquiesça, puis sembla réfléchir un instant.

« Penses-tu avoir été un bon chef pour le Clan du Tonnerre ?

— Je ne sais pas, admit le rouquin. Cela n'a pas toujours été facile, mais j'ai essayé de faire au mieux pour mon clan.

— Personne ne doute de ta loyauté. Mais jusqu'où irait-elle ? »

Confus, Étoile de Feu réfléchit à cette question.

« Les temps à venir seront difficiles, poursuivit le vétéran avant que le jeune meneur ait pu répondre. Et ta loyauté sera mise à rude épreuve. Parfois, le destin d'un seul chat n'est pas le destin de tout un clan. »

Il se leva soudain, les membres raides, et son regard se perdit dans le vague. Il semblait contempler une scène qu'il était seul à voir.

Lorsqu'il reprit la parole, sa voix s'était adoucie, à croire que quelqu'un d'autre parlait à travers lui :

« *Ils seront trois, parents de tes parents, à détenir le pouvoir des Étoiles entre leurs pattes.*

— Je ne comprends pas. Pourquoi me dis-tu cela ? »

Le vieux matou cilla, comme s'il venait de recouvrer ses esprits, et reporta son attention sur le rouquin.

« Il faut que tu m'en révèles plus ! protesta Étoile de Feu. Comment savoir ce que je dois faire si tu ne t'expliques pas ?

— Adieu, Étoile de Feu, se contenta de répondre le vieux matou après un long soupir. Au cours des saisons à venir, souviens-toi de moi. »

Étoile de Feu se réveilla en sursaut, le ventre noué par la peur. Il soupira de soulagement en reconnaissant les parois familières de sa tanière dans la combe près du lac. Les premiers rayons du soleil filtraient par la fissure dans la roche et réchauffaient agréablement sa fourrure.

Il se dressa sur ses pattes et secoua la tête comme pour chasser de son esprit les derniers lambeaux de rêve. Ce n'était pas un songe ordinaire : il se rappelait s'être tenu dans cette grotte aussi nettement que s'il s'y était rendu au cours de la lune passée, et non de nombreuses saisons auparavant. Lorsque le vieux guerrier lui avait révélé sa prophétie, les filles d'Étoile de Feu n'étaient pas encore nées et les quatre clans demeuraient toujours dans la forêt. Ces paroles avaient accompagné le chef du Clan du Tonnerre durant leur exil par-delà les montagnes et ne l'avaient pas quitté depuis qu'ils s'étaient établis sur leur nouveau territoire. À chaque pleine lune, elles lui revenaient en rêve. Même Tempête de Sable, qui dormait près de lui, ignorait l'existence de cette prophétie.

Il jeta un coup d'œil à l'extérieur, vers le camp qui s'éveillait peu à peu en contrebas. Son lieutenant, Griffe de Ronce, s'étirait au milieu de la clairière. Ses épaules puissantes roulaient sous son pelage tandis qu'il plantait ses griffes dans la terre. Poil d'Écureuil vint se frotter à son compagnon en ronronnant.

Pourvu que je me trompe… songea Étoile de Feu, le cœur serré. Il redoutait que la prophétie soit sur le point de se réaliser.

Les trois sont venus…

CHAPITRE 1

❧

PETIT GEAI PEINAIT À AVANCER dans l'épaisse couche de feuilles mortes qui jonchaient le sol. Elles frôlaient son pelage avec la douceur des flocons de neige et craquaient sous ses pas. Un vent glacial transperçait la fourrure du chaton – guère plus épaisse qu'un duvet – et le faisait frissonner.

« Attendez-moi ! » gémit-il.

Il entendait la voix de sa mère, loin devant. La chaleur de son corps lui semblait toujours hors de portée.

« Tu ne l'attraperas jamais ! »

Ce miaulement aigu transperça ses rêves et le réveilla en sursaut. Les oreilles dressées, il écouta les bruits familiers de la pouponnière. Son frère et sa sœur étaient en train de jouer, pendant que Fleur de Bruyère faisait la toilette de ses petits endormis. La bise ne soufflait plus. Il était sain et sauf, au chaud dans le camp. Il flaira le nid vide de sa mère. Son odeur était encore présente.

« Aïe ! » Il eut le souffle coupé lorsque sa sœur, Petit Houx, lui atterrit lourdement sur le dos. « Fais attention !

« — Tu es enfin réveillé ? Ce n'est pas trop tôt ! »

D'un bond, elle s'écarta de lui.

Une souris ! Petit Geai reconnut le parfum allé-chant. Son frère et sa sœur devaient s'amuser avec une proie fraîchement rapportée au camp. Il sauta sur ses pattes et s'étira en vitesse.

« Attrape, Petit Geai ! » miaula Petit Houx.

La souris fila près de l'oreille du chaton.

« Espèce de limace ! T'es vraiment trop lent ! le taquina-t-elle lorsqu'il se tourna, trop tard.

— Je l'ai ! » lança Petit Lion.

Ce dernier s'était jeté sur le rongeur et, lorsqu'il était retombé, le sol avait vibré sous ses pattes.

Petit Geai n'allait pas laisser son frère lui voler sa proie si facilement. S'il était le plus petit de la portée, il était aussi le plus rapide. Il chargea Petit Lion, l'écarta de son passage et tendit la patte pour s'emparer de la souris.

Dans son élan, il se réceptionna maladroitement et se rétablit de justesse par une roulade. Il fut pris de panique en comprenant qu'il n'avait pas atterri sur de la mousse, mais sur la masse chaude et mouvante des petits de Fleur de Bruyère. La reine le repoussa aussitôt de ses deux pattes arrière.

« Est-ce que je leur ai fait mal ? s'inquiéta-t-il.

— Mais non ! le tança la reine. Tu serais trop petit pour aplatir une puce ! » Petit Renard et Petit Givre piaillèrent lorsqu'elle les rapprocha de son ventre. « Cependant, vous trois, vous commencez à être trop turbulents pour la pouponnière !

— Désolée, Fleur de Bruyère, miaula Petit Houx.

— Oui, pardon », renchérit Petit Geai, même si son commentaire sur sa petite taille l'avait vexé.

Il savait que la colère de la chatte ne durerait pas. Elle pardonnait facilement aux trois chatons, qu'elle avait allaités. Comme Poil d'Écureuil n'avait jamais eu de lait, c'était Fleur de Bruyère qui avait nourri Petit Geai, Petit Houx et Petit Lion pendant les lunes qui avaient précédé la naissance de Petit Renard et de Petit Givre.

« Il est grand temps qu'Étoile de Feu vous nomme apprentis et vous sorte d'ici, dit-elle encore.

— Il me tarde, soupira Petit Lion.

— C'est pour bientôt, le rassura Petit Houx. Nous avons presque six lunes. »

Comme toujours lorsqu'il pensait à son futur baptême d'apprenti, Petit Geai ne tint plus en place. Il avait hâte de commencer son entraînement. Pourtant, même sans voir le visage de Fleur de Bruyère, il savait qu'elle le contemplait avec pitié. Ses poils se dressèrent aussitôt, signe de la colère du chaton – il était tout aussi capable de devenir apprenti que Petit Houx et Petit Lion !

Fleur de Bruyère répondit à Petit Houx sans se douter que Petit Geai avait senti sa gêne.

« Eh bien, vous n'avez pas encore six lunes ! En attendant, allez donc jouer dehors !

— Oui, Fleur de Bruyère, gémit Petit Lion, tout penaud.

— Viens, Petit Geai ! l'appela Petit Houx. Et prends la souris. »

Les branches du roncier frémirent lorsqu'elle se faufila à l'extérieur.

Petit Geai prit délicatement le rongeur dans sa gueule. C'était une pièce de gibier toute fraîche, encore molle, et il ne voulait pas la faire saigner

– ils pourraient jouer encore un moment avec elle. Il se lança à la poursuite de sa sœur, suivi de près par son frère.

Dehors, l'air était frais. Étoile de Feu et Tempête de Sable discutaient sous la Corniche avec Pelage de Poussière.

« On devrait agrandir le gîte des guerriers, conseillait le chasseur à son chef. Nous sommes déjà serrés, et les petits de Chipie et de Poil de Châtaigne ne resteront pas apprentis toute leur vie. »

Et nous non plus ! pensa Petit Geai.

Cœur Blanc et Flocon de Neige faisaient leur toilette au soleil à l'autre bout de la clairière. À l'oreille de Petit Geai, les petits claquements de leurs langues évoquaient le bruit des gouttes de pluie tombant des feuilles. Même si leur fourrure s'était épaissie au début de la mauvaise saison, leurs os saillaient tout de même çà et là car, faute de gibier, leurs muscles avaient fondu.

La faim n'était pas le seul drame que le clan avait connu durant cette mauvaise saison. Nuage de Loir, le seul mâle de la portée de Poil de Châtaigne, était mort d'un coup de froid que les herbes de Feuille de Lune n'avaient pas réussi à soigner, et Perle de Pluie avait perdu la vie pendant une tempête, frappé par une branche.

Cœur Blanc s'interrompit un instant.

« Comment vas-tu, aujourd'hui, Petit Geai ? »

Le chaton posa la souris entre ses pattes, hors d'atteinte de sa sœur.

« Je vais très bien, quelle question ! »

Pourquoi la borgne se sentait-elle obligée de le couver ? Il avait passé la nuit à dormir dans la pouponnière, pas à combattre l'ennemi ! À croire qu'elle gardait toujours son œil valide tourné dans sa direction. Pour prouver qu'il était aussi fort que son frère et sa sœur, Petit Geai lança la souris très haut au-dessus de Petit Houx.

Tandis que Petit Lion passait en trombe près de lui pour tenter d'attraper la proie avant leur sœur, la voix de Poil d'Écureuil retentit à l'entrée de la pouponnière.

« Vous devriez montrer plus de respect pour le gibier ! »

Leur mère s'efforçait de colmater avec des feuilles les trous dans le roncier.

Chipie l'assistait dans sa tâche.

« Ce ne sont que des chatons. Il faut bien qu'ils s'amusent », ronronna avec indulgence la chatte venue du territoire des chevaux.

Les narines de Petit Geai frémirent en flairant l'étrange odeur de Chipie. Certains la considéraient toujours comme une chatte domestique, parce qu'elle mangeait naguère de la nourriture de Bipèdes. Elle n'avait pas l'étoffe d'une guerrière et ne semblait pas vouloir quitter la pouponnière. Ses enfants, en revanche, Nuage de Mulot, Nuage de Noisette et Nuage de Sureau, étaient apprentis et, pour Petit Geai, ils auraient pu tout aussi bien être nés dans le clan.

« Ils ne seront bientôt plus des chatons », lui rappela Poil d'Écureuil.

Puis, d'un ample mouvement de la queue, elle attira à elle un tas de feuilles dont les craquements rappelèrent à Petit Geai son étrange rêve.

« Raison de plus pour les laisser s'amuser », répliqua Chipie.

Le chaton sentit monter en lui une bouffée d'affection pour la chatte au pelage crème. Même si Poil d'Écureuil était sa mère, c'était Chipie, tout comme Fleur de Bruyère, qui l'avait réchauffé et avait fait sa toilette lorsque Poil d'Écureuil avait repris son rôle de guerrière peu après la naissance de ses petits. Si cette dernière avait toujours un nid dans la pouponnière, elle l'utilisait de moins en moins souvent. Elle préférait dormir dans le repaire des guerriers, où elle ne risquait pas de déranger les chatons et les reines en train d'allaiter lorsqu'elle partait de bonne heure en patrouille.

« Et maintenant, tu sens toujours le courant d'air, Fleur de Bruyère ? s'enquit la rouquine à travers le feuillage.

— Non. Nous sommes bien au chaud, comme des renardeaux au fond d'un terrier.

— Tant mieux. Chipie, tu pourrais nettoyer par ici ? J'ai promis à Griffe de Ronce que je l'aiderais à enlever les pierres descellées au sommet de la combe.

— Des pierres descellées ? répéta la chatte du territoire des chevaux.

— Oui. La paroi rocheuse nous procure une bonne défense mais, à cause du gel, certaines pierres ont pu se détacher. Il ne faudrait pas qu'elles nous tombent sur la tête ! »

Petit Geai fut distrait par l'odeur amère de la bile de souris qui émanait de la tanière des anciens. Feuille de Lune était sans doute en train de retirer une tique du pelage de Longue Plume ou de Poil de Souris. Un parfum bien plus alléchant lui annonça le retour de deux des enfants de Chipie : Nuage de Mulot et Nuage de Noisette revenaient à vive allure d'une patrouille de chasse. L'apprenti portait dans la gueule deux souris, et sa sœur une grosse grive. Ils déposèrent leurs prises sur le tas de gibier.

Pelage de Poussière vint à leur rencontre.

« On dirait que tu as bien travaillé, Nuage de Noisette ! félicita-t-il sa protégée. Et ton frère aussi. »

Les jeunes félins émirent quelques ronrons de plaisir qui, aux oreilles de Petit Geai, ressemblaient beaucoup aux ronronnements de leur mère.

« Alors, tu joues avec nous ou pas ? s'emporta Petit Houx.

— Bien sûr ! répondit-il en se remettant sur ses pattes.

— Eh bien, c'est Petit Lion qui a la souris, et il ne veut pas me laisser l'attraper !

— À nous deux, on va l'avoir ! »

Petit Geai fonça vers son frère. Il le fit basculer d'un coup de tête, et le cloua au sol pendant que leur sœur lui tirait la souris des pattes.

« C'est pas juste ! maugréa Petit Lion.

— Seul le Clan des Étoiles est juste, et on n'y est pas encore ! rétorqua la petite chatte, triomphante.

— Et vous n'y serez jamais si vous continuez à jouer avec votre nourriture de cette façon ! » Pelage d'Orage, qui se dirigeait vers le gîte des guerriers, s'était arrêté un instant. Son ton chaleureux atténuait la sécheresse de ses paroles. « Nous sommes au cœur de la mauvaise saison. Nous devrions remercier le Clan des Étoiles pour la moindre proie que nous parvenons à attraper. »

En se tortillant, Petit Lion se libéra du poids de son frère.

« On ne faisait que s'entraîner à chasser ! expliqua-t-il.

— Il le faut bien, puisqu'on sera bientôt apprentis », ajouta Petit Geai.

Le guerrier ne répondit pas tout de suite. Il s'étira les pattes avant puis donna quelques coups de langue à Petit Geai entre les oreilles.

« C'est vrai, je l'avais oublié. »

La colère noua la gorge du chaton. Pourquoi tous les membres du clan le traitaient-ils comme un nouveau-né alors qu'il avait presque six lunes ? Il secoua la tête avec humeur. Pelage d'Orage n'appartenait même pas au Clan du Tonnerre ! Son père, Plume Grise, était l'ancien lieutenant du clan, mais Pelage d'Orage avait grandi avec les camarades de sa mère au sein du Clan de la Rivière. Sans parler de Source, sa compagne, qui venait des montagnes lointaines. De quel droit le prenait-il de haut ?

Le ventre de Petit Houx gargouilla.

« Et si on la mangeait, cette souris, au lieu de jouer avec ?

— Partagez-la, tous les deux, proposa Petit Lion. Je vais aller chercher autre chose dans la réserve. »

Petit Geai se tourna vers le tas de gibier rapporté par les chasseurs ce matin-là. Une odeur étrange lui effleura la truffe. Il inspira plus fort, mâchoires entrouvertes, pour mieux distinguer le fumet. Il identifia la grive de Nuage de Noisette et les souris de Nuage de Mulot, dont le sang était encore chaud. Cependant, il perçut au-dessous une odeur âcre qui lui donna la nausée. Il passa devant son frère, la queue dressée.

« Qu'est-ce que tu fais ? » s'enquit ce dernier.

Petit Geai ne répondit pas. Se fiant à son flair, il fouilla parmi les dépouilles, s'empara d'un roitelet et le sortit du tas.

« Regardez ! s'exclama-t-il en retournant l'oiseau d'un coup de patte – son ventre grouillait d'asticots.

— Berk ! » gémit Petit Houx.

Au même instant, Feuille de Lune sortit du repaire des anciens, une boule de mousse dans la gueule. Petit Geai perçut la puanteur de la bile de souris malgré les relents de la charogne. La guérisseuse s'arrêta devant les trois chatons.

« Bien vu ! les félicita-t-elle en posant la mousse devant ses pattes. Je sais que le gibier se fait rare, mais mieux vaut ne rien manger que d'avaler de la chair à corbeau.

— C'est Petit Geai qui l'a trouvé, lui apprit Petit Houx.

— Eh bien, il m'a épargné un malade supplémentaire. Je suis bien assez occupée comme ça. Poil de Fougère et Bois de Frêne ont attrapé le mal blanc.

— Tu veux qu'on t'aide à cueillir des plantes ? » proposa Petit Geai.

Il n'était jamais sorti du camp et mourait d'envie d'explorer la forêt. Il voulait renifler le marquage aux frontières. Jusqu'à présent, il n'avait humé que des traces de l'odeur des Clans de l'Ombre et du Vent sur le pelage des guerriers qui revenaient de patrouille. Il voulait sentir le vent frais venu du lac avant qu'il ne s'imprègne des senteurs de la forêt. Il voulait mémoriser la localisation de chaque frontière pour pouvoir défendre la moindre parcelle du territoire de son clan.

« Tu pourrais rapporter bien plus d'herbes si tu nous laissais t'accompagner ! renchérit Petit Lion.

— Vous savez bien que vous n'avez pas le droit de quitter le camp tant que vous n'êtes pas des apprentis, leur rappela la chatte tigrée.

— Tu vas avoir besoin d'aide s'il y a des malades… » insista Petit Geai.

Feuille de Lune lui intima le silence en faisant glisser le bout de sa queue sur son museau.

« Je suis désolée, Petit Geai. Bientôt, Étoile de Feu vous donnera vos noms d'apprentis. En attendant, vous devrez patienter, comme tous les autres chatons. »

Encore une fois, Feuille de Lune leur rappelait que ce n'était pas parce que leur père était le lieutenant du clan, et leur mère la fille d'Étoile de Feu que cela leur donnait droit à un traitement de faveur. Contrarié, Petit Geai remua les moustaches.

« Ce n'est peut-être pas drôle, mais c'est comme ça, conclut la guérisseuse, qui reprit la boule de mousse et se dirigea vers sa tanière.

— Bien essayé, souffla Petit Lion à l'oreille de son frère.

— Feuille de Lune pense qu'elle peut nous embobiner parce que, lorsqu'elle s'aventure dans la lande, elle nous rapporte de la laine pour nos nids, feula Petit Geai. Ou des rayons de miel à lécher.

Pourquoi ne nous donne-t-elle pas plutôt ce que nous voulons vraiment : une chance d'explorer la forêt ? »

Petit Houx balaya le sol du bout de la queue. Petit Geai savait qu'elle aussi, comme leur frère et lui, mourait d'impatience de sortir du camp.

« Elle a pourtant raison, grommela-t-elle. Nous devons respecter le code du guerrier. »

Ils se partagèrent la souris et un campagnol. Puis, alors qu'il se nettoyait le museau et les oreilles, Petit Geai flaira l'odeur de Source. Elle sortait du gîte des guerriers pour rejoindre Flocon de Neige et Cœur Blanc au soleil. Son parfum différent évoquait les montagnes et l'eau vive. Ce qui faisait d'elle la chatte la plus étrange parmi tous ceux qui étaient nés hors du clan. Était-ce juste son odeur, se demanda le chaton, ou bien percevait-il autre chose… une sorte de tristesse qui ne la quittait jamais ? Sans pouvoir se l'expliquer, Petit Geai avait la certitude que Source ne se sentait pas à sa place dans la forêt.

La barrière de ronces frémit, annonçant le retour de Nuage de Sureau, l'autre fils de Chipie, qui courut jusqu'au tas de gibier pour y déposer sa prise – un pigeon ramier dodu.

« Où est Griffe de Ronce ? » demanda-t-il aux chatons.

Le lieutenant était aussi le mentor de Nuage de Sureau. Petit Geai ne pouvait s'empêcher d'être un peu jaloux de le voir passer tant de temps à s'entraîner avec son père alors que lui n'en avait pas le droit.

31

« Avec Poil d'Écureuil, répondit le chaton. En haut de la combe. »

Les oreilles dressées, il guetta les voix de ses parents. Il ne les entendit pas, mais la brise qui soufflait depuis la forêt lui apporta leurs parfums.

« Là-haut, ajouta-t-il, la truffe levée vers les rochers qui surplombaient la tanière de la guérisseuse.

— Tes sens sont très aiguisés aujourd'hui, Petit Geai ! miaula l'apprenti. Je voulais lui montrer mon pigeon et lui demander si nous nous entraînerions au combat cet après-midi. »

Déclaration qui ne fit qu'attiser la jalousie du chaton. *Et moi, pourquoi est-ce que je ne peux pas être apprenti tout de suite ?*

« Tu dois être très doué pour la chasse, soupira Petit Lion, qui pensait visiblement la même chose que son frère.

— Ce n'est qu'une question d'habitude, répondit Nuage de Sureau. Regardez, on commence comme ça. »

Le jeune matou se plaqua contre le sol.

Petit Lion se tortilla par terre pour tenter de l'imiter.

« Baisse ta queue ! lui ordonna le novice. Elle pendouille comme une jacinthe des bois ! »

La queue du chaton claqua sur le sol gelé.

« Maintenant, avance, aussi silencieusement qu'un serpent.

— On dirait que t'as des gaz ! » s'esclaffa Petit Houx.

Petit Lion cracha furieusement puis bondit sur sa sœur et la fit rouler au sol. Elle se défendit en ronronnant de rire, tandis que Petit Lion lui martelait le ventre de ses pattes arrière.

Absorbés par leur jeu, ils ne remarquèrent pas la cavalcade qui s'approchait du camp.

Petit Geai, si.

Des chats fonçaient à toute allure vers la barrière de ronces. À leur odeur, Petit Geai reconnut Patte d'Araignée et Cœur d'Épines. La patrouille était de retour. Mais quelque chose n'allait pas. Les pattes des guerriers tambourinaient sur le sol avec affolement, et leur parfum portait la marque de la peur.

Les poils du chaton s'étaient déjà hérissés lorsque les deux mâles déboulèrent dans la clairière.

Aussitôt, Étoile de Feu et Tempête de Sable se levèrent.

« Que se passe-t-il ? » voulut savoir le meneur.

Patte d'Araignée haleta un instant avant d'annoncer :

« Il y a un cadavre de renard sur notre territoire ! »

CHAPITRE 2

« **O**ù DONC ? s'enquit Étoile de Feu, la mine grave.

— Près du Vieux Chêne, répondit Cœur d'Épines, pantelant. Il s'est pris dans un collet. »

Petit Geai entendit des gravillons dévaler la paroi de la combe. Griffe de Ronce redescendait vers le camp, suivi de Poil d'Écureuil.

« Que se passe-t-il ? voulut savoir le lieutenant.

— Cœur d'Épines et Patte d'Araignée ont découvert un renard mort, leur expliqua Étoile de Feu.

— Mâle ou femelle ?

— Femelle, répondit Patte d'Araignée.

— Alors il y a peut-être des petits, gronda Griffe de Ronce.

— Quel mal pourraient faire deux ou trois renardeaux ? murmura Petit Geai à l'oreille de sa sœur.

— Ils grandissent, cervelle de souris ! Un renard adulte est tout à fait capable de tuer un chat.

— La renarde sentait le lait, ajouta Cœur d'Épines.

— Nous sommes donc certains qu'elle avait des petits », conclut Étoile de Feu.

Les branches du gîte des guerriers s'entrechoquèrent lorsque Pelage de Granit en sortit.

« Où se trouvait ce piège ? » s'enquit Griffe de Ronce.

Était-ce de l'anxiété que Petit Geai distinguait dans sa voix ? Son père savait sans doute qu'il n'avait rien à craindre de ces collets posés par les Bipèdes. Non, se dit Petit Geai, ce n'était pas de l'anxiété, mais autre chose, une émotion plus sombre qu'il ne parvenait pas à identifier.

La réponse de Cœur d'Épines le tira de ses pensées.

« Vers le lac, non loin du Vieux Chêne.

— Les petits doivent être tout près, alors, annonça Griffe de Ronce. Leur mère ne s'était sans doute pas trop éloignée d'eux.

— Que pouvons-nous faire ? s'enquit Fleur de Bruyère, qui, prise de panique, venait de surgir de la pouponnière. On ne peut pas laisser des renards envahir la forêt ! Pensez à mes petits !

— Nous devons trouver leur terrier, répondit le lieutenant sans hésiter.

— Si les petits sont très jeunes, ils mourront de faim, ajouta Étoile de Feu. Pour leur bien, il vaudrait mieux les achever tout de suite. »

Il n'y avait aucune méchanceté dans la voix du rouquin. Il devait simplement faire le nécessaire pour protéger son clan.

« Et s'ils sont assez grands pour survivre seuls ? demanda Petit Houx.

— Alors nous devrons les chasser, lui expliqua-t-il. On ne peut pas les laisser s'installer chez nous.

— Ils doivent déjà avoir faim, fit remarquer Pelage de Granit. Ils risquent de s'aventurer bientôt hors de leur terrier !

— C'est abominable, ils pourraient trouver le camp ! hoqueta Fleur de Bruyère.

— Le camp restera bien gardé, lui promit Étoile de Feu. Tempête de Sable et moi, nous allons remonter l'ancien Chemin du Tonnerre jusqu'au nid abandonné. Griffe de Ronce organisera les autres patrouilles. »

Le chef du clan et sa compagne s'engouffrèrent aussitôt dans les broussailles qui protégeaient l'accès au camp.

« Pelage d'Orage, Source ! lança Griffe de Ronce. Patrouillez devant la combe ! Pelage de Granit, garde l'entrée !

— Et nous ? demandèrent Cœur Blanc et Flocon de Neige.

— Dirigez-vous vers la frontière du Clan de l'Ombre. Le terrain y est sablonneux, idéal pour creuser un terrier. Poil d'Écureuil vous montrera le chemin. Suivez ses recommandations. Il pourrait y avoir d'autres collets, et Poil d'Écureuil est la plus douée pour les désamorcer. Prenez aussi Nuage de Cendre, mais ne la quittez pas des yeux. »

Flocon de Neige appela son apprentie, qui accourait déjà vers lui, et Poil d'Écureuil s'élança avec eux vers la sortie.

Griffe de Ronce se tourna alors vers Cœur d'Épines et Patte d'Araignée.

« Retournez auprès de la dépouille de la renarde et essayez de remonter sa piste jusqu'à son terrier. »

Nuage de Pavot, une des filles de Poil de Châtaigne, et Nuage de Mulot attendaient les consignes en trépignant d'impatience.

« On peut les accompagner ? s'enquit Nuage de Pavot.

— Oui, mais vous devrez obéir aux ordres de vos mentors. »

Pour Petit Geai, leur excitation semblait aussi palpable que l'électricité dans l'atmosphère pendant un orage. Ses pattes aussi le démangeaient. Presque tous les apprentis étaient sortis traquer les renardeaux. Ce n'était pas juste ! Malgré sa petite taille, il pouvait tout de même en affronter un !

« Hors de question qu'on nous laisse derrière ! annonça Petit Lion. Griffe de Ronce !

— Quoi ? miaula le lieutenant avec impatience.

— Est-ce qu'on peut vous aider ? l'implora le chaton. Nous sommes presque des apprentis.

— "Presque", ça ne suffit pas », rétorqua le matou.

La déception de Petit Lion dut se lire dans son regard car le lieutenant reprit d'une voix plus douce :

« Toi, Petit Houx et Petit Geai, vous aiderez à garder le camp. J'emmène Pelage de Poussière et Nuage de Noisette pour inspecter la rive du lac. Il nous faut de braves félins pour s'assurer que les renardeaux ne pénètrent pas dans la combe. Si vous sentez ou si vous apercevez quoi que ce soit d'inhabituel, dites à Feuille de Lune de venir me trouver.

— Entendu », miaula Petit Lion avec entrain.

Il rejoignit son frère et sa sœur ventre à terre.

« Nous devons garder le camp, annonça-t-il. Au cas où les bébés renards essaieraient d'entrer.

— Tu penses vraiment que les renardeaux pourraient arriver jusqu'ici ? grommela Petit Geai. Il doit y avoir un apprenti du Clan du Tonnerre derrière chaque arbre des environs. Griffe de Ronce essaie simplement de nous occuper. »

Petit Lion se laissa choir.

« Oh, je pensais qu'il comptait vraiment sur nous.

— On ne sait jamais, coupa Petit Houx. Les renardeaux pourraient bel et bien venir par ici, et dans ce cas, je parie qu'on serait les premiers à les flairer – surtout avec l'aide de Petit Geai. »

Ce dernier vit rouge.

« Tu ne vaux pas mieux que Griffe de Ronce, la rabroua-t-il. Arrête de faire comme si le clan avait besoin de nous ! »

La petite chatte laboura le sol de ses griffes.

« Un jour, ce sera le cas », jura-t-elle.

Petit Lion se leva tout à coup et se mit à tourner en rond, la queue gonflée.

« Nous allons nous rendre utiles aujourd'hui même ! déclara-t-il. Nous allons chasser ces renardeaux du territoire du Clan du Tonnerre nous-mêmes !

— Mais si nous quittons le camp sans permission, nous enfreindrons le code du guerrier ! protesta Petit Houx.

— Nous le ferons pour le bien du clan, rétorqua Petit Lion. Ça ne peut pas aller à l'encontre du code du guerrier !

— D'ailleurs, nous ne sommes pas encore des guerriers, ajouta Petit Geai après un instant de

réflexion. Nous ne sommes même pas apprentis !
Alors pourquoi obéir au code du guerrier ?

— En plus, si nous les chassions, Petit Givre
et Petit Renard ne craindraient plus rien, miaula-
t-elle.

— Exactement. »

Petit Lion fit volte-face et se dirigea vers un coin
ombragé de la barrière de ronces. Petit Geai savait
où il allait : vers le tunnel auxiliaire qui conduisait à la petite clairière où les membres du clan
allaient faire leurs besoins. Personne ne les empêcherait de s'y rendre. D'ailleurs, personne ne les
verrait quitter la clairière. Le camp était désert.
Les guerriers et leurs apprentis étaient partis en
patrouille. Les anciens, Poil de Souris et Longue
Plume, s'étaient retirés dans leur tanière, et Fleur
de Bruyère était cachée dans la pouponnière avec
Chipie. Quant à Feuille de Lune, elle était occupée
à soigner dans son antre les deux guerriers atteints
du mal blanc.

Le cœur battant, Petit Geai suivit Petit Lion
dans l'étroit tunnel.

« Ni vus ni connus », souffla Petit Houx derrière
le chaton gris tigré.

Grâce à son flair, Petit Geai repéra la petite clairière et obliqua à la suite de son frère pour grimper
la pente abrupte qui bordait le camp. Aussitôt, il
perçut l'odeur de Pelage de Granit, qui gardait la
barrière de ronces.

« Est-ce qu'il peut nous voir ? s'enquit Petit Geai.

— Non, le rassura Petit Houx. Les buissons lui
bouchent la vue.

— Et les patrouilles ne nous repéreront pas si nous évitons les sentiers principaux, précisa Petit Lion.

— Mais nous ignorons où se trouvent ces sentiers », lui rappela Petit Geai, qui s'étonna de sentir des feuilles mortes et des brindilles sous ses coussinets.

Ce sol étrange, bien différent de la terre battue de la combe, lui rappela de nouveau son rêve.

« On peut deviner leur localisation en repérant les odeurs les plus fortes, répondit Petit Houx. Je ne flaire pratiquement rien, par ici. La pente est raide, et il n'y a pas le moindre sentier dans les fougères.

— Allons par là, dans ce cas, miaula Petit Lion.

— Qu'en penses-tu ? demanda Petit Houx à Petit Geai.

— Cœur d'Épines a dit qu'ils avaient trouvé la dépouille entre le camp et le lac, qui est par là, répondit-il, la queue tendue dans la direction opposée.

— Comment le sais-tu ?

— Je perçois la brise qui souffle sur l'eau, expliqua-t-il. Elle est plus fraîche que le vent qui descend des collines ou qui traverse la forêt. »

Les trois chatons revinrent sur leurs pas et s'engagèrent dans une montée boisée. La terre était plus humide sous les pattes de Petit Geai : le soleil avait du mal à percer à travers le feuillage épais. Il frissonna.

« Ben alors, t'as peur ? se moqua Petit Houx.

— Pas du tout, miaula-t-il. Il fait froid, à l'ombre, c'est tout. »

Ils atteignirent le sommet de la butte, où la forêt était moins dense.

Petit Geai s'immobilisa soudain, alerté par une odeur.

« Stop ! » ordonna-t-il. Il leva la tête pour renifler une fronde de fougère, et s'efforça d'identifier les nombreuses traces laissées par ses camarades de clan. « Les guerriers passent souvent par ici.

— Je ne vois personne, miaula Petit Houx.

— Restons quand même prudents, insista Petit Geai. Il ne faudrait pas qu'on tombe sur une patrouille !

— Si seulement on était à la saison des feuilles vertes ! gémit Petit Lion. Les fourrés seraient bien plus épais et on pourrait se cacher plus facilement...

— Et si on passait par là ? proposa leur sœur. Les arbres sont plus rapprochés...

— ... et il y a plein de ronces ! » compléta Petit Lion.

Il s'élança vers les taillis, aussitôt imité par Petit Houx et Petit Geai, à l'opposé des fougères portant l'odeur des patrouilleurs. Petit Geai commença à se détendre, jusqu'à ce qu'il entende un bruit très familier : la voix rauque de Pelage d'Orage.

« Source ? appelait-il.

— Tous à terre ! » feula Petit Geai.

Aussitôt, les trois chatons se tapirent au sol. Le chaton gris tigré sentait les battements de son cœur résonner contre la terre froide.

Il perçut bientôt sous ses pattes les vibrations caractéristiques des pas d'un félin.

« Ils viennent par ici », souffla-t-il.

Comment allaient-ils expliquer leur présence si loin du camp ?

« Cachons-nous sous ce buisson de houx », suggéra sa sœur.

Tandis que Petit Lion rampait vers le feuillage, Petit Houx encouragea d'un coup de museau Petit Geai à avancer. Des feuilles piquantes lui griffèrent la truffe et les oreilles.

« Ils ne nous verront pas, là-dedans », murmura-t-elle.

La voix de Pelage d'Orage retentit de nouveau, tout près.

« Allons vers la frontière du Clan de l'Ombre. »

Le miaulement de Source résonna à quelques longueurs de queue à peine :

« Tu penses qu'ils pourraient être dans l'ancienne renardière ?

— Probablement pas. La puanteur de la femelle blaireau que Poil d'Écureuil a chassée y est encore trop forte, mais allons tout de même vérifier. »

Petit Lion gémit :

« Si seulement l'odeur de Pelage d'Orage et de Source était celle de notre clan, on les aurait repérés plus tôt !

— Peu importe leur odeur ! Le vent soufflait du mauvais côté, jamais on n'aurait pu détecter leur présence, le corrigea Petit Geai.

— Chut ! » les tança leur sœur.

Les pas des deux guerriers se dirigeaient droit vers eux. Les branches frémirent lorsque le matou se frotta au buisson. Petit Geai s'aplatit un peu plus et ferma les yeux.

« Viens, dépêchons-nous ! lança Pelage d'Orage à sa compagne. Ensuite, nous reviendrons patrouiller au sommet de la combe. »

Les pas des deux félins s'éloignèrent enfin.

« Sortons d'ici, murmura Petit Geai.

— De quel côté ? » s'enquit Petit Lion.

Le chaton gris tigré huma l'air, et repéra de nouveau la brise fraîche venue du lac.

« Par là », annonça-t-il.

Ils se remirent prudemment en route. Petit Lion les entraîna le long d'un sentier tortueux parmi des massifs de fougères et des taillis si touffus que Petit Geai parvenait à peine à s'y faufiler.

« Je parie qu'aucun guerrier n'est passé par ici, fanfaronna-t-il.

— Ils devraient toujours nous emmener en patrouille ! renchérit son frère.

— On pourrait explorer des endroit dont ils n'ont jamais pu s'approcher », ajouta leur sœur.

Ils se frayèrent un passage entre les racines recourbées d'un sycomore, où ils creusèrent une sorte de tunnel dans les feuilles mortes. Petit Geai se figea. Il venait de reconnaître l'odeur fraîche de Patte d'Araignée.

« Attendez ! lança-t-il. La patrouille de Cœur d'Épines vient de passer par ici. »

Les chatons regagnèrent aussitôt l'ombre des racines du sycomore.

« Nous sommes donc dans la bonne direction, murmura la petite chatte.

— Et là-bas, ce doit être le Vieux Chêne, souffla Petit Lion. C'est l'arbre le plus haut des bois, et de loin.

— Où est la patrouille ? s'inquiéta Petit Geai.

— Chut, écoutez ! » ordonna Petit Houx.

Petit Geai entendit la patrouille qui quadrillait les massifs de fougères à quelques longueurs de queue de là. Puis sa fourrure se hérissa. Lorsqu'il avait ouvert la gueule, une odeur pestilentielle avait imprégné sa langue. C'était une véritable infection, un fumet qu'il ne connaissait pas et qui le fit frissonner de plus belle.

« Vous sentez ça ? demanda-t-il à son frère et à sa sœur.

— Berk ! fit Petit Lion, le nez froncé.

— Ce doit être le renard mort ! devina Petit Houx. Nous sommes tout près du piège.

— Vous l'apercevez ? » s'enquit Petit Geai.

Sa sœur s'éloigna un peu.

« Je peux voir par-dessus la racine ! annonça-t-elle. La dépouille est sous le chêne. Et la patrouille derrière l'arbre, dans les fougères.

— Ils cherchent au mauvais endroit », grommela Petit Geai.

Il venait de comprendre que, malgré les odeurs de la patrouille et du cadavre, il flairait une senteur plus subtile, plus douce… une senteur lactée, là, sous le sycomore.

« La renarde est passée près de cet arbre, annonça-t-il aux autres. Je perçois encore le parfum de son lait.

— Nous avons trouvé sa piste ! » se réjouit Petit Houx.

Petit Lion s'extirpa de leur cachette.

« Suivons-la ! Elle nous mènera jusqu'aux petits. »

Petit Geai s'élança le premier.

« Attention ! le mit en garde Petit Lion. Il y a des ronces droit devant.

— Laisse-moi passer, lui ordonna sa sœur, je trouverai un moyen de les traverser !

Et elle se faufila aussi sec entre les branches devant lui.

— La trace contourne ce buisson, protesta Petit Geai.

— Peut-être, mais nous ne pouvons pas rester à découvert, lui rappela Petit Lion. Nous retrouverons la piste de l'autre côté, là où Cœur d'Épines et sa patrouille ne pourront plus nous voir. »

À contrecœur, Petit Geai suivit son frère tandis que leur sœur ouvrait une voie dans le taillis. Il fut soulagé de retrouver le fumet de la renarde de l'autre côté.

La forêt était moins dense, par là. Petit Geai sentait le vent ébouriffer sa fourrure et les rayons du soleil réchauffer son dos. À mesure qu'il progressait, l'odeur lactée se confirmait et, lorsqu'ils approchèrent d'un bouquet de fougères qui abritaient un petit monticule de terre, il renifla une senteur inconnue. Celle des renardeaux ?

« Attendez-moi là ! commanda Petit Houx.

— Pourquoi ? voulut savoir Petit Lion.

— Je vais jeter un coup d'œil derrière ces fougères !

— Je viens, insista Petit Lion.

— Non ! Les renardeaux ne doivent pas savoir que nous sommes là. Si nous débarquons tous les trois, nous perdrons l'effet de surprise.

— Ma robe dorée se fondra mieux dans les fougères que ton pelage noir, lui fit remarquer son frère.

— Et moi ? s'enquit Petit Geai.

— Nous n'attaquerons pas la renardière sans toi, lui promit sa sœur. Attendons que Petit Lion trouve l'entrée. »

Ce plan avait beau être logique, Petit Geai en fut tout de même contrarié. Et il se demanda pour la première fois s'il était vraiment sage de s'attaquer aux renardeaux. Pourtant, quel autre moyen avait-il de persuader le clan qu'on ne devait pas le traiter comme un nouveau-né vulnérable ?

Il tendit l'oreille, guettant le retour de son frère. Il crut attendre une éternité avant que ce dernier ressorte enfin des fougères.

« L'entrée principale se trouve juste derrière ce massif, annonça-t-il en se secouant pour chasser les feuilles de sa fourrure. Mais il y a une entrée plus petite de l'autre côté du monticule – sans doute une sortie de secours.

— Est-ce que les petits sont là ? s'enquit Petit Geai.

— Oui, j'ai entendu leurs cris affamés.

— Ils doivent être encore jeunes, alors, conclut Petit Houx. Sinon, ils seraient déjà sortis.

— Il sera plus facile de les chasser si nous les attaquons par le passage secondaire, suggéra Petit Lion. Si nous les effrayons suffisamment, ils partiront en courant et nous pourrons les pourchasser jusqu'à la frontière.

— De quel côté se trouve la frontière ? voulut savoir Petit Houx.

— Quelle que soit la direction qu'ils prendront, ils tomberont bien sur une frontière ! la rabroua Petit Geai avec impatience. Le territoire du Clan du Tonnerre ne s'étend pas à l'infini. Allons-y, avant que Cœur d'Épines les trouve et reçoive les louanges à notre place. »

Il fonça dans les feuillages sans laisser aux deux autres le temps de répondre. Il leur fit traverser les fougères et grimper le monticule couvert de feuilles mortes.

« L'entrée secondaire est par là, annonça-t-il en s'arrêtant brusquement.

— Ce n'est pas plus grand qu'un terrier de lapin ! s'étonna Petit Houx.

— Les renards ont peut-être mangé les anciens occupants, répondit Petit Lion. Quelle importance, du moment que, nous, on arrive à descendre ? »

Le miaulement de Cœur d'Épines retentit dans les arbres, tout près d'eux. La patrouille, qui avait dû renoncer à fouiller les fougères près de la dépouille de la renarde, se dirigeait sans doute vers eux.

« Vite ! les pressa Petit Lion. Ou Cœur d'Épines trouvera les renardeaux avant nous ! »

Petit Geai inspira profondément avant de plonger à toute allure dans le trou, si étroit que les flancs du chaton frôlèrent les parois terreuses. Savoir qu'il plongeait dans le noir ne l'inquiétait guère. Il comptait sur son flair pour le mener jusqu'aux petits. Sentant Petit Lion sur ses talons, il accéléra et déboula soudain au milieu du terrier.

L'air y était chaud et empestait le renard – il y en avait plusieurs. Petit Geai émit un feulement menaçant. Petit Lion, qui l'avait rejoint en un rien de temps, cracha férocement pendant que Petit Houx feulait.

Petit Geai n'avait pas besoin de voir les renardeaux pour comprendre, lorsqu'il les entendit se dresser sur leurs pattes, qu'ils étaient bien plus grands que les chatons l'avaient imaginé. Leurs glapissements aigus le terrorisa.

« Ils sont énormes ! gémit Petit Lion.

— Sortons d'ici ! » hurla Petit Geai.

Ce dernier fit volte-face et se précipita dans le tunnel de secours, poursuivi par l'haleine chaude d'un renardeau. Est-ce que Petit Houx et Petit Lion étaient bloqués dans le terrier ? Il ne pouvait même pas jeter un regard en arrière pour le vérifier. Comme le chaton sortait du tunnel, les mâchoires du jeune renard claquèrent sur ses talons.

Terrifié, Petit Geai dévala le monticule puis se jeta dans les fougères.

« Cœur d'Épines ! » hurla-t-il.

Pas de réponse. Le chaton se rua vers le roncier. Il espérait que les épines dissuaderaient le renard, mais le prédateur le suivit. Alors que Petit Geai se faisait griffer la truffe et les oreilles, la bête avançait avec une facilité surprenante. À force de se débattre au milieu des ronces, le chaton parvint à se dégager et se précipita vers le camp en s'orientant grâce aux odeurs familières qui lui parvenaient de la combe. Le renardeau était toujours à ses trousses, grondant et claquant des mâchoires.

Je dois être tout près du camp ! se dit Petit Geai, au désespoir, en dérapant sur les feuilles mortes.

Une douleur fulgurante lui transperça la queue lorsque l'animal parvint à y planter ses crocs. Il força l'allure, fendit les taillis, quand, soudain, le sol se déroba sous ses pattes.

Je tombe dans la combe ! songea-t-il avec horreur.

CHAPITRE 3

PETIT GEAI TENTA DE BOUGER, mais la douleur lui tordit les pattes et enserra ses côtes comme des griffes acérées.

Je me suis brisé les os ! se dit-il, pris de panique.

Il tenta de miauler pour appeler à l'aide.

« Chh, mon petit. »

Un souffle chaud caressa sa fourrure, une truffe douce frôla son flanc.

Comme il se trouvait sur un nid de mousse dans la fissure qui abritait l'antre de la guérisseuse, il déduisit que ce devait être Feuille de Lune, même si sa voix lui semblait étrange. Le choc avait dû lui brouiller les idées. Un courant d'air frais passait entre les ronces qui gardaient l'entrée de la tanière. D'instinct, Petit Geai tenta de reconnaître les différentes plantes médicinales dont les fragrances lui chatouillaient les narines. Il identifia aussitôt les baies de genièvre – Feuille de Lune en avait donné à Petit Lion, le jour où il avait eu mal au ventre après avoir trop mangé. Il se souvenait aussi de la bourrache, qui avait servi à soigner la fièvre de

Fleur de Bruyère, après la naissance de Petit Givre et de Petit Renard.

Où étaient Petit Houx et Petit Lion ?

Il ne sentait nulle part leur odeur.

Il se tortilla dans son nid pour tenter de les repérer.

« Reste allongé, mon petit. »

Lorsque Petit Geai ouvrit les yeux et vit la chatte tapie près de lui, il comprit qu'il rêvait. Il ne la reconnaissait pas, même si son odeur était celle du Clan du Tonnerre. Son image évoquait un assemblage de formes floues. Pourtant, il distingua tout de même, lorsqu'elle vint renifler le pelage du chaton, les jolies taches orange et marron sur son corps souple.

Ses yeux étaient grands et pâles. L'un d'eux était ourlé d'une bande de fourrure plus sombre que l'autre. Son visage tacheté se terminait par un museau tout blanc.

« N'aie pas peur, lui murmura-t-elle. Tu ne crains rien.

— Et Petit Houx et Petit Lion ?

— Eux aussi sont en sécurité. »

Petit Geai reposa la tête sur la mousse, tandis que la chatte effleurait du bout du museau chacune de ses contusions. À chaque contact, une douce chaleur se diffusait en lui, et il fut bientôt réchauffé.

« Et maintenant, bois, mon chéri », le pressat-elle. Elle tira une feuille jusqu'à lui où perlaient quelques gouttes. L'eau, fraîche et sucrée, lui donna sommeil. Il ferma les yeux.

Lorsque Petit Geai reprit connaissance, la chatte était partie. S'il souffrait toujours au moindre mouvement, la douleur était devenue supportable.

« Tu es réveillé. »

La voix de Feuille de Lune le fit sursauter.

« Où est passée l'autre chatte ?

— L'autre chatte ?

— Celle qui m'a apporté de l'eau. Une chatte au pelage écaille et au museau blanc.

— Une chatte écaille au museau blanc ? » répétat-elle avec intérêt.

Petit Geai ne comprenait pas pourquoi Feuille de Lune reprenait tout ce qu'il disait. Il voulut relever la tête, mais son cou était trop raide et il grimaça de douleur.

« Tu auras mal pendant quelques jours encore, le prévint-elle. Estime-toi heureux, tu ne t'es rien cassé. » Elle fit rouler une boule de mousse gorgée d'eau jusqu'à lui. « Tiens, tu devrais te désaltérer.

— Je n'ai pas soif. Je viens de te dire que l'autre chatte m'avait donné à boire.

— Que peux-tu me dire d'autre à son sujet ? » le pressa-t-elle en écartant la mousse.

Petit Geai se troubla, comme s'il avait fait une bêtise.

« Je ne la connais pas. Comme elle portait l'odeur de notre clan et qu'elle était dans ton antre, je pensais que j'avais le droit de boire l'eau qu'elle m'offrait. »

Après un long silence, la guérisseuse répondit :

« C'était Petite Feuille. L'une de nos ancêtres.

— Tu veux dire... du Clan des Étoiles ? Je... je ne suis pas mort, n'est-ce pas ?

— Bien sûr que non, rassure-toi. Tu as dû rêver.

— Pourquoi aurais-je rêvé d'une chatte que je ne connais pas ?

— Les voies du Clan des Étoiles sont impénétrables. Petite Feuille avait sans doute une bonne raison de venir te voir, murmura Feuille de Lune avant de se tourner vers un ballot d'herbes. Que le Clan des Étoiles soit loué, les guerriers de jadis t'ont pris en pitié, ajouta-t-elle d'un ton sec. Ta chute aurait pu être mortelle. Et tu as beaucoup de chance.

— J'ai mal partout, gémit Petit Geai.

— Tu ne peux t'en prendre qu'à toi-même. Tu n'aurais jamais dû partir à la chasse au renard ! Vous n'êtes que des cervelles de souris, tous les trois ! Et toi encore plus que les autres. À quoi pensais-tu donc, en quittant le camp en douce ? »

Son sermon fit enrager Petit Geai. Malgré sa douleur, il se dressa fièrement pour lui répondre.

« Ce n'est pas juste ! feula-t-il. Je devrais avoir le droit de faire les mêmes choses que les autres !

— Aucun de vous trois n'aurait dû quitter le camp, lui rappela Feuille de Lune. Petit Houx et Petit Lion se sont fait sévèrement réprimander par Étoile de Feu et Poil d'Écureuil. » Petit Geai ouvrit la gueule pour se défendre, mais elle poursuivit : « Heureusement que Cœur d'Épines était tout près ! Il a pu sortir ton frère et ta sœur du terrier. Ces renardeaux étaient assez grands pour les réduire en bouillie.

— Nous essayions de protéger le clan, rétorqua le chaton avec morgue.

— Et un jour, vous le pourrez, lui promit-elle. Vous devez d'abord apprendre autant de choses que possible, y compris de ne jamais vous éloigner seuls.

— Tu crois qu'Étoile de Feu va retarder mon baptême d'apprenti ? » s'enquit-il, très inquiet.

Feuille de Lune lécha les oreilles du chaton.

« Tu le penses, pas vrai ? gémit-il. Est-ce qu'Étoile de Feu a annoncé sa décision ? Dis-le moi !

— Cher Petit Geai, soupira-t-elle. Tu dois savoir que jamais tu ne deviendras apprenti guerrier comme Petit Houx ou Petit Lion. »

Du bout de la queue, elle caressa le dos du chaton, qui s'écarta d'un bond. Malgré la douleur qui le faisait grimacer à chacun de ses pas, il se dirigea vers la sortie de la tanière.

Feuille de Lune le rappela d'une voix triste :

« Petit Geai, attends. Je pensais que tu comprendrais...

— Que je comprendrais quoi ? la coupa-t-il en pivotant vers elle. Que je suis incapable de défendre mon clan ?

— Cela n'a rien à voir avec tes capacités, miaula-t-elle. Il y a d'autres façons de servir ton clan. »

Mais Petit Geai l'entendait à peine.

« C'est injuste ! enragea-t-il en se faufilant entre les ronces.

— Petit Geai ! Reviens ! »

Il s'arrêta.

« Tu m'as parfaitement décrit Petite Feuille. Vois-tu toujours si bien dans tes rêves ?

— Oui, je crois, répondit-il, tête penchée.

— Et que vois-tu ?

— Cela dépend. »

Petit Geai fulminait. Comment ses rêves pourraient-ils l'aider à devenir un guerrier du Clan du Tonnerre ? Les images floues qui peuplaient son sommeil lui paraissaient bien pâles comparées à la richesse du monde que lui décrivaient ses sens lorsqu'il était éveillé.

« À présent, dis-moi quelles herbes j'ai utilisées pour te soigner. »

Voilà qui attisa sa curiosité. Il revint vers son nid, concentré sur les odeurs qui s'accrochaient à sa fourrure, celles des plantes dont la guérisseuse s'était servie pour masser ses blessures.

« Des feuilles d'oseille pour mes égratignures et de la consoude pour mes courbatures.

— Tu as une bonne mémoire des plantes. Être guerrier n'est pas la seule façon de servir son clan. Tu ferais un bon guérisseur, par exemple.

— Un guérisseur ! » répéta-t-il, incrédule.

Comme s'il voulait passer sa vie à puer la bile de souris et à nettoyer des blessures purulentes !

« Tu pourrais devenir mon apprenti, insista-t-elle.

— Non merci ! cracha-t-il. Je ne veux pas d'une demi-vie, isolé de mes camarades de clan comme tu l'es. Je veux être un guerrier, comme Griffe de Ronce et Étoile de Feu. »

Il tourna le dos à Feuille de Lune, le pelage hérissé par la colère.

« Je déteste être aveugle ! J'aurais préféré ne jamais naître ! »

CHAPITRE 4

Le soleil disparaissait derrière les arbres et le camp plongeait peu à peu dans l'ombre. Petit Houx attendait au milieu de la clairière, où Griffe de Ronce l'avait laissée seule avec Petit Lion. La fourrure dorée de ce dernier brillait dans la lumière déclinante. Il frissonna lorsqu'une bourrasque glaciale s'engouffra dans la combe.

Soudain, le rideau de ronces devant l'entrée de la tanière de la guérisseuse frémit, et la petite tête gris tigré de Petit Geai apparut.

« Regarde ! lança Petit Houx.

— Il va bien ! s'écria Petit Lion, soulagé.

— Que le Clan des Étoiles soit loué ! »

Petit Geai fit demi-tour et regagna l'antre de Feuille de Lune.

« Elle a dû le rappeler », devina la petite chatte noire.

Elle dut planter ses griffes dans le sol pour empêcher ses pattes de trembler. Elle savait au moins que son frère s'était remis de sa chute. Mais ils devaient encore affronter le courroux d'Étoile de Feu. Comment allait-il les punir, cette fois-ci ?

Elle jeta un coup d'œil en arrière, espérant que personne ne les observait. Poil de Souris était adossée au demi-roc. La pierre, lisse et plate, qui saillait près de l'entrée du gîte des anciens devait être encore brûlante après avoir chauffé au soleil toute la journée. Pelage de Poussière faisait sa toilette en compagnie d'Aile Blanche près du buisson d'aubépine qui abritait le repaire des guerriers. Son apprentie, Nuage de Noisette, le salua d'un signe de tête puis s'en fut prendre une souris sur le tas de gibier et l'emporta vers la tanière des apprentis. Son frère, Nuage de Sureau, avait déjà commencé à manger.

Petit Houx croisa le regard du jeune mâle, qui la couva d'un œil plein de compassion avant de se détourner. Petit Houx releva un peu plus le menton. Hors de question qu'elle laisse quiconque deviner à quel point elle avait peur. Elle accepterait la sentence comme une vraie guerrière.

Elle observa Poil de Châtaigne, qui apportait une pièce de viande fraîche à son compagnon, Poil de Fougère. Le guerrier convalescent se reposait sous la Corniche. Sa respiration était toujours sifflante, à cause du mal blanc. La chatte écaille déposa la souris devant ses pattes.

« Comment vas-tu ? s'enquit-elle.

— Mieux. Je serai remis dans quelques jours. Bois de Frêne est déjà rétabli, grâce à notre guérisseuse.

— Au moins, tu as pu sortir de la tanière de Feuille de Lune.

— Elle avait besoin de place pour Petit Geai.

— Pauvre petit, soupira-t-elle. Tu penses qu'il s'en sortira ? »

Petit Houx fulmina. Petit Geai avait été tout aussi impatient de chasser les renardeaux que Petit Lion et elle, pourtant, lui se faisait chouchouter dans la tanière de Feuille de Lune pendant qu'eux deux devaient rester assis là, où le clan tout entier pouvait les voir.

Elle soupira de frustration.

« T'as une tique dans l'oreille ? lui murmura son frère.

— Non ! J'enrage parce que c'est injuste ! crachat-elle. Nous n'aurions pas eu autant d'ennuis si Petit Geai n'était pas tombé du haut de l'à-pic ! Chaque fois, c'est pareil : il joue les durs et finit par faire n'importe quoi !

— Nous n'aurions pas dû l'emmener avec nous.

— Tu imagines la scène qu'il nous aurait faite ? »

Puis elle se souvint que Petit Geai avait été le premier à flairer l'odeur de lait qui les avait conduits à la renardière. Elle s'en voulut aussitôt.

Il aurait pu mourir.

Cette idée lui fendit le cœur. Ils faisaient toujours tout ensemble, tous les trois. Perdre Petit Geai serait comme perdre une part d'elle-même.

Elle soupira avec tristesse.

« Nous n'aurions jamais dû partir.

— J'aurais préféré que vous le compreniez plus tôt ! »

Le miaulement d'Étoile de Feu surprit Petit Houx. Des gravillons dévalèrent de la Corniche lorsqu'il bondit au sol.

Griffe de Ronce et Poil d'Écureuil descendirent à sa suite et se postèrent juste derrière lui. Petit Houx se sentit plus coupable encore devant le regard courroucé de son père et celui, déçu, de sa mère. Elle baissa la tête en repensant à la fin désastreuse de leur attaque du terrier. La patrouille de Cœur d'Épines était arrivée au moment où Petit Lion et elle s'échappaient du trou, pourchassés par deux renardeaux. Cœur d'Épines avait poussé un cri de stupeur en la voyant s'élancer entre les arbres. Terrifiée par les claquements de mâchoires des prédateurs, elle n'avait pas osé s'arrêter et était tombée sur la patrouille de Griffe de Ronce, qui remontait du lac.

« Que se passe-t-il ? » s'était-il enquis. Il l'avait attrapée par la peau du cou lorsqu'elle avait essayé de se défiler. « Qu'est-ce que vous faites en dehors du camp ? »

Elle avait tenté en vain de s'expliquer. Elle était trop essoufflée, et son cœur battait aussi vite qu'un pic-vert pique un tronc creux.

« Les chatons ont trouvé les renardeaux, avait expliqué Patte d'Araignée. Apparemment, ils avaient organisé leur propre patrouille. »

Petit Houx n'avait pas osé affronter le regard de son père.

« Où sont Petit Lion et Petit Geai ? avait-il feulé.

— Petit Lion est avec Nuage de Pavot, l'avait rassuré le matou noir. Il va bien. Nous n'avons pas encore retrouvé Petit Geai, et les renardeaux se sont échappés. Il nous faudra du temps pour les débusquer. »

Griffe de Ronce avait levé les yeux au ciel en marmonnant, puis il avait escorté Petit Lion et Petit Houx sans cérémonie jusqu'au camp.

Mais ne c'était pas le pire.

En arrivant dans la combe, ils avaient trouvé Aile Blanche et Feuille de Lune tapies au bord de la clairière, leurs poils dressés d'épouvante. Fleur de Bruyère, tremblante, gémissait tout près d'elle.

Petit Geai gisait au sol entre leurs pattes, menu tas de fourrure grise. Griffe de Ronce s'était précipité près de son fils. Malgré sa panique, il l'avait touché doucement du bout du museau, comme s'il essayait de le réveiller après une longue nuit de sommeil.

« Il respire encore, et les battements de son cœur sont stables », lui avait appris Feuille de Lune.

Griffe de Ronce avait dévisagé la guérisseuse avec désespoir, puis il s'était redressé.

« Va chercher Étoile de Feu et Poil d'Écureuil », avait-il ordonné à Aile Blanche.

Après quoi il avait contraint Petit Lion et Petit Houx à attendre dans la clairière, puis il avait porté Petit Geai jusqu'à la tanière de Feuille de Lune. Étoile de Feu était revenu avec Poil d'Écureuil, et les trois félins avaient disparu dans la tanière du chef sans leur adresser le moindre regard.

Petit Houx se colla à Petit Lion lorsque Étoile de Feu, Poil d'Écureuil et Griffe de Ronce vinrent s'aligner devant eux. Elle était soulagée de ne pas devoir les affronter seule.

« Petit Geai se remettra, annonça Étoile de Feu.

— Je sais, répondit Petit Houx. Nous l'avons vu... »

Le rouquin la fit taire d'un seul regard appuyé, puis ajouta :

« La patrouille de Cœur d'Épines n'est pas revenue. Ce qui signifie que nos guerriers tentent toujours de chasser les renardeaux.

— Qu'est-ce qui vous a pris, de quitter le camp ? s'étrangla Griffe de Ronce.

— Je sais que ce sont tes petits, Griffe de Ronce, le coupa son chef. Cependant, laisse-moi régler cette histoire. »

Poil d'Écureuil agita nerveusement la queue. Petit Houx devinait qu'elle avait elle aussi un mot à leur dire, mais elle retint sa langue pour laisser le meneur s'exprimer.

« Nous voulions juste aider le clan ! protesta Petit Houx.

— Alors faites ce qu'on vous dit ! feula Étoile de Feu. Et si Petit Geai avait trouvé la mort ? Quel bien le clan en aurait-il retiré ? »

Son regard furibond passa de l'un à l'autre. Ils baissèrent tous deux la tête.

Étoile de Feu renchérit :

« Vous avez failli mener les renards à notre camp – et vous leur avez laissé une belle piste à suivre pour qu'ils ne risquent pas d'oublier le chemin !

— On est désolés, murmura Petit Houx.

— On pensait que si on trouvait les petits... voulut protester Petit Lion.

— Si vous aviez vraiment pensé, vous auriez laissé nos guerriers se charger d'eux, et le clan n'aurait plus rien à craindre ! s'emporta le meneur. Au lieu de quoi, nous nous retrouvons avec un chaton grièvement blessé et trois renards affamés qui connaissent l'emplacement de notre camp ! »

Petit Houx jeta un coup d'œil coupable vers la pouponnière.

Irritée, Poil d'Écureuil planta ses griffes dans le sol. D'un signe de tête, Étoile de Feu lui signifia qu'elle pouvait parler à son tour.

« Vous me décevez beaucoup, tous les deux ! feula-t-elle.

— Et Petit Geai, alors ? s'indigna Petit Lion. On ne l'a pas forcé à venir !

— Nous lui parlerons lorsqu'il sera guéri, répondit Griffe de Ronce. Pour l'instant, nous nous occupons de vous deux. Vous n'avez pas plus de jugeote qu'un oisillon tout juste sorti de son œuf !

— Tu vas nous empêcher de devenir apprentis ? » s'enquit Petit Lion d'une voix à peine audible.

Petit Houx retint son souffle. Leur père ferait-il vraiment une chose pareille ? Elle leva vers lui des yeux implorants.

« Si cela ne tenait qu'à moi, je vous ferais attendre encore une lune. Mais la décision revient à Étoile de Feu. »

Le rouquin plissa les yeux.

« Je ne me prononcerai pas immédiatement, déclara-t-il. Retournez à la pouponnière. Fleur de Bruyère et Chipie vous garderont à l'œil, et vous devrez toujours prévenir l'une ou l'autre de vos mouvements. Si vous n'êtes pas capables de rester à votre place, alors vous n'êtes pas prêts pour endosser les responsabilités qui incombent aux apprentis.

— Nous ne nous égarerons plus, promit Petit Lion.

— Et toi, Petit Houx ? miaula Étoile de Feu.

— Je ne ferai rien qui risquerait de m'empêcher de devenir apprentie, jura-t-elle sincèrement.

— Très bien. J'espère que vous avez au moins appris une chose aujourd'hui. Les guerriers dignes de ce nom pensent avant tout à la sécurité du clan. »

Sur ces mots, il s'en fut rejoindre Poil de Fougère et Poil de Châtaigne.

Ses paroles avaient transpercé le cœur de Petit Houx. Elle avait failli à son clan.

« Nous sommes désolés, répéta-t-elle à l'intention de ses parents.

— J'espère bien, rétorqua sa mère.

— Vous êtes les plus âgés de la pouponnière, vous devriez donner l'exemple », ajouta Griffe de Ronce.

Le regard de Poil d'Écureuil s'adoucit quelque peu. Elle se pencha pour donner un coup de langue entre les oreilles de ses deux rejetons.

« Je sais que vous pensiez bien faire… ronronna-t-elle.

— Nous voulions juste aider notre clan, répéta Petit Houx.

— Vous le pourrez bientôt, la rassura Griffe de Ronce.

— Est-ce que Petit Geai devra lui aussi rester dans la pouponnière ? s'enquit Petit Lion.

— Il demeurera auprès de Feuille de Lune le temps de sa convalescence, lui répondit la guerrière. Puis il vous rejoindra.

— Il sera remis à temps pour le baptême ? voulut savoir la petite chatte.

— Enfin, s'il y a bien un baptême », précisa Petit Lion.

Du bout de la queue, Poil d'Écureuil effleura le flanc de son fils.

« Tu sais bien que votre frère ne pourra pas devenir un véritable apprenti.

— Comment ça ? s'étonna Petit Houx.

— Un guerrier aveugle... c'est impossible », expliqua Griffe de Ronce.

Petit Houx protesta aussitôt.

« Si, c'est possible ! Petit Geai flaire, entend et perçoit tout ce qui se passe dans le camp ! » Elle jeta un coup d'œil vers Petit Lion pour qu'il confirme. « C'est comme s'il pouvait voir les choses, mais avec sa truffe et ses oreilles ! »

Elle soutint le regard de son père en attendant qu'il réponde. Ce dernier se contenta d'échanger une œillade triste avec sa compagne. Petit Houx frémit d'indignation.

Soudain, un bruit de cavalcade résonna dans le camp. Une voix retentit de l'autre côté de la haie. C'était Cœur d'Épines. Le matou apparut bientôt entre les ronces, suivi de Patte d'Araignée, Nuage de Pavot et Nuage de Mulot.

Étoile de Feu alla aussitôt à leur rencontre. Griffe de Ronce les rejoignit.

« Vous les avez retrouvés ? les interrogea le lieutenant.

— Nuage de Pavot et Nuage de Mulot en ont chassé un, qui a franchi la frontière du Clan de l'Ombre, rapporta Cœur d'Épines. Les deux autres restent introuvables. »

La honte chauffa les oreilles de Petit Houx.

« Les renardeaux sont assez grands pour survivre seuls, ajouta Cœur d'Épines. Ils pourraient nous causer de nombreux problèmes à l'avenir. »

Fleur de Bruyère pointa le museau hors de la pouponnière.

« Est-ce qu'ils sont près du camp ? s'inquiéta-t-elle.

— Non. Nous nous en sommes assurés. Il n'y a aucune trace fraîche de ce côté-ci du Vieux Chêne. »

Cette nouvelle sembla la rassurer un peu, pourtant ses moustaches frémissaient toujours nerveusement. Elle se hâta de rejoindre ses petits, qui miaulaient dans la roncière.

Petit Houx soupira.

« Inutile de t'en vouloir à ce point, lui murmura sa mère. Tout le monde commet des erreurs. Il faut juste retenir la leçon.

— Je travaillerai dur pour me racheter, promit la petite chatte.

— Je le sais. Et si tu allais voir Petit Geai ? Je suis certaine qu'il apprécierait un peu de compagnie.

— Je peux y aller aussi ? supplia Petit Lion.

— Vous parler à tous les deux le fatiguerait. Tu iras plus tard. Mais n'oublie pas de prévenir Chipie ou Fleur de Bruyère avant de sortir de la pouponnière. C'est un ordre d'Étoile de Feu, d'accord ? »

Petit Lion remua la queue puis s'éloigna en silence.

« Je lui dirai que tu t'inquiètes pour lui ! lança Petit Houx.

— Si tu veux… » grommela-t-il sans se retourner.

Petit Houx se fraya un passage à travers le rideau de ronces qui dissimulait l'entrée de la tanière de la guérisseuse. Petit Geai était étendu à l'intérieur, près de la flaque alimentée par un filet d'eau coulant sur la paroi. Il tourna vers sa sœur ses yeux aussi bleus que les plumes d'un geai.

« Content de te voir, Petit Houx », la salua-t-il d'une voix fatiguée.

Sa fourrure plaquée à son corps par les cataplasmes lui donnait l'air d'un nouveau-né. La gorge de la petite chatte se serra.

« Pas besoin d'avoir pitié de moi », miaula-t-il.

Petit Houx cligna des yeux, interdite. Comment son frère parvenait-il toujours à connaître ses émotions ? Il était parfois agaçant de le sentir renifler ses pensées les plus intimes comme une souris trop curieuse.

« Je ne vais pas mourir, ajouta-t-il.

— Je l'ai toujours su, mentit-elle en venant lui donner un coup de langue entre les oreilles.

— Qu'a dit Étoile de Feu ?

— Nous sommes consignés dans la pouponnière jusqu'à ce qu'il ait décidé si nous pouvons devenir apprentis.

— Si ? répéta-t-il.

— Si nous obéissons aux ordres et que nous restons dans le camp, je pense que nous nous en tirerons. »

Elle pria pour que ce soit vrai – elle n'avait jamais vu Étoile de Feu si furieux.

« Il le faut ! » s'indigna-t-il.

Il tenta de se lever, ce qui lui arracha une grimace de douleur.

« Tout va bien ? s'inquiéta sa sœur.

— Il a mal partout, miaula Feuille de Lune, qui mélangeait des herbes à l'autre bout de la tanière. Mais il guérit vite. » Elle s'interrompit pour venir rejoindre les chatons. « Je lui ai donné des feuilles de consoude à mâcher.

— C'est ça que tu étais en train de préparer ?

— Oui, j'aime bien y ajouter quelques fleurs de bruyère, quand j'en ai. Le nectar adoucit le mélange et le rend plus facile à avaler.

— Comment as-tu appris tout ça ? s'enquit la petite chatte, poussée par la curiosité.

— C'est Museau Cendré qui m'a transmis son savoir. »

Elle avait répondu d'une voix empreinte de tristesse. Cependant, Petit Houx s'intéressait davantage à ses connaissances qu'à son ancien mentor. Détenir un tel savoir devait être une source de pouvoir : personne d'autre dans le clan ne connaissait les herbes aussi bien qu'elle. Elle avait soigné Poil de Fougère, Bois de Frêne et maintenant Petit Geai. *Si je pouvais être aussi importante pour le clan…* songea-t-elle.

« Feuille de Lune ? appela soudain Cœur Blanc depuis l'entrée de la tanière. Poil de Fougère recommence à tousser.

— Je vais te donner du miel, que tu lui porteras. Petit Houx, peux-tu t'occuper un instant de Petit

Geai ? Une bonne toilette lui ferait du bien. Évite simplement de lécher les cataplasmes.

— Entendu. »

Petit Houx fronça le nez à l'idée de passer sa langue tout près de l'espèce de boue puante étalée sur la fourrure de son frère. Elle s'attela tout de même à la tâche.

« Pas si fort ! gémit Petit Geai. J'ai mal partout.

— Pardon, miaula sa sœur en ralentissant ses gestes.

— Tu n'es pas aussi douce que Petite Feuille.

— Qui ça ?

— Petite Feuille. Feuille de Lune m'a dit que c'était l'une de nos ancêtres. Elle m'est apparue en rêve et, du bout du museau, elle a touché toutes mes blessures pour me guérir.

— Comment peux-tu rêver d'une chatte que tu n'as pas connue ? »

Après avoir donné une feuille couverte de miel à Cœur Blanc, Feuille de Lune revint s'asseoir avec eux.

« Tu lui as raconté ton rêve, Petit Geai ? »

Ce dernier acquiesça.

« C'était qui, Petite Feuille ? s'enquit Petit Houx.

— La guérisseuse du clan à l'époque où Étoile de Feu a rejoint la forêt, expliqua Feuille de Lune. Elle est morte bien avant ma naissance, mais elle vient parfois me voir dans mes rêves, comme elle l'a fait avec Petit Geai. C'était un puits de sagesse. Et jamais elle n'a cessé de veiller sur son clan. J'imagine que c'est pour cela qu'elle est apparue à ton frère, et qu'elle me conseille encore aujourd'hui.

« — Est-ce que Museau Cendré aussi vient te voir ? l'interrogea Petit Houx.

— Non, seulement Petite Feuille. Elle m'aide au quotidien et me prévient en cas de danger. »

Petit Houx fut surprise de l'entendre évoquer si chaleureusement quelqu'un qu'elle n'avait pas connu de son vivant.

« Tu parles d'elle comme d'une amie.

— Nos ancêtres peuvent être nos amis.

— Je souffre, gémit Petit Geai.

— Je vais chercher d'autres feuilles de consoude, annonça Petit Houx, qui bondit aussitôt vers le tas de plantes avant d'en rapporter une bouchée à Feuille de Lune.

— Merci. Est-ce que tu peux aussi chercher des graines de pavot ? Tu les trouveras tout au fond. Ce sont de petites graines noires et rondes.

— D'accord. » La jeune chatte fila vers le fond de la faille et flaira les différents tas de remèdes jusqu'à trouver les graines en question. « Combien ?

— Cinq. Lèche tes coussinets et tapote le tas pour qu'elles se collent à ta patte. »

Petit Houx suivit ses instructions, secoua la patte pour faire tomber les graines en trop et revint à cloche-patte vers son frère. Il lécha aussitôt les graines, les paupières tombantes.

« Il va bien ? s'inquiéta sa sœur.

— Oui, n'aie crainte. Mais nous devrions le laisser se reposer. »

Petit Houx ne voulait pas quitter tout de suite la tanière de la guérisseuse. Elle était si enthousiasmée que ses moustaches en frémissaient d'excitation. Feuille de Lune pouvait guérir les malades, communier avec les guerriers de jadis et prévenir le clan des troubles à venir. Si Petit Houx voulait compter pour son clan, alors, devenir guérisseuse était peut-être le meilleur moyen d'y parvenir. Vu leur mésaventure désastreuse avec les renardeaux, elle n'était sans doute pas taillée pour devenir guerrière.

Elle s'attarda un instant sur le seuil.

« Feuille de Lune…

— Oui ? fit la guérisseuse en la rejoignant.

— Quand est-ce que les guérisseurs prennent un apprenti ? Est-ce qu'ils doivent attendre d'être vieux ? »

La chatte tigrée la couva d'un regard sérieux.

« Non, je peux choisir un apprenti quand bon me semble.

— Est-ce qu'il devra rester apprenti jusqu'à ce que tu… »

… *meures ?* Petit Houx ne parvint pas à finir sa phrase à voix haute.

Les moustaches de Feuille de Lune frémirent d'amusement.

« Non, ronronna-t-elle. Une fois qu'un apprenti guérisseur en sait suffisamment, il reçoit son nouveau nom et devient guérisseur au même titre que son mentor, même si celui-ci est encore en vie. »

Petit Houx se demanda pourquoi Feuille de Lune parlait d'« un apprenti » et non d'« une apprentie ».

« Tu as déjà trouvé quelqu'un ?

— Je n'ai rien décidé, pour le moment. »

Elles furent interrompues par Fleur de Bruyère, qui les appelait de la pouponnière.

« Tu ferais mieux d'y aller, miaula Feuille de Lune. Tu as déjà assez d'ennuis comme ça. »

Déçue, la petite chatte noire se faufila entre les ronces et regagna la pouponnière à toute allure. Elle venait de découvrir le moyen idéal de servir son clan, de devenir importante pour ses camarades. C'était décidé, elle serait la prochaine guérisseuse du Clan du Tonnerre !

CHAPITRE 5

PETIT LION S'ÉVEILLA dans son nid. Un courant d'air lui ébouriffa la fourrure.

Où est Petit Geai ? se demanda-t-il.

Son frère dormait toujours près de lui, d'habitude. Mais là, sa place était vide.

Puis Petit Lion se souvint de tout.

Il eut la nausée en repensant au corps de son frère gisant au bord de la clairière. *Il va s'en remettre,* se rassura-t-il.

Cependant, lorsqu'il avait vu Feuille de Lune et Griffe de Ronce penchés sur le corps de Petit Geai, il avait vraiment cru que son frère était mort. Un frisson lui parcourut l'échine. Il donna un coup de museau à Petit Houx, endormie de l'autre côté. Avec son pelage noir, elle était presque invisible.

« Il fait froid, sans Petit Geai.

— Il sera bientôt de retour parmi nous, répondit-elle sans ouvrir les yeux.

— La pouponnière semble si vide, sans lui…

— Il n'est que de l'autre côté de la clairière, et il reviendra dans deux ou trois jours. Rendors-toi. »

Il ne fallut qu'un instant à la petite chatte pour replonger dans le sommeil.

Petit Lion se sentait triste. Leur frère aurait dû être à leur côté, comme toujours.

Il referma les yeux, mais l'image du corps inerte de son frère le hantait toujours. *Cette expédition était mon idée. Petit Geai aurait pu mourir et les renardeaux auraient pu nous suivre jusqu'au camp. Quel désastre !*

Le chaton doré se leva. Il avait besoin de prendre l'air.

Malgré l'obscurité qui régnait dans la pouponnière, il discerna la silhouette de Chipie. Sa longue robe couleur crème se mêlait au pelage gris perle de Fleur de Bruyère, qui dormait lovée autour de ses chatons. Les moustaches de la reine frémirent dans son sommeil. Ni l'une ni l'autre n'apprécierait d'être réveillée à cette heure-ci, simplement parce qu'il devait demander la permission de sortir. De plus, il serait de retour avant qu'elles aient ouvert les yeux.

Il contourna donc sa sœur et se faufila entre les branches épineuses qui encadraient l'entrée de la tanière.

L'air glacial de la nuit lui piqua la truffe, et le sol était si froid qu'il eut mal aux pattes. Des fumets de gibier lui parvinrent depuis la forêt. Lorsqu'un oiseau poussa un cri d'alerte au loin, il leva la tête vers la Toison Argentée déployée sur la voûte nocturne. Il était heureux que le Clan des Étoiles ait laissé Petit Geai rester parmi ses camarades de clan. Et s'il allait rendre une petite visite à son frère ? Feuille de Lune devait certainement dormir.

Petit Lion rampa dans l'ombre. Le cœur battant, il passa devant la barrière de ronces qui protégeait l'entrée du camp. Lorsqu'il balaya la clairière du regard, il se rendit compte qu'il n'était pas le seul à être debout si tard. Deux silhouettes avançaient de l'autre côté de la clairière.

Le chaton soupira de soulagement en trouvant une cachette au milieu des ronces. À travers les branches, il scruta les nouveaux venus : Pelage de Poussière et Patte d'Araignée traversaient la clairière illuminée par les rayons de lune.

« Ils sont presque arrivés, miaula le guerrier haut sur pattes.

— Tant mieux », répondit Pelage de Poussière.

Petit Lion tendit l'oreille. Des feuilles gelées craquèrent de l'autre côté de la barrière, qui trembla soudain lorsque Pelage d'Orage et Poil de Fougère s'y glissèrent pour regagner le camp. La patrouille de minuit était de retour.

Pelage de Poussière se précipita à leur rencontre.

« Du nouveau ? s'enquit-il.

— Non, rien de spécial », chuchota Pelage d'Orage.

Petit Lion s'enfonça un peu plus dans le feuillage. S'il se faisait surprendre, il pourrait toujours expliquer qu'il était sorti faire ses besoins, mais il n'avait pas envie qu'on le renvoie déjà à la pouponnière.

Poil de Fougère laissa tomber la souris qu'il tenait dans sa gueule.

« Après des jours de maladie, comme il est bon de chasser à nouveau ! ronronna-t-il.

« — Avez-vous patrouillé le long de la nouvelle frontière ? s'enquit Patte d'Araignée.

— Oui, fit le guerrier doré. Le Clan de l'Ombre y a lui aussi renouvelé son marquage. Rien ne laisse penser que des guerriers rivaux aient mis la patte sur notre territoire. »

Pelage de Poussière plissa les yeux.

« Manquerait plus que ça, feula-t-il. Déjà qu'Étoile de Feu leur a accordé cette parcelle… Si je surprends un guerrier du Clan de l'Ombre du mauvais côté de la frontière, je lui arrache la fourrure !

— Ils n'oseraient pas ! s'indigna Poil de Fougère.

— Ils ne se sont pas gênés, avant qu'Étoile de Feu leur cède cette terre », leur rappela Patte d'Araignée.

Il jeta un coup d'œil à la cicatrice qui zébrait le flanc de Poil de Fougère, souvenir d'une des escarmouches sanglantes qui avaient opposé les deux clans à propos de la clairière traversée par la rivière. Le Clan de l'Ombre avait toujours revendiqué ce terrain. Pour éviter une effusion de sang inutile – la zone était si dégagée qu'il était difficile d'y chasser – Étoile de Feu la leur avait finalement accordée lors de la dernière Assemblée.

« Ce coin ne valait pas la peine qu'on se batte pour lui, a commenté Pelage d'Orage. Étoile de Feu a eu raison d'y renoncer.

— Le Clan du Tonnerre n'avait jamais renoncé à la moindre parcelle de territoire ! feula Pelage de Poussière.

— C'est vrai », le soutint Poil de Fougère.

Énervé, Patte d'Araignée tournait en rond, la queue battant en rythme. Poil de Fougère poursuivit :

« Mais le terrain était trop exposé, et les Bipèdes y seront bientôt de retour, dès le début de la saison des feuilles vertes.

— De plus, le Clan du Tonnerre a davantage l'habitude de chasser à couvert, ajouta Pelage d'Orage.

— Quand bien même ! Étoile de Feu n'aurait jamais dû le céder si facilement », insista Patte d'Araignée.

Depuis sa cachette, Petit Lion ne perdait rien de la scène. Patte d'Araignée foudroyait Pelage d'Orage du regard. Le matou haut sur pattes était plus virulent que son père, Pelage de Poussière ; cependant Pelage d'Orage ne se laissa pas intimider.

« Nous n'avons abandonné qu'une terre stérile trop proche du territoire des Bipèdes ! cracha-t-il.

— Évidemment, toi tu te moques bien qu'on perde une partie de notre territoire, feula Pelage de Poussière. Tu n'appartiens pas au Clan du Tonnerre ! »

Petit Lion se crispa. Pelage d'Orage avait combattu les envahisseurs aussi férocement que n'importe quel guerrier de leur clan. Il plissa les yeux, attendant de voir la réaction du matou gris. Mais Pelage d'Orage fut incapable de répondre. Muet, il contempla Pelage de Poussière les yeux écarquillés.

Poil de Fougère s'interposa, l'œil brillant.

« Ce qui est fait est fait. Cela ne sert à rien d'en discuter.

— Maintenant, le Clan de l'Ombre va croire qu'il peut nous imposer sa loi ! objecta Patte d'Araignée.

— Étoile de Feu a signifié très clairement au Clan de l'Ombre qu'il leur faisait une faveur, lui rappela Poil de Fougère. Tout le monde a compris qu'il était guidé par la sagesse et non par la peur.

— Dans ce cas, pourquoi Étoile Solitaire et Étoile du Léopard ont-ils semblé si intéressés ? s'offusqua Pelage de Poussière. À l'évidence, ils croient à présent que le Clan du Tonnerre est incapable de défendre son territoire.

— Et si le Clan du Vent réclame soudain une portion de la forêt sur notre rive du torrent ? ajouta Patte d'Araignée. Étoile Solitaire ne s'est pas vraiment montré amical envers nous depuis qu'il est devenu chef de son clan.

— Nos relations se sont apaisées depuis qu'il nous a aidés à repousser l'invasion des blaireaux, lui rappela Poil de Fougère.

— Ce qui ne l'empêchera pas de vouloir le meilleur pour son clan, insista Pelage de Poussière. S'il pense que nous sommes faibles, il risque d'y voir une chance d'étendre son territoire.

— Tu imagines vraiment qu'Étoile de Feu pourrait céder une parcelle giboyeuse ? » lui demanda Pelage d'Orage.

Pelage de Poussière le toisa un instant, avant de baisser les yeux.

« Non, admit-il.

— Et nous n'avons pas à nous inquiéter du Clan de la Rivière, renchérit Poil de Fougère. Nous n'avons aucune frontière commune et Étoile du

Léopard s'est montrée discrète depuis que Plume de Faucon a trouvé la mort sur notre territoire.

— Est-ce que quelqu'un connaît le fin mot de cette histoire ? voulut savoir Pelage d'Orage.

— Tout ce qu'on sait, c'est qu'Étoile de Feu a découvert son corps tandis qu'il patrouillait en compagnie de Griffe de Ronce et Pelage de Granit », miaula Patte d'Araignée.

Petit Lion ne comprenait pas tout. Il avait déjà entendu Chipie et Fleur de Bruyère évoquer Plume de Faucon, le lieutenant du Clan de la Rivière qui avait péri en s'empalant sur un bout de bois pointu, qui tenait un collet. Personne ne savait ce qu'il faisait là. Petit Lion avait tenté d'interroger son père – après tout, Plume de Faucon, le demi-frère de Griffe de Ronce, était presque un oncle pour lui – mais il avait rechigné à répondre. Petit Lion n'avait appris qu'une seule chose : Griffe de Ronce et Poil d'Écureuil avaient remmené le corps au Clan de la Rivière pour que ses camarades le veillent et pleurent sa disparition comme celle de n'importe quel guerrier mort en brave.

Tandis que le chaton tendait l'oreille pour épier la suite de la conversation, il sentit les ronces frémir tout autour de lui. Il se rendit compte avec stupeur qu'il était tout près du tunnel auxiliaire – ce même tunnel qu'il avait emprunté avec son frère et sa sœur. Pris de panique, il huma l'air. C'était Nuage de Mulot, qui revenait vers la clairière, à peine une longueur de queue devant lui.

Le chaton doré eut beau reculer un peu plus entre les branches, il ne put échapper au flair aiguisé de l'apprenti.

« Petit Lion ? » souffla ce dernier dans l'ombre.

Le contrevenant hésita un instant à s'enfoncer un peu plus dans les ronces, mais les épines ne lui disaient rien qui vaille et, de toute façon, sa fierté l'en empêchait.

« Je suis là », avoua-t-il.

Pelage de Poussière tourna aussitôt son regard ambré vers eux.

« Nuage de Mulot ? » appela le guerrier.

Petit Lion retint son souffle. L'apprenti allait-il le dénoncer ? S'ils avaient longtemps vécu ensemble dans la pouponnière, Nuage de Mulot risquait à présent de se ranger du côté des guerriers.

« J'ai fait mes besoins, j'allais retourner à la tanière des apprentis », répondit Nuage de Mulot.

Un instant plus tard, il se glissa dans la cachette du chaton.

« Tu n'es pas censé être dans la pouponnière ? » lui demanda-t-il à voix basse.

Irrité, Petit Lion agita la queue. S'il lui était reconnaissant de ne pas avoir révélé sa présence, il détestait qu'on le traite comme une boule de poils sans défense.

« Sans Petit Geai près de moi, je n'arrivais pas à dormir, grommela-t-il.

— Pourquoi Pelage de Poussière et Pelage d'Orage se disputaient-ils ?

— Ils évoquaient la décision d'Étoile de Feu de donner le bout de territoire près de la rivière au Clan de l'Ombre, expliqua-t-il. Pelage de Poussière a accusé Pelage d'Orage de ne pas être un vrai guerrier du Clan du Tonnerre.

« — Je suis étonné que Pelage d'Orage ne l'ait pas réduit en pièces !

— C'est pourtant vrai, non ? Il est né dans le Clan de la Rivière et a vécu avec la Tribu.

— Tu n'as pas intérêt à le lui dire en face... »

La voix de Pelage de Poussière leur parvint de nouveau.

« Nuage de Mulot ! »

Celui-ci poussa le chaton un peu plus loin dans les ronces. Petit Lion réprima un cri de douleur lorsque les épines se plantèrent dans sa fourrure. L'apprenti regagna la clairière.

« Tu n'es pas censé retourner dans la tanière des apprentis ? s'enquit Pelage de Poussière.

— J'ai cru sentir une souris, mentit le novice.

— Même une souris ne serait pas assez bête pour s'aventurer dans le camp, marmonna le chasseur. Retourne dormir. Patte d'Araignée ne sera pas content si tu es trop fatigué pour t'entraîner.

— Oui, Pelage de Poussière. »

Nuage de Mulot s'inclina avant de s'en aller.

Immobile, Petit Lion attendit sans bruit que tous les guerriers aient regagné leur gîte. Il semblait idiot de risquer de se rendre à la tanière de la guérisseuse, à présent. Dès qu'il fut certain que la voie était libre, il s'extirpa de la barrière et revint discrètement à la pouponnière.

Plusieurs épines s'étaient accrochées à sa fourrure. Elles lui rentrèrent dans la peau lorsqu'il se roula en boule dans son nid. Les yeux clos, il attendit que le sommeil vienne, mais sa conversation avec Nuage de Mulot résonnait encore dans ses oreilles. Il n'avait jamais compris à quel point il pouvait être important pour certains d'être considérés comme de véritables membres du Clan du Tonnerre. Lui-même n'avait jamais eu à s'interroger sur sa propre place au sein du clan. Et il venait de prendre conscience que tout le monde n'avait pas la chance d'être né dans la forêt, avec pour père le lieutenant du clan. Pourtant, il ne voyait pas pourquoi Nuage de Mulot avait tant pris au sérieux cette querelle entre les guerriers. Pelage d'Orage et Source se montraient loyaux envers le Clan du Tonnerre : peu importait le reste, non ?

CHAPITRE 6

PETIT HOUX RÊVAIT que la pouponnière était pleine de hérissons. Ils étaient entrés à la queue leu leu en écartant sans égard Fleur de Bruyère et ses petits, puis ils s'étaient installés dans le nid de mousse près de la petite chatte. Leurs piquants aiguisés lui rentraient dans le dos. Elle se tortilla pour s'écarter de ses nouveaux camarades envahissants.

« Que faites-vous là ? marmonna-t-elle. Allez-vous-en ! »

Mais les piquants s'enfonçaient toujours dans sa fourrure. Elle ouvrit les yeux et découvrit Petit Lion roulé en boule près d'elle. Il avait l'air d'être tombé d'un arbre, avec son pelage doré tout ébouriffé et plein d'épines noires.

Elle le secoua du bout de la patte.

« Hé ! souffla-t-elle. Où as-tu ramassé toutes ces épines ? Elles me piquent partout !

— Quoi ? fit le chaton en ouvrant ses yeux ambrés.

— Tu es couvert d'épines ! » répéta Petit Houx en devinant qu'il était sorti de la pouponnière. « Qu'est-ce que tu as fabriqué ?

83

— Je n'arrivais pas à dormir. Alors je suis allé faire un tour dans la clairière. »

Petit Houx le dévisagea.

« Tu ne crois pas que nous avons suffisamment d'ennuis comme ça ? Tu veux nous empêcher de devenir apprentis ?

— Ne t'inquiète pas. Personne ne m'a vu. » Il s'assit puis se passa une patte sur le museau. « Sauf Nuage de Mulot. Il ne dira rien. C'est lui qui m'a poussé dans les épines pour que Pelage de Poussière ne me voie pas. »

Petit Houx feula doucement. *Pourquoi est-il incapable de réfléchir avant d'entreprendre quoi que ce soit ?* se demanda-t-elle.

« On ferait mieux de s'occuper de ces épines avant que quelqu'un d'autre les remarque.

— Elles me font vraiment mal, gémit le chaton, qui se tordit le cou pour en attraper une avec les crocs, plantée dans son flanc.

— Je ferais mieux d'aller chercher un remède chez Feuille de Lune. Il ne faudrait pas que tes égratignures s'infectent.

— Tu vas tout lui raconter ?

— Non, ne t'en fais. Je lui dirai qu'il y avait une épine dans ton nid et que tu t'es couché dessus. » Elle se mit sur ses pattes et se dirigea vers la sortie. « Essaie d'en enlever le plus possible. Je m'occuperai des autres en revenant. » Elle allait sortir lorsqu'une idée la frappa : « Et ne les laisse pas par terre. Si Petit Givre ou Petit Renard s'y piquent, Fleur de Bruyère t'arrachera les moustaches une par une ! »

Elle traversa la clairière en toute hâte, soulagée de voir qu'elle était déserte. Malgré le soleil qui se levait derrière les arbres, il faisait encore froid dans le camp plongé dans l'ombre. Petit Houx devina que la patrouille de l'aube était déjà partie et que les autres guerriers s'attardaient dans leur tanière douillette le temps que le soleil soit suffisamment haut dans le ciel pour réchauffer la combe.

Elle se faufila à travers le rideau de ronces qui masquait l'entrée de la tanière de la guérisseuse. Feuille de Lune n'était nulle part en vue, et son odeur était éventée. La jeune chatte se précipita vers Petit Geai.

« Tu te sens mieux ? »

Lové dans la mousse, son frère semblait n'être qu'un tas de fourrure gris tigré inerte. Il redressa la tête en entendant la voix de sa sœur et la dévisagea de ses yeux aveugles.

« Qu'est-ce que tu fais là ? Tu n'es pas consignée dans la pouponnière ?

— Petit Lion s'est planté une épine dans la fourrure, expliqua-t-elle. Je suis venue chercher un remède pour éviter une infection. »

La mine ensommeillée, Petit Geai lui désigna d'un signe de tête le fond de l'antre.

« Feuille de Lune a utilisé des feuilles d'oseille pour soigner mes égratignures. Tu devras les trouver toi-même. Elle est partie cueillir des orties.

— Entendu. » Elle alla fouiller dans les herbes. « Tu te souviens de son odeur ?

— Oui, elle est un peu piquante. » Petit Geai leva la truffe et inspira longuement. « Sur une des piles du devant. »

Petit Houx contempla l'assortiment de plantes et de graines. Devant elle, elle repéra deux piles de feuilles, les premières plus foncées que les secondes. Elle renifla d'abord les plus sombres.

« Berk, celle-là ne sent pas bon.

— L'oseille ne sent pas mauvais, répondit-il. Juste un peu fort. »

Petit Houx renifla l'autre tas et fronça le nez. Oui, l'odeur était bien piquante. Elle en prit plusieurs dans la gueule, qu'elle porta à Petit Geai.

« C'est la bonne plante », lui confirma-t-il.

Le rideau de ronces frémit, ce qui fit sursauter Petit Houx.

Feuille de Lune revenait avec un bouquet d'orties, qu'elle tenait prudemment par les tiges. La rosée scintillait sur leurs feuilles dentelées. Elle les posa au sol et miaula :

« Tu es levée de bonne heure. » Remarquant la pile de feuilles d'oseille près de Petit Houx, elle ajouta : « Ton frère va bien. Il n'a plus besoin de traitement. Juste d'un peu de repos.

— Ce n'est pas pour lui, expliqua la petite chatte, mais pour Petit Lion, qui s'est planté une épine dans la peau. Elle devait être cachée dans sa litière.

— Et comment savais-tu qu'il te fallait de l'oseille ? » s'enquit la guérisseuse, visiblement étonnée.

Petit Houx regarda Feuille de Lune un instant, muette. *C'est Petit Geai qui me l'a dit*, faillit-elle répondre.

« Elle se souvenait de l'odeur qui imprégnait ma fourrure hier », miaula Petit Geai.

Du bout de la queue, Petit Houx lui caressa le flanc pour le remercier. Elle ne tenait pas à passer pour plus intelligente que Petit Geai, cependant elle voulait faire bonne impression.

« Bravo, Petit Houx ! » la félicita la chatte tigrée. Ce compliment réchauffa la petite chatte jusqu'au bout de sa queue. Elle se dit qu'un jour elle saurait vraiment reconnaître les herbes et n'aurait plus besoin de faire semblant. « Je vais te montrer comment l'utiliser. »

Feuille de Lune se pencha sur la pile de feuilles, n'en prit qu'une et la mâcha lentement. Puis elle tendit la patte et la lécha pour l'imprégner du jus de l'oseille. Ensuite, elle recracha les restes de la feuille.

« Assure-toi que la pulpe pénètre bien la blessure. Cela pique un peu mais, appliqué correctement, le jus évite des douleurs bien plus désagréables. »

Petit Houx l'avait observée avec attention.

« Veux-tu essayer une fois ici ?

— Non, merci. Je ferais mieux de retourner auprès de Petit Lion, répondit Petit Houx, qui voulait regagner la pouponnière avant le réveil de Chipie et Fleur de Bruyère. Il souffre beaucoup.

— Je pourrais t'accompagner... »

Petit Houx, qui allait accepter, se reprit juste à temps. Si Feuille de Lune voyait le nombre d'épines fichées dans la fourrure de son frère, ils auraient des ennuis tous les deux.

« Inutile, tu dois être très occupée. Je viendrai te chercher en cas de besoin.

— Très bien. »

Était-ce une étincelle malicieuse qui éclairait son regard ? Avait-elle deviné que Petit Houx ne lui avait pas dit toute la vérité ?

Ne tenant pas à le découvrir, la petite chatte noire prit l'oseille et sortit de l'antre. Son cœur se serra aussitôt. Comme l'astre du jour brillait à présent au-dessus des arbres, le camp fourmillait d'activité. Allongée sur une pierre, Chipie se réchauffait au soleil. Ses petits, éblouis par la lumière, battaient des cils. Blottis les uns contre les autres à l'entrée de la tanière des apprentis, ils évoquaient un grand nuage tout doux : la fourrure crème de Nuage de Sureau se mêlait aux pelages gris et blanc de Nuage de Noisette et de Nuage de Mulot. Nuage de Cendre, Nuage de Miel et Nuage de Pavot faisaient leur toilette près du demi-roc. Leur mère, Poil de Châtaigne, fouillait du bout du museau les restes des prises de la veille en compagnie de Cœur d'Épines et de Patte d'Araignée.

Ils n'ont aucune raison de croire que je n'ai pas le droit d'être là, se rassura-t-elle. Elle traversa la clairière à grands pas, salua les apprentis d'un signe de tête comme si de rien n'était et évita de regarder Cœur d'Épines et Patte d'Araignée. Ses coussinets la brûlaient à chaque pas, mais elle garda la queue haute et tenta de ne pas avoir l'air coupable.

Personne ne l'interpella. Elle se faufila dans la pouponnière sans lâcher son paquet de feuilles.

La voix de Fleur de Bruyère la fit sursauter.

« Où étais-tu ? »

La petite chatte déposa l'oseille et jeta un coup d'œil à son frère. Elle fut soulagée de voir qu'il était parvenu à retirer la plupart des épines et à lisser suffisamment sa fourrure pour ne pas éveiller les soupçons.

« J'ai raconté à Fleur de Bruyère qu'il y avait une épine dans mon nid, se hâta de murmurer Petit Lion. »

Petit Houx expliqua qu'elle était allée chercher des feuilles d'oseille pour soigner ses égratignures.

« Je sais que j'aurais dû te demander la permission, mais je n'ai pas voulu te déranger.

— Tu aurais dû attendre que je me réveille. Enfin, je ne peux pas te reprocher d'avoir voulu aider ton frère, soupira la chatte. Seul le Clan des Étoiles sait comment des épines ont pu arriver dans la pouponnière ! » Elle couva d'un regard tendre les deux boules de poils qui gigotaient contre son ventre. « Vous devez prendre garde à ne rien rapporter dans la pouponnière, lorsqu'il y a des nouveaux-nés près de vous.

— Nous allons faire attention, promit la petite chatte, avant de se précipiter vers son frère. Alors, tu as réussi à toutes les enlever ? murmura-t-elle.

— Toutes sauf une, derrière mon oreille. »

Petit Houx lécha l'endroit indiqué et repéra aussitôt l'épine. Elle la saisit entre ses dents et la délogea d'un mouvement sec.

« J'ai mis les autres sous les ronces qui bordent la tanière », l'informa-t-il, la queue tendue vers les feuillages au bout de son nid.

Petit Houx cracha l'épine à l'endroit indiqué et revint le voir.

« Où sont tes griffures les plus profondes ? » s'enquit-elle en commençant à mâcher une feuille tandis que son frère se tortillait pour lui montrer du bout du museau une coupure sur son flanc. L'oseille avait un goût abominable. « Berk ! »

Elle se pencha vers son frère et, en quelques coups de langue, imprégna son pelage, ainsi que Feuille de Lune le lui avait montré. Petit Lion grimaça et poussa un petit cri de douleur.

Petit Houx recula d'un bond.

« Vous vous disputez ? s'enquit Fleur de Bruyère sans lever la tête.

— Non, lui répondit Petit Lion. Le jus d'oseille, ça pique. »

La queue de Petit Houx frémit. Elle n'allait pas y arriver ! Voir son frère souffrir lui donnait envie de vomir. Pourtant, il ne fallait pas que ses plaies s'infectent et, si elle comptait devenir guérisseuse, elle devait s'habituer à soigner les autres.

Malgré le goût exécrable, elle réduisit en pulpe une autre feuille et entreprit de traiter l'égratignure suivante. Cette fois-ci, Petit Lion ne fit que grimacer. Cela suffit pourtant à faire bondir une nouvelle fois sa sœur.

« Désolée », gémit-elle, avant de se souvenir des paroles de Feuille de Lune : *Cela pique un peu mais, appliqué correctement, ce jus évite des douleurs bien plus désagréables.*

Elle poursuivit donc sa tâche en s'efforçant d'ignorer les petits cris de douleur de son frère et le goût répugnant de l'oseille.

« Je me sens beaucoup mieux », souffla Petit Lion.

Petit Houx s'assit en poussant un soupir de soulagement.

« Et si vous alliez manger, tous les deux ? suggéra Fleur de Bruyère. Chipie est dehors. Elle vous surveillera. »

Contente de pouvoir regagner la clairière sans enfreindre les règles, Petit Houx se hâta se sortir, aussitôt imitée par son frère. Cependant, comme le goût du remède lui avait coupé l'appétit, elle prit le chemin du tas de gibier sans grand enthousiasme.

Nuage de Mulot, Nuage de Noisette et Nuage de Sureau se tenaient toujours sur le carré d'herbe devant leur tanière. Nuage de Mulot ne tenait plus en place.

« Griffe de Ronce nous a dit que notre évaluation commencerait à midi », annonça-t-il aux deux autres.

Petit Houx tendit l'oreille. Les petits de Chipie s'entraînaient depuis presque quatre lunes. Leur baptême de guerriers aurait bientôt lieu.

« Qui va nous faire passer l'épreuve ? s'enquit Nuage de Sureau avec inquiétude.

— Griffe de Ronce n'a pas voulu me le dire.

— Tu penses que ce sera Étoile de Feu lui-même ? lui demanda Nuage de Noisette, dont la queue frétillait d'excitation.

— Ne me dis pas ça ! haleta Nuage de Sureau. Je ne me souviendrai de rien si je crois que c'est lui qui me regarde !

— Est-ce qu'on pourra chasser ensemble ?

— Patte d'Araignée m'a dit que c'était à nous de choisir. »

Pelage de Granit et Aile Blanche faisaient leur toilette tout près. Les moustaches du guerrier frémirent d'amusement lorsqu'il surprit la conversation des apprentis.

« Il serait plus sage de vous séparer ! lança-t-il. Seul, vous avez une chance de surprendre votre proie, alors que, ensemble, vous serez trop bruyants et vous effraierez tout le gibier entre ici et la caverne de Minuit ! »

Aile Blanche le tapota du bout d'une patte immaculée.

« Ne les taquine pas, voyons. Tu étais apprenti, toi aussi. Rappelle-toi à quel point tu étais nerveux avant ta mise à l'épreuve. »

Source arriva au camp en tenant trois souris par la queue. Petit Houx la regarda les déposer sur le tas de gibier.

« Merci, Source », miaula Petit Lion, qui prit un rongeur et commença à le dévorer.

Les yeux gris de la chasse-proie se posèrent sur lui avec tendresse.

« Tu devrais manger moins vite. Dans les montagnes, nous disons toujours qu'une proie bien dégustée nous cale plus longtemps. »

Petit Lion la dévisagea avec surprise.

« Compris », dit-il avant de suivre le conseil.

Un feulement retentit devant l'entrée du camp, suivi d'un grognement menaçant. Petit Houx reconnut la voix de Nuage de Miel.

Tempête de Sable, le mentor de la novice, disparut aussitôt dans le tunnel.

« Nuage de Miel ! appela-t-elle. Que se passe-t-il ? »

Petit Houx retint sa respiration. Le camp se faisait-il attaquer ?

Elle entendit aussitôt des ronrons de bienvenue. Tempête de Sable revint dans la clairière, suivie de Papillon, la guérisseuse du Clan de la Rivière, et de Nuage de Saule, son apprentie. Nuage de Miel fermait la marche, la queue hérissée par l'embarras.

« Je suis désolée, miaula-t-elle. Je n'avais pas reconnu nos visiteuses, juste l'odeur du Clan de la Rivière. »

Tempête de Sable rassura sa protégée en citant un vieux dicton :

« Mieux vaut effrayer une souris qu'accueillir un blaireau. »

Le cœur de Petit Houx fit un bond dans sa poitrine. Elle avait déjà vu une fois l'apprentie guérisseuse du Clan de la Rivière, lorsque Papillon et elle avaient apporté des pousses d'herbe à chat, si précieuses lors de la mauvaise saison. Elles les avaient cueillies dans un massif protégé des intempéries sur leur territoire. Feuille de Lune les avait copieusement remerciées, car celles qui poussaient près du nid de Bipèdes abandonné sur le territoire du Clan du Tonnerre avaient gelé. À cette occasion, Petit Houx avait interrogé Nuage de Saule pour découvrir comment vivaient les apprentis des autres clans. Cette fois-ci, elle avait une autre question à lui poser : comment devenait-on apprentie guérisseuse ?

Tandis que Tempête de Sable allait chercher Feuille de Lune, Petit Houx traversa la clairière à toute allure.

« Bonjour ! » lança-t-elle malgré sa timidité.

Le regard préoccupé de Nuage de Saule s'illumina soudain.

« Bonjour, Petit Houx ! Ou bien t'appelles-tu Nuage de Houx, à présent ?

— Non, pas encore. Qu'êtes-vous venues faire ici ? »

Les deux chattes du Clan de la Rivière n'avaient rien apporté. Elles étaient peut-être venues demander des plantes en échange de l'herbe à chat.

Les oreilles de l'apprentie frémirent.

« J'ai fait un rêve, répondit-elle. Je veux que Feuille de Lune m'aide à l'interpréter.

— Tu ne peux pas demander à Papillon ?

— C'est Papillon qui a suggéré que nous venions demander l'avis de son amie.

— De quoi tu as rêvé ?

— Je ne peux pas en parler avant d'en avoir discuté avec votre guérisseuse.

— Papillon, Nuage de Saule ! lança Feuille de Lune depuis le seuil de son antre. Soyez les bienvenues ! Entrez, entrez donc. »

Elle écarta le rideau de ronces pour que ses invitées ne se griffent pas en pénétrant dans sa tanière. Petit Houx les regarda disparaître dans l'ombre avec envie.

« Pourquoi tu les observes comme un lapin débile ? vint lui demander Petit Lion. Ce n'est pas la première fois qu'elles viennent nous rendre visite, si ? »

Petit Houx fut incapable de garder son secret un instant de plus.

« Je veux devenir guérisseuse ! »

CHAPITRE 7

« **G**UÉRISSEUSE ? répéta Petit Lion en dévisageant sa sœur. Pourquoi ?

— Devenir guerrier n'est pas la seule façon de servir le clan, tu sais.

— Quelle idée ! Tu seras toujours coincée au camp avec les malades et les blessés, au lieu de sortir dans la forêt pour chasser et défendre les frontières. »

Le ton de Petit Lion n'était pas critique, juste incrédule.

« Peut-être, mais mon savoir sera immense, rétorqua-t-elle. J'apprendrai tout sur les plantes médicinales, et je partagerai les rêves du Clan des Étoiles. » Elle le dévisagea, priant pour qu'il comprenne. « Qu'est-ce qui pourrait être plus excitant que ça ?

— Se battre contre le Clan de l'Ombre ?

— Moi, je préfère avoir des visions comme Feuille de Lune et Nuage de Saule ! insista Petit Houx.

— Tu en as déjà, répliqua-t-il, l'œil pétillant de malice. Tu vois des hérissons partout ! »

— Gros malin ! » miaula Petit Houx dans une colère feinte.

Elle renversa son frère et se bagarra avec lui.

« Qu'est-ce que vous faites, tous les deux ? » les tança Poil d'Écureuil.

Le ton sec de leur mère pétrifia Petit Houx. Petit Lion échappa à sa sœur et les deux chatons s'assirent devant la guerrière.

« Si vous n'avez rien de mieux à faire que de projeter de la poussière sur la réserve de gibier, vous feriez aussi bien de retourner dans la pouponnière.

— Je n'ai rien avalé ! protesta la petite chatte.

— Alors emporte une pièce de viande, rétorqua sa mère. Et une autre pour Fleur de Bruyère, tant que tu y es. »

Petit Houx avait horreur de manger dans la pouponnière. Le gibier avait bien meilleur goût en plein air. Pourtant, elle ne protesta pas.

« J'espère que Cœur d'Épines se souvient qu'il dirige la patrouille de midi, miaula la rouquine comme pour elle-même, le regard tourné vers le guerrier qui se reposait sous la Corniche.

— Tu ferais mieux d'aller le lui rappeler, puisque tu adores donner des ordres à tout le monde, marmonna Petit Houx.

— Qu'est-ce que tu dis ? miaula la rouquine, dont le regard pensif n'avait pas quitté Cœur d'Épines.

— Rien, chuchota Petit Houx, un peu honteuse.

— N'oublie pas Fleur de Bruyère, lança Poil d'Écureuil en s'éloignant.

— Si au moins elle se rendait compte qu'elle nous gâche notre plaisir ! miaula Petit Houx à l'oreille de son frère.

— Elle est occupée, c'est tout. »

Petit Houx bougonna entre ses moustaches, un peu penaude. Elle se montrait injuste envers sa mère, elle le savait. Comment pouvait-elle la critiquer alors que, en vérité, elle voulait lui ressembler en tout point, être aussi courageuse, aussi loyale et aussi respectée par ses camarades de clan ?

« Retournons à la pouponnière », conclut-elle.

Elle s'empara de l'une des souris rapportées par Source, tandis que Petit Lion sortait du tas de gibier une grive moitié grosse comme lui, qu'il traîna vers la pouponnière. Petit Houx devinait que Fleur de Bruyère serait incapable de manger un gibier si gros mais, connaissant le caractère buté de son frère, elle s'abstint de tout commentaire.

De retour dans la pouponnière, elle mangea la souris, remercia le Clan des Étoiles pour ce bon repas et gagna son nid. Elle se nettoya le museau et les pattes puis, le ventre plaqué au sol, elle jeta un coup d'œil sous les ronces pour voir ce qui se passait dans la clairière. Près d'elle, Petit Lion dormait déjà et Fleur de Bruyère tentait de persuader Petit Renard et Petit Givre de goûter la grive qu'elle avait attendrie pour eux à coups de crocs. Petit Houx plissa les yeux, le regard braqué vers l'antre de Feuille de Lune. Elle espérait parler à nouveau à Nuage de Saule.

Le rideau de ronces frémit enfin. Feuille de Lune raccompagnait Papillon et son apprentie à la clairière. Aussi silencieusement que possible, Petit

Houx se faufila sous le mur de ronces de la pouponnière, dérangeant au passage le tas de feuilles que Poil d'Écureuil avait installé la veille. *Je le remettrai en place tout à l'heure*, se promit-elle tout en cavalant vers la novice du Clan de la Rivière.

« Rebonjour ! » lança-t-elle à Nuage de Saule.

L'apprentie cilla un instant et son regard s'éclaircit aussitôt.

« Coucou.

— Est-ce que Feuille de Lune t'a aidée ?

— Oui. Je peux te raconter ma vision, à présent, si tu le souhaites toujours.

— Oh, oui, s'il te plaît !

— Dans mon rêve, de gros nuages venaient dissimuler le bleu du ciel, puis disparaissaient. Ensuite, le soleil brillait tellement fort au-dessus du camp du Clan de la Rivière que les plantes grillaient et les nids se déséchaient, si bien qu'il n'y avait plus d'abri pour se protéger de la chaleur.

— Qu'est-ce que cela signifiait ? s'enquit la petite chatte en frissonnant.

— Feuille de Lune pense que c'est une mise en garde concernant notre approvisionnement en eau. Cependant, la pluie a été abondante pendant la mauvaise saison, alors il ne peut s'agir d'une sécheresse. Selon elle, je dois conseiller à Étoile du Léopard de vérifier que tous les ruisseaux qui bordent le camp ne présentent aucun danger.

— Comment es-tu devenue l'apprentie de Papillon ? demanda-t-elle encore.

— Je l'ai aidée à soigner ses malades pendant une épidémie. Comme j'ai pris plaisir à accomplir les tâches qu'elle me confiait, je suis revenue l'assister plusieurs fois, jusqu'à ce qu'elle me suggère de devenir son apprentie.

— Tu savais depuis toujours que tu voulais devenir guérisseuse ?

— En fait, je n'y avais jamais réfléchi, admit-elle. C'est arrivé un peu tout seul. Maintenant, je n'imaginerais pas faire autre chose. C'est chouette d'être guérisseuse ! »

Petit Houx ouvrit la bouche pour abonder dans son sens, mais Papillon ne lui en laissa pas le temps.

« Nuage de Saule, nous partons ! »

Papillon et Feuille de Lune se saluèrent d'un frôlement de truffes, puis la guérisseuse du Clan de la Rivière se dirigea vers le tunnel d'épines. Son apprentie s'élança sur ses pas.

« Au revoir, Petit Houx ! » lança-t-elle.

La petite chatte noire les regarda disparaître dans les ronces, plus déterminée que jamais. Oubliant qu'elle n'était pas censée quitter la pouponnière, elle se précipita vers Feuille de Lune et la suivit dans son antre.

Étendu sur le dos, Petit Geai exposait la douce fourrure grise de son ventre. Il dormait visiblement mieux que lors de la dernière visite de sa sœur.

Feuille de Lune se tourna en entendant la petite chatte entrer.

« Te faut-il d'autres feuilles d'oseille pour ton frère ? »

Petit Houx fit non de la tête. Une question lui brûlait le museau, mais elle peinait à trouver les mots qu'il fallait.

« Quelque chose ne va pas ? »

Petit Geai roula sur le côté et souleva la tête.

« Qu'est-ce que tu veux, Petit Houx ? » demanda-t-il, les oreilles dressées comme s'il devinait l'importance du moment.

Feuille de Lune lui jeta un coup d'œil et dit avec douceur :

« Retourne à la pouponnière, Petit Geai.

— C'est vrai, je peux ? demanda le jeune félin en s'asseyant.

— Oui, à la condition que tu ne joues pas à la bagarre sitôt arrivé. »

Petit Geai fit quelques pas d'une démarche hésitante puis, dès qu'il eut retrouvé l'équilibre, il trotta vers la sortie.

« Merci, Feuille de Lune. »

Ses yeux aveugles se braquèrent sur Petit Houx, ce qui la fit sursauter. Parfois, elle avait vraiment l'impression qu'il la regardait droit dans les yeux.

« Je viendrai te rendre visite au coucher du soleil », lui promit la guérisseuse.

Dès qu'il eut disparu, Feuille de Lune s'assit.

« Bien. Maintenant, dis-moi ce qui te tracasse.

— Rien du tout ! Je dois te parler d'une chose importante. »

Une lueur de surprise – de panique, presque – brilla dans les prunelles de la chatte tigrée.

« Quoi donc ? »

Petit Houx inspira profondément avant de se lancer.

« Je veux devenir ton apprentie ! »

La guérisseuse semblait stupéfaite.

« Je n'aurais jamais cru que… » Elle laissa sa phrase en suspens et reprit d'une voix plus douce.

« Être guérisseuse est une grande responsabilité. Tu ne participeras que rarement aux combats et aux patrouilles. Tu ne pourras jamais prendre de compagnon, jamais avoir de petits. » À ces paroles, un voile de tristesse assombrit ses yeux. Éprouvait-elle des regrets ? « Pour quelle raison veux-tu devenir mon apprentie ?

— Je veux aider le clan. Si j'étais guérisseuse, je pourrais soigner mes camarades, et partager les rêves du Clan des Étoiles. » Feuille de Lune l'observait toujours d'un air interrogateur, si bien qu'elle poursuivit : « En tant que guerrière, je pourrais nourrir le clan et le protéger – au péril de ma vie, s'il le fallait – et je n'aurais que mes crocs et mes griffes pour me battre. En revanche, en tant que guérisseuse, j'aurais tout le savoir et le pouvoir du Clan des Étoiles pour m'aider à accomplir mon devoir. Quelle meilleure façon de servir le Clan du Tonnerre ? »

Elle s'interrompit, à bout de souffle, et attendit avec espoir le verdict.

« Voilà de très bonnes raisons, ronronna enfin Feuille de Lune, au grand bonheur de la petite chatte. Mais avant de prendre une décision, je dois en parler à Étoile de Feu. »

Petit Houx battit des cils un instant, prise de doute, avant de chasser son inquiétude. *Elle n'a pas dit non !* se réjouit-elle intérieurement.

« Merci, Feuille de Lune ! »

Elle gagna la sortie, soulagée. Il était bien normal que son futur mentor consulte le chef du clan avant de prendre une décision si importante ! Rassurée, elle traversa la clairière en bondissant.

Elle se faufila dans la pouponnière, où Fleur de Bruyère s'était endormie. Ses petits étaient silencieux, pour une fois. Quant à Petit Lion, il s'appliquait à plumer les restes de la grive. Voilà qui ferait une bonne garniture pour les nids.

Petit Geai releva la tête en l'entendant entrer.

« Quel secret m'a valu de quitter la tanière de Feuille de Lune ?

— Je vais devenir son apprentie, annonça Petit Houx.

— L'apprentie de qui ?

— De Feuille de Lune, voyons. »

Petit Lion s'interrompit, visiblement ravi.

« Elle a accepté ?

— Eh bien, elle doit d'abord en parler à Étoile de Feu.

— Tu veux devenir guérisseuse ? s'étonna Petit Geai.

— Oui, pourquoi pas ?

— Moi, je détesterais ça ! Rester coincé dans ma tanière à veiller sur des malades et à trier des tas d'herbes, non merci. » Petit Geai mordilla la mousse qui garnissait son nid. « Je préférerais de loin être un guerrier, patrouiller, chasser et combattre pour défendre le clan. »

La jeune chatte dévisagea son frère, si fougueux et si fier. Étoile de Feu devait absolument le laisser devenir un guerrier !

Petit Houx s'éveilla avant l'aube. Il faisait bon dans la pouponnière, car le souffle des chatons endormis l'avait réchauffée toute la nuit. Étendue dans son nid, elle écouta le hululement l'une chouette venu des bois qui séparaient le camp du lac. Même s'il faisait encore sombre, elle était trop excitée pour retrouver le sommeil. La veille au soir, Griffe de Ronce lui avait annoncé qu'Étoile de Feu avait décidé de maintenir leur baptême d'apprentis pour ce jour-là.

« Vous vous êtes bien conduits, vous n'avez pas quitté la pouponnière sans permission », avait-il miaulé.

Petit Houx avait jeté un coup d'œil vers ses frères, qui mangeaient près du demi-roc.

« Et Petit Geai, alors ?

— Ne t'inquiète pas, l'avait-il rassurée. Étoile de Feu ne l'a pas oublié. »

Petit Houx roula sur le côté et s'étira. Avant midi, elle saurait si elle deviendrait apprentie guérisseuse. Elle s'y voyait déjà : elle travaillerait sans relâche dans l'antre de Feuille de Lune, soulagerait les maux de ventre de ses camarades avec des plantes, appliquerait des onguents sur les blessures, ramasserait des herbes dans la forêt en compagnie de son mentor – des herbes dont elle apprendrait le nom, l'odeur et les propriétés. Elle frissonna de plaisir en pensant à toutes les connaissances qu'elle allait engranger. Elle ferma les yeux et tenta d'imaginer comment le Clan des Étoiles lui apparaîtrait dans ses rêves, mais elle ne vit qu'elle-même, une fois adulte, guérisseuse accompagnant sa propre apprentie dans les bois pour transmettre à son tour le savoir que Feuille de Lune lui aurait enseigné.

Elle rouvrit les yeux. Les premières lueurs de l'aube commençaient à filtrer entre les branches du roncier. Petit Lion et Petit Geai dormaient toujours. L'odeur qui émanait du nid de Poil d'Écureuil était froide et éventée. Elle avait dû rentrer tard de patrouille et préférer dormir dans le gîte des guerriers.

Petit Houx s'assit.

« Déjà réveillée ? » s'étonna Fleur de Bruyère.

La reine allaitait ses petits. Son pelage gris perle luisait dans le clair-obscur.

« Je suis trop impatiente pour dormir ! expliqua Petit Houx.

— Tu peux sortir, si tu le souhaites. La patrouille de l'aube sera bientôt de retour. Et peut-être avec du gibier frais. »

Petit Givre se tortilla pour se retourner. Elle demanda à Petit Houx :

« Alors tu dormiras pas avec nous ce soir ?

— Non. Avec un peu de chance, je serai dans la tanière de Feuille de Lune.

— Moi, je préférerais être dans le gîte des apprentis avec Petit Lion ! lança Petit Renard en s'écartant de sa mère.

— Tu iras bientôt, lui promit-elle.

— C'est long ! » gémit-il. Il s'étira pour saisir la queue frémissante de Petit Givre entre ses pattes auburn. « Vivement que je sois un guerrier ! »

Sa sœur libéra sa queue d'un mouvement sec.

« Tu reviendras nous dire comment c'est, d'être apprentie ?

— Bien sûr, ronronna la petite chatte noire. À bientôt, Fleur de Bruyère. »

Petit Renard et Petit Givre crapahutèrent hors du nid de leur mère.

« À bientôt, Petit Houx, miaula Petit Givre en levant la tête pour frotter son museau blanc contre la joue de la future apprentie.

— À bientôt, Petit Givre », répondit-elle avant de se baisser pour donner un coup de langue entre les oreilles de Petit Renard. « Ne faites pas de bêtises. »

Avec un léger pincement au cœur, elle quitta pour de bon la pouponnière.

Des perles de rosée scintillaient sur la clairière. La brume s'accrochait aux buissons et aux pierres au pied de la paroi rocheuse. Petit Houx huma avec plaisir les senteurs fraîches de la forêt.

« Bonjour ! » la salua Poil d'Écureuil.

Sa mère était assise devant le repaire des guerriers, une patte levée pour se nettoyer derrière les oreilles. Griffe de Ronce était près d'elle.

« Bonjour ! lança la petite chatte en trottant vers eux.

— Le grand moment est arrivé ! ronronna Griffe de Ronce avant de poser le bout de son museau sur la tête de sa fille.

— Oh, oui », confirma-t-elle.

Et dire qu'elle avait failli tout gâcher et ne jamais voir ce jour, à cause de leurs bêtises !

La barrière de ronces frémit lorsque la patrouille de l'aube revint. Flocon de Neige apparut au bout du tunnel, suivi de son apprentie Nuage de Cendre et de Pelage d'Orage. Ils rapportaient tous trois du gibier.

Griffe de Ronce alla les rejoindre près de la réserve, où ils déposèrent leurs prises.

« Alors ? s'enquit-il.

— Rien à signaler. Personne n'a franchi nos frontières, rapporta le guerrier blanc. Cependant, le Clan du Vent et le Clan de l'Ombre ont intensifié leur marquage.

— Tu penses que c'est un signe d'agression ?

— Non, tout de même pas. Ils cherchent sans doute à nous rappeler qu'ils sont là, tout près.

— Faut-il multiplier les patrouilles ? » demanda Pelage de Granit.

Il avait surgi si brusquement du gîte des guerriers que Petit Houx sursauta. Poil d'Écureuil s'en fut rejoindre les matous, et Petit Houx se retrouva seule.

« Non, pas pour le moment, répondit Griffe de Ronce.

— N'est-ce pas plutôt à Étoile de Feu d'en décider ? » répliqua Pelage de Granit.

Le lieutenant dévisagea son camarade et comprit que sa question n'était pas une marque d'irrespect, mais d'inquiétude.

« Tu as raison. Je lui en parlerai. Il serait toutefois inutile de réagir démesurément face à une simple provocation. »

Petit Houx sentit une douce fourrure frôler son flanc. Petit Lion s'était assis près d'elle, tandis que Petit Geai s'extirpait à sa suite de la pouponnière.

« Que se passe-t-il ? demanda le chaton doré.

— La patrouille de l'aube fait son rapport », expliqua-t-elle.

La présence trop marquée des Clans de l'Ombre et du Vent à leurs frontières la contrariait un peu mais, si elle voulait devenir guérisseuse, elle allait devoir oublier les soucis des guerriers pour se concentrer sur les besoins de ses camarades.

Elle balaya la clairière du regard. Aile Blanche, Patte d'Araignée et Cœur d'Épines partageaient un pigeon près du demi-roc. Nuage de Miel et Nuage de Pavot jouaient sur le carré d'herbe devant leur tanière. Ils s'interrompirent soudain pour lever la tête vers la Corniche. Petit Houx suivit leur regard. Elle était si nerveuse qu'elle avait la sensation que des fourmis lui picotaient les coussinets.

Étoile de Feu avait quitté son gîte et dévalait à présent l'éboulis menant à la clairière. Tempête de Sable le suivit avec agilité. Petit Houx crut que son cœur allait éclater lorsque le meneur convoqua tous les membres du clan.

« Que tous ceux qui sont en âge de chasser s'approchent de la Corniche pour une assemblée du clan. Le temps est venu pour moi de tenir une promesse faite à trois de nos chatons. »

Petit Houx regarda ses frères. Enfin ! Ils allaient commencer à servir leur clan !

Griffe de Ronce et Poil d'Écureuil se hâtèrent de les rejoindre. La guerrière lissa en vitesse les poils hirsutes entre les oreilles de Petit Houx.

« Êtes-vous prêts ? demanda Griffe de Ronce, l'œil brillant.

— Plus que jamais ! miaula Petit Houx.

— Bien. »

Griffe de Ronce alla s'asseoir près de Bois de Frêne. *Est-ce que cela signifie que Bois de Frêne sera le mentor de l'un de nous ?* se demanda la petite chatte.

Poil d'Écureuil lécha la joue de Petit Geai.

« Bonne chance à tous les trois », ronronna-t-elle avant d'aller retrouver son compagnon.

Poil de Souris sortit péniblement de la tanière des anciens en guidant Longue Plume. Blottis les uns contre les autres, Nuage de Miel, Nuage de Pavot et Nuage de Sureau échangeaient des murmures. Aile Blanche, Patte d'Araignée et Cœur d'Épines laissèrent les restes de leur repas près du demi-roc pour s'approcher de la Corniche. Bientôt, le clan dans son ensemble dévisageait Étoile de Feu. Pour la première fois de la matinée, l'excitation de Petit Houx se mua en appréhension. Les attentes de Griffe de Ronce, de Poil d'Écureuil, d'Étoile de Feu et du clan tout entier pesaient sur ses épaules.

Une truffe fraîche lui frôla la nuque. C'était Feuille de Lune, qui l'encourageait à entrer dans le cercle formé par l'assemblée des félins. Elle scruta le regard de la guérisseuse qui, d'un battement de cils, lui fit signe d'avancer.

Petit Houx se faufila entre Fleur de Bruyère et Chipie. Ses deux frères prirent place près d'elle. Elle tremblait si fort que Chipie dut le sentir, car elle lui donna un coup de langue apaisant.

« Je vous ai rassemblés ce matin pour l'une de mes tâches favorites, annonça Étoile de Feu. Petit Houx, Petit Lion et Petit Geai ont désormais six lunes. »

Petit Geai va donc prendre part à la cérémonie ! songea Petit Houx, rassurée.

« Ils ont eu une enfance pleine de mésaventures, poursuivit-il d'un ton où perçait une pointe d'amusement. J'espère qu'ils ont retenu la leçon, et je les crois prêts à commencer leur apprentissage. »

Le clan miaula sa joie à l'unisson. Étoile de Feu attendit que le silence revienne avant de continuer :

« Petit Lion ! »

Le chaton au pelage doré et tigré avança en tremblant d'excitation.

« En ce jour, tu reçois ton nom d'apprenti. Tu t'appelleras Nuage de Lion. »

Nuage de Sureau clama son nom et les autres novices l'imitèrent. Étoile de Feu leva les yeux vers le ciel nuageux.

« Moi, Étoile de Feu, chef du Clan du Tonnerre, j'en appelle à nos ancêtres pour qu'ils se penchent sur ce chaton et le guident jusqu'à ce qu'il trouve en ses pattes la force et le courage de devenir un guerrier. »

Nuage de Lion leva la tête vers son chef, les yeux étincelants.

« Pelage de Granit », appela Étoile de Feu.

Le guerrier gris perle se redressa. Son regard s'éclaircit et sa queue tressaillit en signe de sa joie.

« Tu as été le mentor de Bois de Frêne, qui fait honneur à son clan. Le Clan du Tonnerre te demande à nouveau de prouver que tu peux être un excellent mentor. »

Le matou inclina la tête tandis que le meneur poursuivait :

« J'attends de toi que tu transmettes à Nuage de Lion tout ton savoir et que tu fasses de lui un guerrier dont le clan pourra être fier.

— Je ne décevrai pas mon clan. »

D'un pas vif, Nuage de Lion s'approcha et leva le museau pour toucher la truffe de son mentor.

« Petit Houx », appela ensuite le rouquin.

Oubliant sa nervosité, celle-ci accourut au centre du cercle.

« En ce jour, tu reçois ton nom d'apprentie. Tu t'appelleras Nuage de Houx.

— Nuage de Houx ! Nuage de Houx ! » répéta Nuage de Miel.

Nuage de Houx dévisagea les novices qui l'acclamaient. Nuage de Mulot et Nuage de Noisette semblaient si grands et si forts ! Dans la pouponnière, ses frères et elle étaient les plus âgés. Maintenant, ils allaient redevenir les plus jeunes de la tanière. Puis, le cœur battant, elle se souvint… *Je ne dormirai peut-être plus avec eux !*

« Feuille de Lune », miaula Étoile de Feu.

Youpi ! Nuage de Houx se sentait soudain si légère qu'elle craignit que le vent ne l'emporte.

Feuille de Lune s'approcha de la petite chatte noire.

« Je sais que Nuage de Houx sera entre de bonnes pattes, poursuivit le rouquin. Je prie pour que le Clan des Étoiles accorde à ton apprentie toute la force et la sagesse dont elle aura besoin.

— Je lui transmettrai tout ce que Museau Cendré m'a enseigné. »

Les truffes de la guérisseuse et de son apprentie se frôlèrent, mais Feuille de Lune ne regarda pas Nuage de Houx. Ses yeux voilés semblaient fixer quelqu'un d'autre, derrière la petite chatte noire.

Surprise, Nuage de Houx se tourna. Son mentor dévisageait sa sœur, Poil d'Écureuil. Pourquoi les deux chattes semblaient-elles si tristes ?

Petit Geai avança à son tour devant Étoile de Feu.

« Et moi ? demanda-t-il.

— Il ne peut pas devenir apprenti ! s'étonna Aile Blanche.

— Longue Plume a rejoint la tanière des anciens lorsqu'il est devenu aveugle, murmura Cœur d'Épines, comme s'il pensait lui aussi que les aveugles ne pouvaient être guerriers.

— Il ne serait pas en sécurité, dans la forêt, ajouta Patte d'Araignée.

— Pauvre petite chose », souffla Poil de Châtaigne.

La fourrure de Nuage de Houx se hérissa sur sa nuque. Pourquoi son frère n'aurait-il pas le droit de servir son clan, comme tout le monde ?

« Je veux devenir apprenti, comme Nuage de Lion et Nuage de Houx, cracha Petit Geai.

— Bien sûr, répondit Étoile de Feu. Et ton mentor sera Cœur Blanc. »

CHAPITRE 8

Cœur *Blanc ?*

Une vague de colère menaça d'emporter Petit Geai. Pourquoi Étoile de Feu avait-il choisi la guerrière borgne entre tous les guerriers ? La réponse était bien trop évidente !

Les griffes plantées dans le sol, il refusa d'avancer vers son mentor, au risque de la mettre dans l'embarras. Il ignora les murmures d'encouragement des autres apprentis. Il ignora aussi le « Chut ! » furieux que Patte d'Araignée cracha pour les faire taire. Puis il sentit qu'on le poussait gentiment, mais fermement, vers l'avant.

La voix de Feuille de Lune résonna dans son oreille.

« Avance. »

Les dents serrées, il fit quelques pas vers Cœur Blanc et Étoile de Feu.

« Je sais que cela doit être difficile pour toi, miaula Cœur Blanc avec compassion. Mais je promets de t'apprendre à protéger ton clan, même en étant privé de la vue. »

Elle avait pitié de lui ! Il l'entendait dans sa voix. Sa colère décupla, le sang lui battait aux temps.

« Pourquoi t'occuper de moi si tu penses que je suis inutile ? Pourquoi ne pas m'envoyer tout de suite avec les anciens, comme Longue Plume ? cracha-t-il.

— Personne n'a dit que tu étais inutile, rétorqua Cœur Blanc, un peu raide. Et Longue Plume n'appréciera guère que tu parles de lui si durement. » Elle recula d'un pas et releva le menton. « D'ailleurs, je lui ai demandé de nous aider pour ton entraînement. »

La queue de Petit Geai s'agitait furieusement.

C'est ça, songea-t-il. *Réunissons tous les poids morts du clan, et prions pour qu'un arbre leur tombe dessus !*

Étoile de Feu s'interposa.

« En ce jour, tu reçois ton nom d'apprenti. Tu t'appelleras Nuage de Geai.

— Nuage de Geai ! Nuage de Geai ! »

Les vivats de Nuage de Mulot et Nuage de Sureau résonnèrent dans la combe, puis les autres novices les imitèrent.

Pas la peine de vous forcer ! pensa Nuage de Geai en labourant le sol. *Vous m'acclamez parce que, vous aussi, vous avez pitié de moi !*

« Cœur Blanc, malgré tes terribles blessures, tu as su devenir une guerrière redoutable. Je ne peux imaginer mentor plus adapté pour entraîner Nuage de Geai.

— Je lui transmettrai tout ce que j'ai appris. »

Au moins, ça ira vite, songea le chaton aveugle.

À contrecœur, il se força à toucher le museau de Cœur Blanc du bout de la truffe et, ce faisant, à

114

l'accepter comme mentor. Ses moustaches frôlèrent le côté défiguré du visage de la chatte. Quelle étrange sensation ! Il dut réprimer un frisson.

Le clan tout entier acclama les nouveaux apprentis. *Quelle blague… pas un seul d'entre eux ne pense que je deviendrai un guerrier digne de ce nom*, bougonna-t-il en lui-même.

Lorsque la clameur cessa, Étoile de Feu reprit la parole.

« Le Clan du Tonnerre a de la chance d'avoir autant d'apprentis. J'espère qu'ils s'entraîneront avec assiduité et qu'ils serviront le clan de leur mieux.

— Tu peux compter sur nous ! lança Nuage de Lion.

— Quand commencerons-nous l'entraînement ? voulut savoir Nuage de Houx.

— C'est à vos mentors d'en décider.

— Viens, Nuage de Lion, miaula Pelage de Granit. Nous allons te trouver un nid dans la tanière des apprentis. Ensuite, je te montrerai la forêt.

— Tout de suite ? s'étonna le novice.

— Oui, pourquoi pas ? »

Nuage de Houx trépignait devant Feuille de Lune.

« Est-ce qu'on pourra les accompagner ? demanda-t-elle.

— C'est une merveilleuse idée, répondit Feuille de Lune. Cependant, moi, je vais te guider jusqu'aux coins les plus abondants en plantes médicinales, alors que Pelage de Granit veut sans doute montrer à ton frère les frontières et les parties les plus giboyeuses.

— Ah bon ? fit Nuage de Houx, déçue.

— Allons d'abord à la réserve d'herbes, suggéra la guérisseuse. Une fois que tu te seras bien familiarisée avec les plantes, nous irons les voir dans la forêt.

— D'accord », répondit la jeune chatte avec plus d'entrain.

Tandis que Nuage de Lion et Nuage de Houx s'éloignaient en compagnie de leurs mentors respectifs, Nuage de Geai s'assit avec humeur. *Et pourquoi ont-ils droit à de vrais mentors, eux ?* Il sentit sur son épaule la queue de Cœur Blanc.

« Suis-moi », lui dit-elle.

Boudeur, il traîna les pattes à sa suite et s'arrêta comme elle près d'une touffe d'herbe avachie qui poussait dans une anfractuosité de la muraille.

« Je pense qu'il vaut mieux que nous commencions par... »

Nuage de Geai n'écoutait déjà plus. Il laissa libre cours à ses pensées, si bien que la voix de son mentor se perdit dans les murmures du vent qui agitait les branches des arbres au-dessus de la combe. Il entendait les pas précipités de Nuage de Lion, qui suivait Pelage de Granit avec entrain vers la forêt, et percevait l'odeur de Nuage de Houx qui s'échappait de la tanière de Feuille de Lune. Nuage de Geai goûta même la saveur acide de la consoude, qu'elle déchirait pour la mettre à sécher.

Au moins, je ne suis pas apprenti guérisseur. Il était soulagé que sa sœur ait accepté ce rôle à sa place.

Il continua à examiner le clan. Depuis toujours, il était capable de deviner où était chaque chat, et ce qu'il faisait. Chipie tournait en rond sur sa litière, prête à faire une petite sieste. Poil de Souris guidait Longue Plume vers le gîte des anciens. Il percevait l'envie de la vieille chatte de partir dans la forêt ; elle était d'humeur à chasser, malgré ses pattes raides. Longue Plume cheminait près d'elle sans un bruit, ses membres aussi souples que ceux de n'importe quel guerrier.

C'est injuste qu'il soit cantonné avec les anciens, songea Nuage de Geai. *Il est encore jeune.*

Puis il sentit comme un voile sombre tomber sur le camp, tel un nuage d'orage qui aurait assombri la combe. Les oreilles dressées, il entendit un cliquetis de griffes sur la Corniche, devant le repaire d'Étoile de Feu. À l'odeur, il sut que ce n'était pas leur chef qui venait de s'y asseoir. C'était Griffe de Ronce.

Le jeune apprenti savait que son père venait souvent se percher là, en bon lieutenant veillant sur son clan. Pourtant, il percevait dans l'esprit du matou tacheté une autre émotion, froide, qui le mettait mal à l'aise, tel un brouillard poisseux. Au prix d'une intense concentration, il finit par trouver le mot juste.

Méfiance !

Griffe de Ronce se méfiait de ses camarades ! Il ne veillait pas sur eux, il cherchait parmi eux celui qui pourrait le trahir. Nuage de Geai frémit. Pourquoi voudrait-on trahir Griffe de Ronce ? Il était un lieutenant formidable…

Il cilla, et son attention se reporta sur Cœur Blanc. Elle s'était relevée et attendait visiblement une réponse.

« Nous allons voir Longue Plume, tu te rappelles ? » miaula-t-elle avec impatience.

Nuage de Geai soupira intérieurement. Encore des conseils inutiles venus d'un guerrier de seconde zone...

« Oui, fit-il sans enthousiasme.

— Allez, viens », le houspilla son mentor.

La guerrière se faufila sous la plus basse branche du noisetier qui abritait la tanière des anciens et gagna l'espace dégagé autour du tronc. Nuage de Geai l'imita prudemment, la tête près du sol. Pour une fois, il n'était pas certain de savoir où il mettait la patte. Son flair lui apprit que Longue Plume était seul. Poil de Souris avait dû céder à l'appel de la forêt.

« Félicitations, Nuage de Geai ! ronronna l'aveugle. Tu as un mentor formidable.

— Merci, Longue Plume. »

Malgré l'humilité dans la voix de son mentor, l'apprenti perçut aussi sa fierté.

« Pour ton premier apprenti, tu vas devoir relever un sacré défi.

— Ce n'est pas parce que je suis aveugle que... se défendit aussitôt le jeune félin.

— Je ne parlais pas de ta cécité, coupa le matou. Mais de ton attitude.

— Qu'est-ce qu'elle a, mon attitude ?

— Peu de félins auraient l'idée d'aller chasser le renard avant même d'être sortis de la pouponnière », répondit-il, malicieux.

La fourrure du novice se hérissa. *Je ne voulais que protéger mon clan !* Cœur Blanc ne lui laissa pas le temps de répondre.

« D'abord, je veux tu nettoies la mousse, que tu enlèves les touffes sales ou poussiéreuses, ordonnat-elle. Pendant ce temps, je me charge d'aller en chercher de la fraîche. »

Changer les litières ! Nuage de Geai n'ignorait pas que c'était l'une des corvées réservées aux apprentis – il avait bien souvent entendu Nuage de Sureau et Nuage de Noisette s'en plaindre –, cependant, savoir que son frère et sa sœur exploraient déjà le territoire lui donnait envie de hurler.

« Ensuite, poursuivit la chatte, vérifie si Longue Plume a des puces, puis passe à Poil de Souris si elle est rentrée avant moi. Pendant que tu travailleras, Longue Plume pourra t'expliquer comment te servir de tes autres sens. »

La déception de Nuage de Geai était indescriptible. Longue Plume et lui étaient complètement différents. Le matou avait perdu la vue bien après son baptême de guerrier. Cette cécité soudaine avait dû être une calamité pour lui. Mais Nuage de Geai, lui, n'avait jamais perçu le monde autrement qu'à travers l'ouïe, l'odorat et le toucher. Comment Longue Plume pourrait-il lui enseigner quoi que se soit ? Ce serait plutôt l'inverse : lui, Nuage de Geai, pourrait apprendre au vétéran comment choisir la pièce de gibier la plus fraîche, comment deviner d'où venaient leurs camarades en fonction des senteurs imprégnant leur pelage…

« Tu ferais bien de t'y mettre », le pressa Cœur Blanc.

Tandis que son mentor rejoignait la clairière, il commença à trier la mousse, tâtonnant du bout de la patte à la recherche de brins secs et flairant pour traquer les touffes moisies.

« Je suis parti pour m'ennuyer pendant des lunes, marmonna-t-il.

— Comment ? » fit Poil de Souris, de retour de la forêt. Sa fourrure rapportait des senteurs boisées. Ses pas étaient irréguliers et sa respiration hachée. « Tu as oublié un coin, là.

— Il vient à peine de commencer, expliqua Longue Plume.

— Ça veut dire qu'il va traîner dans nos pattes jusqu'à midi ? grommela la vieille chatte. J'espérais faire une petite sieste, moi.

— C'est pas ma faute si t'as les pattes raides ! feula Nuage de Geai. Il ne fallait pas partir dans la forêt par ce temps humide. »

Il sentit l'ancienne se pencher sur lui.

« Comment sais-tu que j'ai les pattes raides ?

— Je l'ai deviné quand tu t'es assise, expliqua-t-il en jetant une boule de mousse sèche vers la sortie. Tes gestes étaient très lents et t'as fait un petit bruit.

— Quel bruit ?

— Un petit hoquet, comme si t'avais mal. »

Un ronron amusé résonna dans la gorge de la chatte.

« Je vois que Cœur Blanc n'est pas près de s'embêter, avec toi. »

Nuage de Geai éprouva une lueur d'espoir.

Ils vont peut-être arrêter de me sous-estimer lorsqu'ils auront compris que je n'ai pas besoin de voir pour savoir ce qui se passe. Il finit de trier la mousse, puis alla examiner la fourrure de Longue Plume.

« Je parie que tu as hâte d'aller t'entraîner dans la forêt, miaula Longue Plume. Je me souviens de ma première sortie hors du camp comme si elle avait eu lieu lors de la dernière lune... Évidemment, je n'étais pas encore aveugle. Tout me semblait si vert et si frais ! Et toi aussi, tu vas adorer ça, même si tu ne peux pas voir les couleurs. Les fragrances sont innombrables. »

J'avais remarqué, merci, se dit Nuage de Geai tout en repérant le corps dur d'une puce entre les poils du matou.

« Voilà une des choses que j'ai comprises : lorsqu'on est aveugle, les odeurs nous semblent plus distinctes et prennent plus d'importance. »

Sans blague ! se retint de rétorquer Nuage de Geai, qui écrasa le parasite entre ses crocs.

« Comme les bruits, évidemment. Parfois, je perçois le frétillement d'une souris au sommet de la combe. Avant, jamais je ne l'aurais décelé. Tu dois toujours être à l'affût. »

Nuage de Geai inspecta la fourrure autour du cou de l'aveugle. Une tique était cachée derrière son oreille.

« Pour chasser, il te sera utile d'avoir l'ouïe fine et l'odorat développé. Le gibier est toujours difficile à voir, mais facile à flairer. Même quand j'y voyais encore, c'était bien souvent l'odeur ou le bruit d'une proie qui me révélait sa cachette. »

Et ensuite, tu me diras qu'une souris fraîche est plus juteuse qu'une attrapée la veille... se lamenta intérieurement l'apprenti en tirant sur la tique plus vivement que nécessaire.

« Aïe ! »

« — Comment ça se passe, ici ? s'enquit Cœur Blanc, depuis le seuil. Tu as terminé ?

— Je pense, répondit le novice, en se tournant vers Poil de Souris, plein d'espoir. Toi, tu n'as pas de tiques, si ?

— Juste une, sur mon flanc. Je peux l'attraper moi-même.

— Dans ce cas, j'ai fini, Cœur Blanc. »

La guerrière apporta des boules de mousse fraîche dans la tanière.

« Tant mieux. À présent, étale ça sur les nids et rejoins-moi. Je vais te montrer le pourtour du camp. »

Enfin !

« Bonne chance ! » lui lança Longue Plume.

Cœur Blanc l'entraîna hors du camp, jusqu'au sommet du dévers qui conduisait au lac.

« Attention, ça grimpe, prévint-elle.

— Entendu », miaula Nuage de Geai.

Il préféra ne pas lui avouer qu'il avait déjà senti la montée sous ses pattes. Il suivit son mentor qui serpentait entre les arbres, concentré sur le contact des feuilles humides et glissantes.

« Attention ! » lança Cœur Blanc.

Nuage de Geai flaira l'odeur d'écorce et obliqua juste à temps pour éviter l'arbre. Ses moustaches frôlèrent le tronc.

« La forêt est dense, ici, mais les taillis sont clair-semés.

— Oh ! fit-il en humant une souris tandis que le sol s'aplanissait peu à peu.

— Nous sommes au sommet de la butte, à présent. Suis mon odeur, nous allons longer la crête.

« — D'accord. »

Il devinait que la pente était escarpée de chaque côté et, en avançant, il eut l'impression de marcher sur l'épine dorsale d'un chat géant.

« Si nous suivons cette piste jusqu'au bout, nous nous retrouverons à découvert. »

Hors d'haleine, Nuage de Geai ne répondit pas. Il écoutait les mouches vrombir autour de lui et secouait la tête lorsqu'elles lui chatouillaient les oreilles.

« Ça y est, nous sommes sortis de la forêt. Tu ne risques plus de te cogner. »

L'apprenti s'en était déjà rendu compte en percevant sur son museau un vent léger et humide.

« Arrête-toi là », ordonna-t-elle, inutilement puisqu'il s'était déjà immobilisé en sentant le sol se dérober juste au bout de ses pattes.

Des effluves lui envahirent les narines – des parfums étranges qu'il ne connaissait pas encore – et un clapotis résonnait au loin. Il comprit qu'ils dominaient la forêt et le lac.

« Nous avons suivi la crête jusqu'au bout, expliqua la chatte. D'ici, le terrain descend en pente abrupte jusqu'au lac. Le territoire du Clan de la Rivière se trouve sur l'autre rive. Du côté où le soleil se couche, c'est le domaine du Clan de l'Ombre. Et si tu regardes derrière toi, là où le soleil se lève, tu verras… »

Elle s'interrompit soudain. Pour la première fois, Nuage de Geai éprouva de la peine pour son mentor. Elle avait sans doute espéré qu'on lui confierait un chaton en pleine forme qui ne lui demanderait pas un traitement particulier. Si seulement elle pouvait comprendre qu'il ne voulait *pas* de traitement particulier, qu'il n'en avait pas besoin !

« Si je ne vois pas ce que toi tu vois, je peux déduire énormément de choses grâce à mon ouïe, à mon odorat et à mon toucher. » Il leva la truffe en poursuivant : « Je sais que le Clan de l'Ombre est par là, et pas seulement parce que leur puanteur est si forte qu'elle pourrait effrayer un lapin, mais parce que la senteur des pins me dit que les taillis doivent être rares et que, donc, les chats qui chassent par là-bas doivent être rusés et doués pour la traque. » Il tourna la tête et ajouta : « Par là, je flaire la lande. Le vent arrive par grandes bourrasques. Les guerriers doivent y être rapides, et de petite taille, pour chasser sur un terrain si découvert. » Enfin, il reporta son attention sur le lac devant eux. « Je sais que le Clan de la Rivière demeure en face, même si je ne perçois pas leur odeur. Leur marque disparaît sous les senteurs du lac, qui sont plus fortes aujourd'hui à cause du vent. Je sais aussi que le Clan de la Rivière sera le premier à recevoir la pluie, car le vent pousse les vagues par ici – on les entend clapoter sur la rive.

— Tu devines tout cela sans rien voir ?

— Bien sûr. »

Soudain, Cœur Blanc se raidit, aux aguets.

« Une patrouille approche », annonça-t-elle.

Nuage de Geai l'entendait lui aussi. Une patrouille du Clan du Tonnerre remontait la crête dans leur direction. Les fougères et la bruyère frémissaient sur son passage. À l'odeur, Nuage de Geai reconnut Pelage de Poussière, Nuage de Noisette, Cœur d'Épines et Nuage de Pavot, mais il n'en dit rien. S'il était content que sa description du paysage ait impressionné Cœur Blanc, il ne voulait pas avoir l'air de se vanter.

Nuage de Pavot émergea la première du feuillage.

« Ah, ça y est, tu es enfin sorti du camp ! lança-t-elle.

— N'est-ce pas merveilleux, d'être apprenti ? demanda à son tour Nuage de Noisette. Je me souviens de mon premier jour. J'étais tellement excitée ! »

Je parie que tes débuts ont été plus palpitants que les miens…

« Nous revenons d'une patrouille le long de la frontière, ajouta la novice.

— Et maintenant, nous allons nous entraîner au combat dans la clairière mousseuse ! conclut Nuage de Pavot.

— Super, grommela Nuage de Geai.

— Tu pourrais venir avec nous ! suggéra soudain Nuage de Pavot, avant de se tourner vers son mentor. Hé, Cœur d'Épines, il peut venir, non ?

— Peut-être un autre jour, répondit Cœur Blanc. Nous n'avons pas fini d'explorer le territoire, ajouta-t-elle pour Nuage de Geai autant que pour l'apprentie.

— Où allez-vous, à présent ? demanda Cœur d'Épines à Cœur Blanc.

— Vers l'ancien Chemin du Tonnerre.

— Soyez prudents, répondit le guerrier. Ne vous aventurez pas de l'autre côté de la frontière du Clan de l'Ombre. »

Nuage de Geai vit rouge. Son mentor et lui n'avaient peut-être qu'un seul œil à eux deux, mais ils n'étaient pas stupides ! Il s'apprêtait à feuler une réponse lorsque Cœur Blanc le prit de vitesse.

« Je suis quand même capable de flairer le marquage de la frontière ! s'emporta-t-elle.

— Étoile de Feu a fait confiance à Cœur Blanc pour s'occuper de Nuage de Geai, rappela Pelage de Poussière à Cœur d'Épines d'un ton plein de reproches.

— Tu as raison, répondit le jeune guerrier. Pardonne-moi, Cœur Blanc. »

La guerrière accepta ses excuses en silence, et Nuage de Geai se réjouit un instant de ne pas être le seul du clan à être sous-estimé.

« La pente devant nous est très abrupte », le prévint-elle tandis que la patrouille s'éloignait.

Comme si je ne le savais pas !

« Tu penses pouvoir la descendre ?

— Évidemment. »

Furieux, il s'élança et, à sa grande surprise, le sol se déroba bien plus vite qu'il ne s'y attendait. Il dégringola le talus boueux jusqu'à ce qu'un buisson de bruyère arrête sa chute.

Cœur Blanc se précipita vers lui.

« Tout va bien ? »

Il s'extirpa péniblement du buisson puis se donna quelques coups de langue sur le poitrail.

« Oui, ça va.

— Tu as fait une belle chute ! Nous pouvons nous reposer un instant, si tu le souhaites.

— Je t'ai dit que j'allais bien, feula-t-il tout en se débarrassant des brins d'herbe pris dans ses poils. Et maintenant, on va par où ?

« — Suis-moi. D'ici, nous pouvons retomber sur le sentier qui mène à l'ancien Chemin du Tonnerre. »

Le novice obéit. Il s'en voulait d'avoir perdu l'équilibre si bêtement, alors que Cœur Blanc commençait à le traiter comme un apprenti normal.

Lorsqu'ils arrivèrent à destination, un vent humide, annonciateur de pluie, s'était levé.

« D'ici, nous allons rentrer au camp, lui annonça son mentor.

— Le territoire doit être plus grand que ça ! protesta-t-il.

— Oui, si grand qu'on ne peut tout explorer en un seul jour. »

Contrarié, il tourna le dos au Chemin du Tonnerre et suivit la guerrière. Il ne la croyait pas. À l'évidence, elle le pensait incapable de supporter une journée entière hors du camp.

Tandis qu'ils cheminaient parmi les arbres, la pluie se mit à tomber, crépitant sur les feuilles au-dessus d'eux. Nuage de Geai leva la tête et reçut une goutte sur la truffe. Il frémit et s'ébroua. Ce n'était peut-être pas plus mal qu'ils retournent au camp. La pluie était glaciale et le vent qui la charriait depuis l'autre rive du lac plus froid encore. Cœur Blanc pressa l'allure, sans doute aussi impatiente que lui de se mettre au sec.

Puis l'apprenti se figea.

Il avait flairé une autre odeur dans le vent, plus forte que celle de la pluie et des feuilles. Des souvenirs de son effrayante équipée à travers la forêt lui revinrent en tête. Un renard ! En reniflant de nouveau, il comprit qu'il s'agissait du même animal qui l'avait pourchassé jusqu'au sommet de la combe – sa fourrure était chargée d'un parfum de terre et de fougère. Il était tout près. Nuage de Geai se tapit au sol et ouvrit la gueule pour prévenir Cœur Blanc. Il comprit en flairant l'odeur imprégnée de peur de la chatte qu'elle avait déjà repéré le prédateur.

« Nous devons retrouver la patrouille ! » cracha-t-elle.

Nuage de Geai leva la truffe, à l'affût de ses camarades de clan. Soulagé, il huma une vague trace de Cœur d'Épines. Mais c'était trop tard. Devant eux, les fougères frémirent et le renard chargea. Nuage de Geai eut tellement peur qu'il crut que son cœur allait lâcher. Les pattes du renardeau martelèrent le sol de la forêt. Sa puanteur était plus forte, son grognement plus grave que dans son souvenir. La bête avait grandi depuis leur dernière rencontre.

« Sauve-toi ! lui ordonna Cœur Blanc en se jetant entre lui et l'ennemi.

— Je ne te laisserai pas toute seule ! Je peux me battre ! »

Il se figea lorsque les mâchoires du renard claquèrent près de son mentor. La guerrière cracha en esquivant l'attaque. D'après le cri de douleur que poussa aussitôt la bête, Nuage de Geai comprit que la chatte l'avait griffée.

Un courant d'air balaya sa fourrure quand l'ennemi passa devant lui. L'apprenti pivota, toutes griffes dehors, prêt à se jeter dans la bataille. Les pattes du renard glissèrent sur les feuilles mortes lorsqu'il pivota pour lancer un nouvel assaut. Nuage de Geai bondit, mais quelque chose le retint en arrière. Sa queue s'était prise dans un roncier ! Il s'effondra au sol. Une lourde patte le cloua un instant à terre – sans même faire attention à lui, le renard lui avait marché dessus pour s'en prendre une nouvelle fois à Cœur Blanc !

La guerrière borgne poussa un feulement de colère et de terreur mêlées. Horrifié, Nuage de Geai s'immobilisa.

Puis le cri de guerre de Cœur d'Épines retentit à quelques longueurs de queue de là. La patrouille arrivait !

Le renard glapit de fureur et détala entre les arbres, pourchassé par Pelage de Poussière et Nuage de Noisette.

Nuage de Geai se remit tant bien que mal sur ses pattes et tira de toutes ses forces sur sa queue.

« Nuage de Geai ! Tout va bien ? » s'inquiéta Nuage de Pavot.

Dans un bruit de fourrure déchirée, il parvint enfin à se libérer.

« Ça va ! grogna-t-il.

— Le renard t'a-t-il blessé ? » s'enquit de loin Cœur Blanc.

L'apprenti fut soulagé. Nulle odeur de sang ne flottait dans l'air et la voix de son mentor était forte. La guerrière n'avait pas été touchée.

« Ne me dis pas que tu as tenté d'affronter le renard ? s'indigna Cœur d'Épines. Tu aurais dû partir chercher de l'aide !

— Je ne pouvais pas la laisser toute seule, rétorqua-t-il.

— Je pensais que tu avais compris que tu n'étais pas de taille à affronter un renard ! »

Nuage de Geai montra les crocs sans répondre.

« Comment va ta queue ? lui demanda Nuage de Pavot avec sollicitude.

— Bien », marmonna-t-il, les yeux au sol, ignorant la douleur due aux épines qui y étaient toujours plantées.

Tous les patrouilleurs avaient dû le voir se débattre comme un nouveau-né, vaincu par un buisson de ronces. Quelle humiliation !

« Et Pelage de Poussière et Nuage de Noisette ? voulut-il savoir.

— Ils vont le chasser hors de notre territoire, lui répondit Cœur d'Épines. Je ne pense pas que le renard les attaque, pas après la frousse que nous lui avons donnée.

— Nous devrions ramener Cœur Blanc et Nuage de Geai au camp, suggéra Nuage de Pavot.

— Bonne idée. »

La pluie cessa à l'arrivée du crépuscule. Nuage de Geai était tapi dans le carré d'herbe où Cœur Blanc l'avait conduit le matin même. Il voulait être seul, et le buisson d'aubépine qui abritait la tanière des guerriers le dissimulait parfaitement.

Nuage de Lion, qui venait de rentrer en compagnie de Pelage de Granit, s'arrêta au centre de la clairière.

« Où est Nuage de Geai ? s'enquit-il, un peu inquiet.

— Je ne l'ai pas vu, répondit Nuage de Houx depuis le seuil de la tanière de Feuille de Lune. Cœur Blanc est revenue, il ne doit pas être loin.

— On va lui demander où il est ? »

130

Nuage de Geai ne tenait pas à ce que son mentor leur explique à quel point il avait été ridicule. Il sortit de sa cachette pour rejoindre son frère et sa sœur près de la réserve de gibier.

« Le voilà ! » se réjouit Nuage de Houx.

Nuage de Geai alla prendre une souris au sommet du tas. Nuage de Houx choisit un moineau, pendant que Nuage de Lion fouillait parmi les prises. Il en sortit un campagnol fraîchement tué.

« Je l'ai attrapé moi-même ! annonça-t-il avec fierté avant de le jeter à terre, près de sa sœur.

— Tu as attrapé du gibier dès le premier jour ? s'étonna son frère, visiblement impressionné.

— Enfin, c'est Pelage de Granit qui l'a repéré, et qui m'a dit comment l'approcher sans qu'il m'entende.

— Et il l'a tenu au sol pour que tu l'achèves, je parie », grommela Nuage de Geai.

Après un court silence, Nuage de Houx lui caressa l'épaule du bout de la queue.

« J'ai entendu dire que vous aviez eu des problèmes, miaula-t-elle. Ç'aurait pu arriver à n'importe qui.

— Mais c'est sur moi que c'est tombé, rétorqua-t-il en chassant la queue de sa sœur d'un mouvement brusque.

— Ce n'était que ton premier jour », lui rappela Nuage de Lion.

Toi aussi, ce n'était que ton premier jour, et tu as attrapé un campagnol.

Nuage de Houx renifla les épines plantées dans sa queue et tenta d'en retirer une avec les dents.

« Je peux faire ça moi-même, feula-t-il en s'écartant.

— Tu veux des herbes ? Je sais lesquelles apaiseront la douleur et lesquelles empêcheront l'infection. »

Sa fierté perçait dans sa voix.

« Pas la peine. » Nuage de Geai prit une bouchée de souris, à la chair sèche et peu goûteuse. Du bout du museau, il la poussa vers Nuage de Lion. « Tiens, finis-la, je n'ai pas faim.

— Attends... » lança son frère.

Sans répondre, Nuage de Geai s'éloigna d'une démarche abattue.

Il se dirigea vers la tanière des apprentis, un roncier qui poussait près de la paroi escarpée. Il lui fallut un moment pour en localiser l'entrée, après quoi il s'y glissa prudemment. Les senteurs peu familières des différents apprentis le déroutèrent. Il n'avait aucun repère dans ce lieu, et ignorait où il devait se coucher.

« Hé, Nuage de Geai ! l'accueillit Nuage de Noisette depuis le fond de la tanière. Dirige-toi au son de ma voix. Il y a une litière de mousse propre près de moi, tu pourras y dormir. »

L'aveugle était trop fatigué et déprimé pour protester. Il s'approcha avec gratitude du nid de l'apprentie et, en chemin, il parvint à identifier et localiser les odeurs qui l'entouraient. Il reconnut le parfum de Nuage de Pavot, si éventé qu'elle n'était sans doute pas revenue là depuis midi. Le nid de Nuage de Sureau avait été utilisé plus récemment et celui de Nuage de Miel était encore chaud, comme si elle venait tout juste de le quitter. Nuage de Geai serpenta doucement entre les litières jusqu'au tas de mousse propre près de Nuage de Noisette.

« Merci, murmura-t-il en s'installant.

— De rien », répondit-elle d'une voix ensommeillée.

Elle semblait trop lasse pour bavarder. Tant mieux. À cet instant, il n'avait qu'une chose en tête : se cacher le museau sous les pattes et dormir.

CHAPITRE 9

LA TOISON ARGENTÉE ÉTINCELAIT dans le ciel tandis que Nuage de Geai grimpait au creux d'un fossé vers les hauteurs de la vallée. Il leva la tête vers les rochers acérés, aussi tranchants que des crocs de renard, qui jonchaient son chemin. À côté de lui, baigné par le clair de lune, un ruisseau dévalait le flanc de la montagne. Une brise glaciale descendait des sommets gris et faisait onduler la fourrure de l'apprenti comme la surface d'un étang. Il avait l'impression de cheminer sur ce sentier caillouteux depuis des jours. Pourtant, il devait continuer à remonter le torrent jusqu'à sa source.

Nuage de Geai sentit tout à coup une patte lui rentrer douloureusement entre les côtes. Il sursauta et, lorsqu'il ouvrit les yeux, il ne vit que les ténèbres.

Il avait rêvé.

Le coup de patte se répéta.

« Fais attention ! gémit-il.

— Pardon ! s'excusa Nuage de Lion.

— Pourquoi es-tu si agité ce matin ? » ronchonna l'apprenti gris tigré en relevant le menton.

En flairant le parfum de la rosée sur les feuilles, il devina que l'aube était à peine levée. Seuls Nuage de Lion et Nuage de Sureau étaient réveillés.

« Nous allons patrouiller le long de la frontière avec Pelage de Granit et Griffe de Ronce, expliqua Nuage de Lion, tout excité.

— Trop génial... marmonna Nuage de Geai. Si Griffe de Ronce vous emmène, c'est que les frontières sont sûres.

— Ah oui ? Tu oublies le marquage intensif des Clans de l'Ombre et du Vent !

— Et alors, tu as peur de quelques odeurs ? »

Le ton agressif de son frère fit reculer Nuage de Lion.

« Pardon, murmura Nuage de Geai. Je suis sûr que ça va être super.

— Oui... À plus tard. »

Sans rien ajouter, le novice au pelage doré sortit de la tanière, suivi par Nuage de Sureau.

Nuage de Geai s'enfonça un peu plus dans son nid, qui lui semblait bien froid sans son frère. Il voulut replonger dans son rêve, mais le sommeil ne revint pas.

Les senteurs fraîches de l'aube commençaient à filtrer entre les feuilles lorsque Nuage de Mulot et Nuage de Noisette se réveillèrent en bâillant.

L'apprentie donna un petit coup de museau à Nuage de Geai.

« Allez, arrête de faire semblant de dormir », miaula-t-elle.

Il releva la tête à contrecœur.

« Est-ce que Nuage de Sureau est déjà parti ? s'enquit-elle.

— Oui.

— Oh, souffla la jeune chatte, déçue. Je le verrai tout à l'heure à l'entraînement.

— Nuage de Noisette ! » Le miaulement grave de Pelage de Poussière résonna dans la tanière. « La réserve de gibier est au plus bas. Amène Nuage de Mulot. Nous allons chasser. »

La queue de l'apprentie se gonfla de plaisir.

« Chouette ! J'avais peur de devoir passer la matinée à nettoyer la tanière des anciens ! »

Pourquoi te demanderait-on de le faire puisque je suis là pour ça... se lamenta Nuage de Geai tandis que les deux novices s'en allaient. *Les petits de Chipie accomplissent des tâches plus importantes que les miennes, alors qu'ils ne sont même pas nés dans le clan !*

« Bonjour, Nuage de Geai ! le salua Nuage de Pavot. Comment s'est passée ta première nuit dans le gîte des apprentis ?

— Bien. »

Nuage de Cendre remuait elle aussi.

« Qu'est-ce que tu vas faire, aujourd'hui ? lui demanda cette dernière.

— Je ne vais ni patrouiller ni chasser, ça c'est sûr...

— Cœur Blanc a peut-être prévu un petit entraînement martial, hasarda Nuage de Pavot.

— Je l'espère ! renchérit Nuage de Cendre. On s'entraîne dans la clairière mousseuse, ce matin. Ce serait bien que tu viennes aussi. »

Nuage de Geai s'abstint de répondre.

« On se verra peut-être tout à l'heure », lança Nuage de Pavot en s'éclipsant à son tour.

C'est ça, et les merles ont des dents...

Seule Nuage de Miel demeura dans la tanière. Elle dormait profondément. Nuage de Geai n'avait pas l'intention d'attendre qu'elle se réveille et se mette elle aussi à piailler comme un oisillon pour évoquer son programme d'entraînement. Il s'extirpa donc de son nid et se faufila dehors.

Comme le sol était couvert de givre, il en déduisit que le ciel était dégagé. Le camp bourdonnait déjà d'activité. En humant l'air frais, il sut qu'Étoile de Feu s'entretenait avec Poil de Fougère et Patte d'Araignée pour organiser les groupes de chasseurs et de patrouilleurs, et que Feuille de Lune se dirigeait vers la pouponnière. Poil d'Écureuil faisait sa toilette en compagnie de Pelage d'Orage et de Source.

Il ne parvint pas à localiser Cœur Blanc. Elle avait dû l'oublier et partir sans lui avec la patrouille de l'aube. Une vague de ressentiment monta en lui comme un jet de bile. *Je vais lui prouver que je ne suis pas inutile !* résolut-il.

Il traversa la clairière à toute allure et prit le tunnel auxiliaire. Lorsqu'il en sortit, il détecta l'odeur de Tempête de Sable : la guerrière se dirigeait vers le camp. Comme il n'avait pas le temps de faire demi-tour, il plongea derrière un bouquet de fougères. La chatte ralentit, et renifla. Il retint son souffle en priant le Clan des Étoiles pour qu'elle ne le repère pas. Elle s'attarda un instant puis poursuivit son chemin.

Poussant un soupir de soulagement, le petit apprenti s'extirpa des fougères et secoua la tête pour chasser un bout de feuille sèche collé à son oreille. Il retrouva sans mal le sentier que Cœur Blanc et lui avaient emprunté la veille. Si son mentor ne voulait pas lui montrer tout le territoire, il l'explorerait seul. Il commencerait par gagner la rive du lac. Il n'avait jamais été aussi loin, et les odeurs fraîches du vent et de l'eau l'attiraient.

Il grimpa le dévers sans peine, suivit la crête et s'arrêta au bout. Cette fois-ci, il savait qu'un fort dénivelé l'attendait. Les griffes plantées dans le sol pour ralentir sa course, il le descendit prudemment et, lorsqu'il atteignit le buisson de bruyère qui avait arrêté sa chute à mi-pente la veille, il prit la direction opposée au Chemin du Tonnerre.

Grâce à ses vibrisses, il lui était facile de se déplacer dans les sous-bois et il avançait donc d'un pas confiant. Peu à peu, les arbres et les taillis se raréfièrent et la pente s'accentua. Le sol devint doux et meuble. Les feuilles mortes avaient disparu, laissant place à une épaisse couche de mousse. La bruyère lui chatouillait les flancs.

Il leva la truffe, ne sachant à quelle distance du lac il se trouvait. La veille, le vent soufflait de la rive opposée, et il lui avait été facile de le repérer. Ce matin-là, la brise, qui venait dans son dos, ne le renseignait en rien sur son environnement. Il tendit l'oreille, à l'affût des clapotis des vagues – le bruit lui parvenait trop indistinctement pour qu'il puisse en déterminer la provenance.

Soudain, il se tordit la patte dans un trou et dut réprimer un cri de douleur. Il avait trébuché dans un terrier de lapin ! Il s'écarta de l'obstacle en grimaçant.

Ce n'est pas du tout comme dans la forêt, se lamenta-t-il. Pour la première fois, il se demanda si partir seul en exploration était vraiment une bonne idée. Il était pourtant toujours déterminé à atteindre le lac par ses propres moyens. Doucement, il fit un pas et fut soulagé de voir qu'il pouvait marcher.

Il progressait avec prudence. Le sol, humide et glacial, lui gelait les coussinets. Soudain, ses pattes avant s'enfoncèrent dans la tourbe, et la boue lui monta jusqu'au poitrail. *Clan des Étoiles, aidez-moi*, pria-t-il. Il dut s'arc-bouter pour se libérer et se tourna aussitôt pour planter ses griffes dans un buisson de bruyère. Il grimpa sur les branches puis s'immobilisa, tremblant.

Je dois tâter le terrain avant d'avancer, se rappela-t-il, le cœur battant si fort qu'il masquait le bruit des vagues et du vent. Du bout d'une patte, il testa le sol de l'autre côté du buisson. Il était couvert de mousse, mais ferme. Rassuré, il se remit en route.

Sans relâcher un instant son attention, il avança pas à pas en prenant soin de ne pas s'éloigner de la ligne de buissons où il pourrait se raccrocher s'il perdait encore l'équilibre. Peu à peu, le sol devint plus dur et plus sec. La pente s'inclinait de nouveau et il eut l'impression que le paysage se dégageait autour de lui. Rassuré, il commença à se détendre. Le vent, qui soufflait toujours dans son dos, charriait le parfum du camp. Il hésita un instant à faire demi-tour avant de repousser cette idée. *Je n'abandonnerai pas !*

Il tenta de se construire une image mentale du paysage et de la mémoriser pour se sentir plus à son aise lorsqu'il y reviendrait. La mousse fit place à de l'herbe douce. Les frémissements des feuilles étaient à présent derrière lui. En revanche le clapotis de l'eau lui semblait tout proche. Il allongea le pas, grisé de sentir tant d'espace autour de lui tandis que le soleil réchauffait son museau et que le vent malmenait sa fourrure.

De nouveau, il renifla.

Le Clan du Vent !

Il prit peur. L'odeur était si forte à cet endroit qu'elle masquait la sienne. Et pourtant, il n'avait pas entendu le moindre mouvement. Il était certain qu'il n'y avait personne dans les environs. Avait-il franchi la frontière par mégarde ?

Troublé, il fit demi-tour, à l'affût de l'odeur de son clan. Il recula et, tout à coup, le sol se déroba sous ses pattes. Il eut beau gesticuler en tous sens dans l'espoir d'agripper une branche ou un rocher, sa chute se poursuivit interminablement.

Puis il tomba dans l'eau.

L'étreinte de l'onde glacée lui coupa le souffle. Il agita les pattes sans savoir de quel côté se trouvait la surface, tandis que ses poumons le brûlaient. Il voulut appeler à l'aide, mais l'eau lui remplit la gueule, les yeux et les oreilles.

Je vais me noyer !

Soudain, il sentit qu'on l'attrapait par la peau du cou. Quelqu'un le tirait en arrière. D'instinct, il cessa de se débattre et resta inerte tel un chaton dans la gueule de sa mère. Il se laissa faire jusqu'à ce que sa tête ressorte à la surface.

En inspirant une première fois, il avala de l'eau et toussa tant qu'il crut vomir.

« Ne bouge pas ! » lui ordonna un chat, dents serrées, en le ramenant à la nage vers la rive. « Arrête de gigoter ! » cracha de nouveau la voix lorsque

Nuage de Geai agita les pattes dans l'espoir d trouver un appui.

Il sentit soudain des graviers rouler sous ses cous sinets et s'effondra bientôt sur le rivage, hoquetan Des pattes puissantes se plaquèrent sur son poitrai pour en expulser l'eau.

« Il va s'en sortir ? » s'enquit une voix de jeun chatte.

Sous le choc, Nuage de Geai était incapabl d'analyser les odeurs qui l'entouraient.

« Qui êtes-vous ? Des guerriers ? articula-t-il ave peine.

— Mais… fit la chatte. Il est aveugle !

— Par le Clan des Étoiles ! s'écria son sauveu Que fait-il tout seul ici ? »

Une langue râpeuse le léchait avec vigueur pou masser son corps frigorifié. Une autre langue se mi à l'ouvrage. Il ferma les yeux, immobile, affaibli, e se laissa réchauffer et réconforter.

Lorsque ses idées s'éclaircirent enfin, il compr qu'il s'agissait de membres du Clan du Vent. Leu odeur était identique à celle qui lui était parvenu depuis la lande, la veille. Ils étaient quatre, deu adultes et deux plus jeunes – des guerriers avec leur apprentis ?

« Comment va-t-il, Aile Rousse ? » demanda l jeune chatte, qui s'était approchée si près de lu qu'il percevait les tressaillements de sa fourrure.

— Il s'en remettra, Nuage de Myosotis », mu mura une guerrière avec douceur. « Tu m'entend petit ? »

Nuage de Geai opina. Il parvint tant bien qu mal à s'asseoir. Il secoua la tête pour dégager se

oreilles pleines d'eau et entendit aussitôt les graviers crisser – il comprit que les membres du Clan
du Vent reculaient pour éviter les gouttelettes jail-
lies de sa fourrure détrempée.

« C'est bien un membre du Clan du Tonnerre,
ça ! Il nous remercie en nous aspergeant ! »

Nuage de Geai entendait cette voix-là pour la
première fois. Il devina qu'il s'agissait du second
apprenti – un mâle, celui-ci.

Le guerrier lui répondit sèchement.

« Arrête de râler, Nuage de Brume ! Ce n'étaient
que quelques gouttes. » Un souffle chaud glissa sur
le museau de Nuage de Geai lorsque le matou se
baissa vers lui. « Que fais-tu ici, si loin de ton camp ?
lui demanda-t-il. Personne ne t'accompagne ?

— Sois gentil avec lui, l'implora la guerrière. Il a eu
une sacrée frousse. » Une douce langue lécha l'oreille
de Nuage de Geai. « Tu es en sécurité, mon petit. »

Contre elle, l'apprenti du Clan du Tonnerre se
détendit. Sa fourrure chaude et sèche le protégeait
du vent.

« Je m'appelle Aile Rousse, ajouta-t-elle. Lui,
c'est Plume de Jais, et eux, ce sont nos apprentis,
Nuage de Myosotis et Nuage de Brume. Tu n'as
rien à craindre de nous.

— Ça, il a dû le comprendre puisqu'on vient de
lui sauver la vie ! marmonna Nuage de Brume.

— Tu aurais dû inculquer les bonnes manières
à ton fils, Plume de Jais ! s'emporta Aile Rousse,
avant de reporter son attention sur le rescapé. Que
faisais-tu ici ? Savais-tu que tu te dirigeais vers le
territoire du Clan du Vent ? Est-ce que tu as des
ennuis ?

« — Pas encore, mais ça va venir, grommel.
l'apprenti du Clan du Tonnerre.

— Et comment ! s'emporta Plume de Jais. À quo
pensait donc ton clan, à te laisser t'égarer dans l
forêt ? »

Nuage de Myosotis s'approcha un peu plu
encore : ses moustaches frôlèrent la fourrure d
Nuage de Geai.

« Tu ne vois vraiment rien du tout ? s'enquit-ell

— Faut espérer. Sinon, c'est qu'il est très bête,
se jeter comme ça du haut de la falaise ! se moqu
Nuage de Brume.

— Je ne me suis pas jeté à l'eau !

— Pourtant, on t'a vu faire : ça y ressemblai
drôlement !

— Ça suffit, Nuage de Brume ! » le rabrou
Plume de Jais. Je ferais mieux de l'escorter jusqu'
son camp. Es-tu capable de marcher ? »

Nuage de Geai acquiesça. Ses pattes tremblaien
encore un peu, mais il ne voulait pas donner à l'ap
prenti une nouvelle occasion de se moquer du Cla
du Tonnerre. Il se leva.

« Merci de m'avoir sauvé. Je peux rentrer che
moi tout seul, répondit-il poliment.

— Hors de question que je te laisse errer dans l
forêt, insista le matou. Aile Rousse, ramène Nuag
de Myosotis et Nuage de Brume. »

Il posa fermement sa queue sur l'épaule de Nuag
de Geai et l'entraîna vers la forêt.

« Va voir ta guérisseuse le plus vite possible !
lança Aile Rousse.

Sur le chemin, Plume de Jais ne dit presqu
rien. Il se contentait de miauler de vagues mis

144

en garde lorsqu'ils approchaient de terriers de lapin ou de racines tordues. Ce silence convenait à Nuage de Geai. Il avançait en terre inconnue, bien trop contrarié pour pouvoir se concentrer sur autre chose que les instructions occasionnelles de son accompagnateur. Il avait beau être vexé que le guerrier maintienne sa queue sur son épaule, il ne se plaignit pas. Il avait suffisamment de problèmes comme ça. De nouveau, sa tentative de prouver qu'il valait autant que les autres apprentis s'était conclue par un désastre.

Je reconnais cet endroit, se dit-il soudain. La pente était semée de brindilles. Les arbres frémissaient au-dessus de lui. Ils avaient atteint le sommet de la combe. Le cœur de Nuage de Geai se serra. Comment allait-il expliquer qu'il n'était pas avec Cœur Blanc ? Qu'allait dire son père ? Il flaira alors une patrouille du Clan du Tonnerre : Poil d'Écureuil, Pelage d'Orage et Source se dirigeaient droit sur eux. Il se crispa malgré lui.

« Plume de Jais ? s'étonna Pelage d'Orage depuis les fougères toutes proches.

— Nuage de Geai ! » Le cri de Poil d'Écureuil exprimait à la fois son soulagement et sa colère. Elle enfouit son museau dans la fourrure humide de son fils puis le lécha vigoureusement entre les oreilles. « Par le Clan des Étoiles, que t'est-il arrivé ? Où l'as-tu trouvé ? demanda-t-elle à Plume de Jais.

— Il s'était égaré sur notre territoire, expliqua le guerrier du Clan du Vent d'un ton bourru. J'ai dû le repêcher dans le lac. »

Nuage de Geai baissa la tête, mortifié. Pour ne rien arranger, Plume de Jais ajouta :

145

« Tu laisses souvent tes chatons se balader tout seuls ?

— Je ne suis pas un chaton, je suis un apprenti ! » protesta Nuage de Geai.

Sa mère lui caressa le museau du bout de la queue pour le faire taire.

« Plume de Jais, miaula-t-elle avec froideur, il me semble que le Clan du Vent a lui aussi compté des guerriers qui s'écartaient du droit chemin. »

L'apprenti devina qu'il y avait un sous-entendu dans cette réponse, mais il lui échappa. En revanche, le guerrier du Clan du Vent le comprit aussitôt. Il ôta sa queue de l'épaule de Nuage de Geai et renifla bruyamment.

« Tu ferais mieux de le ramener à votre camp. Il a failli se noyer, et l'eau était glaciale.

— J'y vais de ce pas. »

Elle donna un petit coup de truffe à son fils pour l'encourager à descendre jusqu'à la barrière de ronces.

À la grande surprise de ce dernier, Plume de Jais les accompagna. Poil d'Écureuil ne lui fit aucune remarque. En revanche, Nuage de Geai devina aux pas légers de Pelage d'Orage qu'il était heureux de cheminer près du guerrier du Clan du Vent.

Source vint se placer derrière l'apprenti.

« Tu n'as aucune raison d'avoir honte, ronronna-t-elle au creux de son oreille. J'ai fait bien pire pendant mes propres entraînements. »

Elle pressa son flanc chaud contre la fourrure froide et mouillée du novice. Il savait qu'elle cherchait à le réconforter, mais elle n'y parvint pas.

Il entendit soudain la barrière frémir et Nuage de Mulot surgit du tunnel.

« Vous l'avez retrouvé ! se réjouit-il.

— Oui, nous l'avons retrouvé, soupira Poil d'Écureuil.

— Va chercher la patrouille de Cœur Blanc et dis-lui d'arrêter les recherches, ordonna Pelage d'Orage à Nuage de Mulot. Demande à Flocon de Neige si tu peux emmener Nuage de Cendre avec toi.

— Entendu, Pelage d'Orage. »

Poil d'Écureuil s'engagea la première dans le tunnel. Les dents serrées, Nuage de Geai la suivit.

« Va voir Feuille de Lune, lui conseilla à son tour Pelage d'Orage.

— Je te rejoindrai après avoir parlé à Griffe de Ronce, murmura Poil d'Écureuil. Il sera soulagé d'apprendre que tu es sain et sauf. »

L'apprenti, qui se sentait misérable, se traîna jusqu'à la tanière de la guérisseuse. À son grand étonnement, Plume de Jais lui emboîta le pas. Le guerrier du Clan du Vent avait-il décidé de lui coller au train toute la journée ? Qu'est-ce que Plume de Jais pouvait bien avoir à dire à la guérisseuse du Clan du Tonnerre ? Il se retint de l'interroger, préférant se concentrer pour deviner les émotions du guerrier. Il eut l'impression de sonder un roncier – il ne perçut que des épines !

À son arrivée, Feuille de Lune se précipita vers lui. Puis elle s'immobilisa lorsque Plume de Jais apparut entre les ronces. La tension entre les deux félins était telle que la fourrure de Nuage de Geai se dressa.

« Bonjour, Plume de Jais, le salua Feuille de Lune d'une voix aussi forcée que si elle avait une bourre de poils coincée dans la gorge.

— Bonjour, Feuille de Lune. » Les paroles du guerrier étaient un peu sèches mais, pour la première fois, Nuage de Geai y discerna une émotion autre que de l'irritation. « J'étais de sortie avec Nuage de Brume et son mentor lorsque nous l'avons retrouvé.

— Ton fils est déjà apprenti ? s'étonna la guérisseuse.

— En effet, répondit-il froidement.

— Nuage de Geai ! » Nuage de Houx surgit du fond de la fissure et se frotta contre son frère. « Tu as l'air à demi noyé ! »

La fatigue rattrapa le novice, qui se laissa choir au sol.

« Va lui chercher du thym », ordonna Feuille de Lune à son apprentie.

La petite chatte disparut un instant et revint la gueule pleine de feuilles. À l'odeur, Nuage de Geai reconnut qu'il s'agissait de chasse-fièvre et non de thym.

« Il n'a guère besoin que sa température baisse », soupira Feuille de Lune avec une pointe d'impatience.

Elle alla chercher elle-même le bon remède.

Plume de Jais les observait en silence.

« Et pourquoi faut-il lui donner du thym ? demanda Feuille de Lune à Nuage de Houx.

— Pour le réchauffer ? hasarda l'apprentie.

— Non. Tu le réchaufferas très bien en t'allongeant près de lui. »

La novice se pressa aussitôt contre son frère.

148

Du bout de la truffe, la guérisseuse poussa la plante vers Nuage de Geai.

« Le thym va l'aider à se détendre et à surmonter le choc. Avale tout, l'encouragea-t-elle en lui léchant la joue. Ce n'est pas si mauvais, tu verras. Dès que tu te seras un peu réchauffé, j'enverrai Nuage de Houx te chercher une pièce de viande fraîche pour faire passer le goût. »

Nuage de Geai avala les brins sans protester. Il avait bien trop froid, et était bien trop épuisé pour cela. Il laissa ses yeux se fermer et savoura la chaleur du corps de sa sœur. Il s'étonna encore de l'émotion intense qui passait entre Plume de Jais et Feuille de Lune, puis l'oublia bien vite en plongeant dans un sommeil réparateur.

CHAPITRE 10

Nuage de Lion contemplait la pleine lune qui brillait au-dessus de la combe. *Les nuages ne viendront pas perturber l'Assemblée,* se réjouit-il.

Pelage de Poussière, Patte d'Araignée et Pelage de Granit attendaient déjà près de la barrière à l'entrée du camp. Étoile de Feu se tenait sous la Corniche, en compagnie de Tempête de Sable et de Griffe de Ronce.

« Qu'est-ce qu'on attend ? pesta Nuage de Houx en labourant le sol d'impatience.

— On va bientôt y aller », miaula son frère.

Il était aussi excité que sa sœur. Ils allaient assister à leur première Assemblée. Ils auraient l'occasion de rencontrer des apprentis des autres clans, d'échanger des anecdotes et de comparer leurs entraînements... tout en sachant que leur prochaine rencontre pourrait avoir lieu sur un champ de bataille.

« Étoile de Feu attend Feuille de Lune, déclara Nuage de Noisette.

— Qu'est-ce qui peut bien la retenir si longtemps ? gémit Nuage de Houx. Elle devait simplement finir de ranger les herbes qu'on a cueillies ce matin.

— Elle mettrait peut-être moins de temps si son apprentie était là pour l'aider, rétorqua Nuage de Sureau.

— Mais je voulais l'aider, moi ! protesta la novice. C'est elle qui m'a dit qu'elle irait plus vite toute seule.

— Tu es certaine d'être faite pour devenir guérisseuse ? demanda Nuage de Mulot, les moustaches frémissantes.

— Évidemment ! Un jour, c'est moi que tout le monde attendra pour aller à l'Assemblée !

— Ils te taquinent, c'est tout », voulut la rassurer Nuage de Lion.

Ce dernier trouvait étrange que les petits de Chipie aillent tous à l'Assemblée, alors que des apprentis nés dans le clan – Nuage de Cendre, Nuage de Miel et Nuage de Pavot – restaient au camp. *J'imagine que c'est équitable,* conclut-il. *Trois apprentis nés dans le camp, et trois autres.* Il soupira. *Enfin, nous aurions été trois si seulement...*

Il jeta un coup d'œil vers Nuage de Geai, tapi à l'entrée de leur tanière. Il était prostré ainsi depuis le coucher du soleil. Pour le punir de s'être échappé du camp et d'avoir risqué sa vie en tombant dans le lac, on lui avait interdit d'assister à l'Assemblée. Il ruminait donc dans son coin, ses yeux bleus aveugles rivés sur son frère et sur sa sœur qui plaisantaient avec les autres novices.

Pourquoi se montrait-il si imprudent ? La situation était plus compliquée depuis qu'ils étaient apprentis : les tâches de Nuage de Lion l'occupaient tant qu'il ne pouvait garder un œil sur son frère, comme il le faisait naguère. Il se sentit un peu coupable, puis se dit que le clan passait avant tout. Nuage de Geai devrait apprendre à se montrer plus raisonnable.

Il alla rejoindre son frère et, d'un coup de langue, lui lissa la fourrure au sommet du crâne.

« Je regrette que tu ne viennes pas, miaula-t-il.

— Pas moi, grommela son frère.

— Tu sais que ce n'est pas vrai. Mais tu ne peux t'en prendre qu'à toi-même.

— Étoile de Feu ne voulait peut-être pas d'un aveugle à l'Assemblée.

— Et pourquoi ?

— Cela aurait nui à l'image du clan, si les autres m'avaient vu. »

Se pouvait-il qu'il ait raison ? L'appel d'Étoile de Feu retentit sans que Nuage de Lion ait eu le temps de répondre.

« Je dois y aller. Mais je te raconterai tout à mon retour. »

Il fila pour rattraper les autres. En tête du groupe, Étoile de Feu s'engagea dans le tunnel. Nuage de Lion fermait la marche, le cœur battant. Il rejoignit bientôt sa sœur, dont le pelage frémissait d'excitation. Un instant plus tard, ils jaillirent du tunnel et s'élancèrent dans la montée.

Ils passèrent devant le Vieux Chêne et redescendirent jusqu'au lac. Les graviers du rivage crissèrent sur leur passage et éraflèrent les coussinets de l'apprenti, qui n'y prêta pas attention. Il n'avait d'yeux que pour l'île, qu'il distinguait déjà au loin.

Lorsque la troupe de félins entama la longue traversée du territoire du Clan du Vent, Étoile de Feu ralentit l'allure. Ils longèrent le territoire des chevaux puis entrèrent dans le domaine du Clan de la Rivière en prenant garde à rester tout près de la rive, comme les quatre clans en avaient décidé. Le sol devint boueux lorsqu'ils approchèrent de l'île. Nuage de Lion glissa une fois et décida de se montrer plus prudent. Il ne tenait pas à arriver à destination couvert de boue. Un flot de silhouettes sombres traversait l'arbre-pont. L'odeur du Clan du Vent se mêlait à celle des Clans de l'Ombre et de la Rivière.

« Étoile de Feu, vas-tu leur parler de leur marquage ? demanda Griffe de Ronce, qui avançait au côté du meneur, devant Nuage de Mulot et Patte d'Araignée.

— Je ne peux pas dire aux autres clans ce qu'ils doivent ou ne doivent pas faire sur leur propre territoire, lui rappela-t-il.

— Certes, mais c'est tout de même un signe d'hostilité ! feula le lieutenant.

— Nous n'y réagirons pas. Pas pour le moment.

— Étoile de Feu a raison, lança Pelage de Granit, qui pressa le pas pour les rejoindre. Il vaut mieux multiplier nos propres patrouilles plutôt que d'avouer publiquement que les provocations des autres clans nous inquiètent.

— Il faut bien plus que la puanteur du Clan de l'Ombre, fût-elle plus forte encore qu'à l'accoutumée, pour nous inquiéter ! » rétorqua Étoile de Feu.

Sur ces paroles, il redoubla l'allure, avala les dernières longueurs de queue qui le séparaient du tronc couché et s'arrêta net près des racines tordues.

Nuage de Lion contempla le pont qui reliait la rive à l'île.

« Nous devons être les derniers arrivés », souffla-t-il à sa sœur. Soudain, l'idée de voir les trois autres clans en même temps l'intimida. « Tu penses que les histoires que nous racontait Fleur de Bruyère à propos du Clan de l'Ombre sont vraies ?

— Tu crois vraiment qu'ils laissent leurs anciens mourir de faim ? répondit-elle, ironique.

— Non, bien sûr... Et si les autres apprentis étaient tous plus grands que nous ?

— Nous ne sommes apprentis que depuis un quart de lune, lui rappela-t-elle. Il y aura forcément des novices plus grands que nous. »

Étoile de Feu bondit sur le tronc et traversa prudemment. Une fois sur l'autre rive, il invita d'un signe de la tête ses guerriers à l'imiter. Griffe de Ronce s'engagea aussitôt, suivi de Pelage de Poussière et de Nuage de Houx. L'eau noire, lisse, lapait doucement le tronc et les branches mortes. Nuage de Lion regarda sa sœur avancer doucement entre les nœuds et les branches. Puis elle sauta à terre et pivota pour regarder son frère.

Tremblant d'excitation, il se hissa sur l'arbre, qui ploya légèrement sous son poids. Pelage de Granit sauta derrière lui. L'écorce était étonnamment lisse. Devant l'apprenti se dressait un moignon de branche pointu. Il le contourna, les yeux braqués sur l'île.

Soudain, sa patte avant glissa et il commença à déraper sur le côté. L'eau se rapprochait à toute vitesse, noire et glaciale.

Heureusement, une forme grise se précipita vers lui. Du bout du museau, Pelage de Granit l'aida à retrouver l'équilibre. Son mentor lui avait évité une arrivée humiliante à sa première Assemblée.

« Merci ! hoqueta-t-il.

— C'est toujours difficile, la première fois », le rassura ce dernier.

Nuage de Lion sortit les griffes et finit sa traversée en agrippant l'écorce comme un écureuil. Il sauta sur la plage, bien content de retrouver la terre ferme.

« J'ai cru que tu allais finir en chair à poisson, lui lança Nuage de Houx.

— Moi aussi ! » ronronna-t-il.

Même s'il lui tardait de cavaler entre les arbres, de découvrir ce qui s'y cachait, il se força à attendre que les autres les aient rejoints. Nuage de Noisette se faufila entre les rameaux pointus, Nuage de Sureau força le passage grâce à ses larges épaules et Patte d'Araignée les évita soigneusement, visiblement habitué à la manœuvre. À côté d'eux, Nuage de Lion se sentit tout petit et inexpérimenté. Il releva le menton et inspira profondément pour que sa fourrure retombe en place.

Enfin, tous les membres du Clan du Tonnerre se tenaient sur la plage. D'un signe de tête, Étoile de Feu les invita à le suivre vers les arbres. *C'est pas trop tôt !* se dit Nuage de Lion en se glissant dans les taillis. Ses oreilles frémirent d'impatience lorsque les arbres s'ouvrirent sur une clairière.

Il y avait des félins partout. Nuage de Lion n'avait jamais vu un tel rassemblement de chats de statures si différentes, de pelages aux nuances si variées. Certains étaient minces, d'autres trapus. La plupart lui semblaient bien plus gros que lui.

156

Dire qu'il n'y avait là que quelques représentants de chaque clan ! De l'autre côté de la clairière, la silhouette du Grand Chêne se découpait sur le bosquet, derrière lequel on devinait la surface scintillante du lac.

« Tu t'attendais à ça ? l'interrogea Nuage de Houx.

— Je ne pensais pas que nous serions aussi nombreux », répondit-il en étudiant un membre du Clan de la Rivière, dont la fourrure lustrée brillait au clair de lune. Lorsqu'il s'étira, ses muscles roulèrent sous sa fourrure. « Imagine devoir affronter celui-ci au combat ! Je vais m'entraîner deux fois plus dur, à partir de maintenant.

— Comment peux-tu penser à la guerre ? le réprimanda sa sœur. Ce soir, la trêve nous protège. Tu devrais plutôt te demander s'il pense comme un guerrier du Clan du Tonnerre. » Les yeux plissés, elle ajouta : « Si tu peux anticiper les décisions de l'ennemi, alors la bataille est déjà à moitié remportée. »

Le novice coula un regard oblique vers sa sœur. Où était-elle allée chercher ça ? Alors qu'il se demandait simplement s'il était de taille à affronter un seul des guerriers présents, elle, elle échafaudait déjà des stratégies de combat comme si elle était chef de clan.

« Et pourquoi ne pas aller lui parler pour le découvrir ? suggéra Nuage de Mulot, l'œil brillant.

— On peut vraiment accoster n'importe qui ? s'étonna Nuage de Houx.

— Oui, cependant il vaut mieux que vous vous contentiez d'aborder des apprentis, expliqua le

157

novice plus âgé avec un signe de tête vers un groupe de jeunes chats du Clan de la Rivière. Les guerriers des autres clans ne sont pas dangereux, rassurez-vous, mais ils risquent de s'impatienter si on les importune.

— Et si ce sont eux qui viennent nous parler ? voulut savoir Nuage de Lion.

— Réponds poliment en t'assurant de ne pas révéler trop d'informations, lui recommanda Nuage de Noisette. Certains chasseurs essaient de profiter de l'inexpérience des plus jeunes pour découvrir ce qui se passe dans les autres clans.

— Est-ce que tu as révélé des secrets lors de ta première Assemblée, Nuage de Mulot ? s'enquit Nuage de Houx.

— Bien sûr que non !

— C'est ça ! se moqua Nuage de Sureau. Si je n'avais pas plaqué ma queue sur ton museau, tu aurais dit à Feuille Rousse qu'Étoile de Feu s'apprêtait à céder le terrain près de la rivière avant que notre chef ait eu le temps de l'annoncer lui-même.

— C'est le lieutenant du Clan de l'Ombre ! protesta Nuage de Mulot. Je ne pouvais pas ne pas lui répondre.

— Certes, mais tu n'avais pas non plus besoin de lui raconter toute l'histoire de ton clan, rétorqua Nuage de Sureau.

— Bon, annonça soudain Nuage de Houx. Moi, je vais voir de quoi parlent les autres. »

Elle se dirigeait vers le groupe de novices du Clan de la Rivière lorsqu'une petite chatte tigrée se précipita vers elle.

« Nuage de Houx ! »

C'était l'apprentie guérisseuse du Clan de la Rivière. Ses grands yeux verts brillaient au clair de lune.

« Bonsoir, Nuage de Saule !

— Papillon m'a dit que tu étais l'apprentie de Feuille de Lune.

— En effet.

— C'est formidable ! As-tu déjà rêvé du Clan des Étoiles ?

— Non, pas encore.

— Je parie que ça ne va pas tarder. Viens ! Je vais te présenter aux autres guérisseurs. »

Voyant sa sœur s'éloigner, Nuage de Lion éprouva une pointe de jalousie. En tant qu'apprentie guérisseuse, elle avait déjà un lien privilégié avec les autres clans. Il se dandina nerveusement en balayant du regard tous ces museaux inconnus. Puis il se souvint que la trêve ne durait qu'une nuit. Ces guerriers étaient ses ennemis. Il était donc inutile de se lier d'amitié avec eux. Son devoir était de faire leur connaissance pour jauger leur force – et leurs faiblesses.

« Je vais parler à Nuage de Lièvre, annonça Nuage de Sureau.

— Je t'accompagne », miaula Nuage de Noisette.

Nuage de Lion se retrouva seul avec Nuage de Mulot. Il repéra un groupe de matous serrés les uns contre les autres au pied du Grand Chêne. La lueur étrange qui brillait dans leur regard le fit frissonner.

« Est-ce qu'il s'agit du Clan de l'Ombre ? s'enquit-il.

— Oui. N'aie pas peur. Ils aiment bien jouer les méchants mais une fois qu'on commence à leur parler, ils se montrent tout à fait amicaux. »

Soudain, une chatte au pelage brun clair tigré et aux yeux bleu-violet s'approcha d'eux. D'une voix douce, elle demanda à Nuage de Lion :

« Es-tu le frère de Nuage de Geai ?

— Euh… oui, balbutia-t-il. Comment le sais-tu ?

— C'est Nuage de Sureau qui me l'a dit. Je m'appelle Nuage de Myosotis. »

À cause de la couleur de tes yeux… devina l'apprenti au pelage doré.

« Nuage de Geai t'a peut-être parlé de moi, poursuivit la jeune chatte. J'étais là lorsque Plume de Jais l'a sauvé de la noyade. Est-ce qu'il va bien ?

— Nuage de Geai ? Oui, il va très bien, répondit-il en essayant de ne pas la dévisager.

— Est-ce qu'il est là ? »

Troublé, Nuage de Lion éprouva quelques difficultés à se rappeler où étaient son frère et sa sœur.

« Non, répondit Nuage de Mulot à sa place d'un ton qui laissait deviner son impatience.

— Je n'arrive toujours pas à croire qu'il soit sorti seul de votre camp alors qu'il est aveugle. Il doit être très courageux !

— Tu parles, il est surtout grognon, rétorqua Nuage de Lion, un peu jaloux. Surtout depuis qu'il est consigné au camp pour un quart de lune.

— Le pauvre… soupira-t-elle. Moi, je serais horriblement malheureuse qu'on me prive de sortie.

— Moi aussi, convint Nuage de Lion.

— Depuis combien de temps as-tu commencé ton apprentissage ?

— Un quart de lune. Et toi ?

— Une lune et demie. Ce soir, j'assiste à ma deuxième Assemblée.

— Est-ce que tu connais Nuage de Mulot ? s'enquit-il, car son camarade trépignait en jetant de longs regards vers une apprentie du Clan de la Rivière qu'il semblait connaître.

— Seulement de vue, avoua-t-elle. La dernière fois, j'ai remarqué que Feuille Rousse était allée le voir. » Elle tourna la tête vers l'apprenti gris et blanc. « Est-ce que le lieutenant du Clan de l'Ombre a tenté de t'extorquer des informations ? Elle m'a fait le même coup mais, heureusement, Plume de Jais m'avait mise en garde pour que je ne révèle rien. »

Avant que Nuage de Mulot puisse répondre, un matou noir aux yeux ambrés s'approcha d'eux.

« Nous ferions mieux de rejoindre notre clan, lança-t-il à la novice d'un ton bourru en ignorant les deux apprentis du Clan du Tonnerre. La réunion va bientôt commencer.

— Je vous présente Nuage de Brume, miaula-t-elle à l'intention de Nuage de Lion et Nuage de Mulot. C'est le plus jeune des apprentis. Vu ses manières, c'est dur à croire, je vous l'accorde. Depuis qu'il a quitté la pouponnière, il se prend pour le chef des novices ! » L'intéressé la foudroya du regard, la queue battante. « Ne t'inquiète pas, Nuage de Brume. Le temps passe vite ! Quand tu seras un guerrier, tu auras le droit de commander tous les apprentis du clan ! »

Le jeune félin noir plissa les yeux. Il ne savait visiblement pas s'il devait prendre les paroles de sa camarade au sérieux.

L'apprentie coula un regard en douce vers Nuage de Lion et chuchota suffisamment fort pour que son camarade de clan l'entende :

« Il pense qu'il peut me donner des ordres sous prétexte que son père, Plume de Jais, est mon mentor…

— Tu sais que Plume de Jais ne voudrait pas…

— Oh, arrête, Nuage de Brume ! Détends-toi ! » Elle lui donna un petit coup de museau dans les côtes puis se tourna de nouveau vers Nuage de Lion. « C'est difficile à croire, pourtant il peut être très drôle, dans ses bons jours. »

Un appel impérieux leur parvint depuis le Grand Chêne.

« Nous nous réunissons sous la Toison Argentée…

— C'est Étoile Solitaire qui annonce le début de l'Assemblée ! » souffla Nuage de Myosotis.

En effet, les quatre chefs de clan s'étaient alignés, comme des chouettes, sur les branches les plus basses du Grand Chêne.

« … comme le veut la trêve de la pleine lune », conclut le meneur du Clan du Vent.

Nuage de Brume décocha à l'apprentie un regard qui signifiait « je te l'avais bien dit », puis il s'en fut retrouver ses camarades de clan. Nuage de Myosotis leva les yeux au ciel avant de le suivre.

Nuage de Lion, qui avait gagné un peu d'assurance, rejoignit le rassemblement de félins au pied de l'arbre. Il se faufila parmi ses camarades et trouva une place libre entre Nuage de Houx et Patte d'Araignée.

Étoile de Feu était perché près d'Étoile Solitaire. Une chatte élancée au pelage tacheté était assise près de lui. Nuage de Lion devina qu'il s'agissait d'Étoile du Léopard, le chef du Clan de la Rivière. Derrière elle, il repéra un mâle blanc au corps massif et aux pattes noires – Étoile de Jais, le meneur du Clan de l'Ombre.

« Depuis la dernière pleine lune, le Clan du Vent compte un nouvel apprenti, annonça Étoile Solitaire : Nuage de Brume. »

Le novice au pelage noir releva le menton, très peu intimidé par les regards qui se tournaient vers lui. Le cœur de Nuage de Lion s'emballa. Il espérait avoir la même nonchalance lorsque son propre nom résonnerait dans la clairière…

« La mauvaise saison s'est montrée plutôt clémente à notre égard. Le gibier reste abondant et le temps venteux a rendu la chasse difficile pour les buses et les faucons, ce qui nous laisse davantage de proies. À part cela, le Clan du Vent n'a rien d'important à rapporter. »

Soulagé que le chef du Clan du Vent n'ait pas mentionné l'incursion de Nuage de Geai sur leur territoire, l'apprenti au pelage doré jeta un coup d'œil vers sa sœur. Elle semblait aussi rassurée que lui.

Étoile Solitaire se tourna alors vers Étoile de Jais en lui faisant signe de prendre la parole.

« Mon clan compte lui aussi une nouvelle apprentie, annonça ce dernier. » Il baissa les yeux vers une jeune chatte nerveuse assise parmi les guerriers du Clan de l'Ombre avant de poursuivre :

« Nuage de Lierre.

— Les prochains, c'est nous ! » souffla Nuage de Houx à l'oreille de son frère en trépignant d'impatience.

Mais Étoile de Jais n'en avait pas fini.

« La chasse est bonne pour mon clan depuis que nous avons étendu notre territoire. »

Nuage de Lion se raidit en entendant les guerriers du Clan du Tonnerre hoqueter tout autour de lui. Étoile de Jais allait-il vraiment tenter de faire croire à tous qu'il avait pris cette portion de territoire au Clan du Tonnerre ?

« Cette nouvelle zone est une source intarissable de gibier », ajouta le meneur.

Menteur ! se retint de crier l'apprenti.

« Étoile de Feu ne s'en serait jamais séparé si c'était vrai, marmonna Patte d'Araignée.

— Le Clan de l'Ombre voudrait remercier Étoile de Feu pour sa générosité, conclut Étoile de Jais sur un ton venimeux.

— Je me réjouis d'apprendre que vous obtenez tant d'une terre inutile aux yeux du Clan du Tonnerre, rétorqua Étoile de Feu en le regardant droit dans les yeux.

— Bien dit ! » siffla Nuage de Houx.

Puis Étoile de Feu se tourna vers l'Assemblée.

« Le Clan du Tonnerre a la chance de compter non pas *un* nouvel apprenti dans ses rangs, mais trois. »

Les oreilles de Nuage de Lion frétillèrent. Un mélange de fierté et d'appréhension lui nouait le ventre.

« Nuage de Geai n'a pas pu venir ce soir. » Cet aveu surprit les autres clans. Le meneur poursuivit : « En revanche, Nuage de Houx est là. » Les yeux de la novice étincelèrent comme deux étoiles. « Ainsi que Nuage de Lion. »

Le jeune mâle n'entendait plus rien tant son sang lui battait les tempes. Il gonfla son poitrail et releva la tête. Il eut l'impression que les regards des autres guerriers lui brûlaient la fourrure. Cet instant de gloire, à la fois trop long et trop court, prit fin aussitôt. Étoile de Feu poursuivit son discours.

« Nous avons été chanceux, depuis le début de la mauvaise saison. S'il y a eu du givre, la neige a été rare, et le gibier continue d'abonder. »

Les poils de Nuage de Lion se dressèrent soudain sur son échine. Une nouvelle odeur flottait dans l'air, une odeur qui lui était totalement inconnue. Il n'était pas le seul à l'avoir flairée : d'autres félins tournaient la tête pour scruter les taillis à l'orée de la clairière.

Les fougères frémirent derrière les guerriers du Clan du Vent.

Étoile de Feu se tut et, tout comme le reste de l'Assemblée, il regarda deux silhouettes maigres émerger des buissons.

« Des intrus ! »

L'alerte se répandit parmi les clans comme un feu de forêt. Tout autour de lui, Nuage de Lion sentait les pelages se hérisser et les griffes s'aiguiser. Tous étaient prêts à bondir.

Les guerriers du Clan du Vent furent les premiers à se jeter sur les étrangers. Hurlant et crachant, ils les clouèrent au sol.

Est-ce qu'ils vont les tuer ? se demanda Nuage de Lion. Il se retourna vers le Grand Chêne, curieux de voir la réaction des chefs.

Le pelage d'Étoile de Feu était hirsute. Ses oreilles se dressèrent lorsqu'il flaira l'air une fois, puis deux.

« Arrêtez ! » ordonna-t-il aussitôt.

Les guerriers du Clan du Vent se figèrent avant de reculer de quelques pas pour toiser les nouveaux venus. Nuage de Lion tendit le cou pour voir par-dessus les têtes des autres chats.

D'une voix éraillée qui trahissait sa stupéfaction, Étoile de Feu prononça un nom que Nuage de Lion n'avait entendu que dans les histoires racontées dans la pouponnière...

« Plume Grise ! »

CHAPITRE 11

NUAGE DE HOUX écarquilla les yeux.

« Plume Grise ? Mais il est mort ! » murmurat-elle à l'oreille de Nuage de Lion.

Son frère ne répondit pas, trop occupé à se dresser sur ses pattes arrière afin d'avoir une meilleure vue de la scène.

Nuage de Houx se plaqua au sol et se faufila entre les autres félins pour s'approcher le plus possible. Elle se retrouva entre Plume de Jais et Nuage de Brume.

Un matou gris à poil long se tenait devant les fougères. Sa fourrure, terne et emmêlée, pendouillait sur ses os saillants et ses muscles fondus. Son oreille gauche était déchirée et quelques moustaches avaient été arrachées de son museau griffé et sale. Près de lui, une chatte à la robe gris tigré frissonnait. Son pelage poisseux formait des piques et sa queue, en piteux état, traînait au sol.

« Tu es vivant ! » lança Étoile de Feu en sautant de l'arbre pour s'approcher à toute allure.

Plume Grise soutint son regard. Sa compagne rabattit les oreilles et brandit la patte comme pour se défendre. Elle tentait désespérément d'embrasser

167

tous ces chats d'un seul regard en tremblant de peur.

« Calme-toi, Millie », lui souffla Plume Grise.

Étoile de Feu vint flairer presque timidement les deux arrivants, comme s'il n'arrivait pas à y croire.

« Les Bipèdes ne t'ont pas tué… » Il leva la tête vers la lune. « Guerriers de jadis, soyez-en remerciés. »

Des miaulements de stupeur fusèrent ici et là.

« Plume Grise est revenu !

— Il a dû s'échapper !

— Comment a-t-il fait pour survivre ?

— Et que va-t-il arriver à Griffe de Ronce ? »

Oui, que va-t-il lui arriver ? se demanda Nuage de Houx en dévisageant son père.

Bien des lunes plus tôt, Étoile de Feu avait organisé une veillée funèbre pour Plume Grise, l'ancien lieutenant du clan, comme il l'aurait fait pour n'importe quel guerrier décédé, et avait nommé Griffe de Ronce à sa place.

À présent, ce dernier fixait Plume Grise.

« Je n'arrive pas à croire que tu nous aies retrouvés », miaula le matou tacheté.

Malgré sa voix pleine d'admiration, ses yeux brillèrent d'un étrange éclat lorsqu'il posa sa truffe sur celle du guerrier gris.

« Où t'ont-ils emmené ? s'enquit Étoile de Feu, la queue battante.

— Alors comme ça, vous êtes partis sans moi, a répondu le revenant en éludant la question.

— Je n'ai pas eu le choix…

— Je comprends. Tu ne pouvais pas mettre le clan en danger en restant dans la forêt.

168

« — S'il n'y avait eu que ma vie en jeu... » Il jeta un coup d'œil circulaire vers les clans puis poursuivit, plus bas : « ... je t'aurais attendu. »

Derrière Nuage de Houx, les autres guerriers du Clan du Tonnerre fendaient la foule houleuse pour venir saluer leur ancien camarade.

« Plume Grise ! s'écria Pelage de Poussière. Tu es vivant ! »

Nuage de Sureau, Nuage de Noisette, Pelage de Granit et Patte d'Araignée l'encerclèrent pour renifler son pelage et lui donner de petits coups de museau amicaux.

Plume Grise recula aussitôt.

« Laissez-le respirer, ordonna Feuille de Lune. Il est épuisé.

— Mais c'est une légende vivante ! » gémit Nuage de Noisette, tandis que la guérisseuse la chassait avec les autres.

De son côté, Poil d'Écureuil s'intéressa à la compagne de l'ancien lieutenant.

« Qui es-tu ? voulut-elle savoir.

— Elle s'appelle Millie, répondit Plume Grise. Je l'ai rencontrée chez les Bipèdes.

— Tu veux dire qu'une chatte domestique a fait tout ce chemin avec toi ? s'étonna la rouquine.

— Seul, je n'y serais jamais arrivé, rétorqua le matou.

— As-tu suivi notre piste ? s'enquit Griffe de Ronce.

— Non. Nous avons tracé notre propre itinéraire.

— Lorsque nous sommes arrivés dans la forêt, nous avons découvert que tout avait été ravagé », expliqua Millie.

Sa voix cassante surprit Nuage de Houx. Elle pensait que tous les chats domestiques parlaient avec la même douceur que Chipie.

« Il ne restait plus rien, plus un chat, plus de gibier, rien que des monstres et des arbres déracinés, poursuivit Plume Grise.

— Comment savais-tu quel chemin prendre ? l'interrogea Feuille de Lune.

— Nous avons vu Nuage de Jais.

— Il se porte bien ? s'informa Étoile de Feu.

— Oui, mais il s'inquiète pour vous tous. » Le guerrier reprit son souffle avant de poursuivre : « Il nous a dit qu'il vous avait vus passer et que vous vous dirigiez vers le couchant. Nous avons donc traversé les Hautes Pierres... »

Il laissa sa phrase en suspens et sa queue frémit.

« Tout va bien ? s'inquiéta aussitôt la guérisseuse.

— C'est la fatigue... »

Dans l'assistance, les discussions allaient bon train.

« Bienvenue, Plume Grise !

— Comment nous a-t-il retrouvés ?

— Le Clan des Étoiles devait veiller sur ses pas ! »

Des membres de tous les clans se pressèrent pour l'approcher, si bien qu'il semblait perdu dans une forêt de fourrures brunes, blanches, rousses et tigrées. Les ronronnements résonnaient si fort dans la clairière qu'ils masquaient les gémissements du vent dans les branches.

Nuage de Houx n'en revenait pas. Elle avait beau savoir qu'une trêve protégeait l'Assemblée, elle était stupéfaite de voir tous ces guerriers se comporter comme s'ils appartenaient à un seul et unique clan. Elle se faufila vers Nuage de Lion, qui contemplait la scène d'un air ébahi.

« Ce n'est pas normal, souffla-t-elle à son oreille. Plume Grise fait partie du Clan du Tonnerre. Pourquoi les autres clans se réjouissent-ils tant de son retour ?

— Je n'en sais rien. Je pensais qu'être un guerrier signifiait protéger son clan. Est-ce que les autres ne devraient pas plutôt s'inquiéter qu'un nouveau guerrier vienne grossir nos rangs ? »

Nuage de Noisette apparut bientôt à leur côté.

« On se croirait dans l'une des histoires de Poil d'Écureuil, celle où tous les clans se rassemblent pour le Grand Périple.

— Le Grand Périple est terminé », lui rappela Nuage de Houx.

Mais sa camarade ne l'écoutait pas. Elle dévisageait Plume Grise.

« Plume Grise, comment savais-tu que nous étions là ? lança une guerrière du Clan de la Rivière au pelage gris et lustré.

— Patte de Brume, comme il est bon de te revoir, répondit le matou fourbu. Nous avons croisé un solitaire, qui nous a appris que de nombreux chats étaient venus vivre ici, près de ce lac. Lorsque nous avons atteint le sommet des collines, la pleine lune brillait sur l'eau et j'ai aperçu des silhouettes en mouvement sur cette île.

— Ensuite, nous avons simplement remonté les pistes les plus fraîches », a expliqué Millie.

Nuage de Houx entendit un sifflement de mépris. C'était Étoile de Jais, qui toisait Millie avec dédain. La chatte au pelage argenté se tourna vers lui, puis soutint son regard sans fléchir jusqu'à ce que ce dernier se détourne. Son assurance impressionna Nuage de Houx.

Devant tant d'agressivité, Plume Grise feula, prêt à bondir.

« N'oubliez pas la trêve ! les mit en garde Étoile du Léopard.

— La trêve ne concerne que les guerriers, rétorqua Étoile de Jais.

— L'Assemblée aussi ! » renchérit Étoile Solitaire.

Des murmures de protestation se propagèrent au sein des Clans du Vent et de l'Ombre.

« Est-ce que le Clan du Tonnerre va accepter un nouveau chat domestique en son sein ? marmonna une voix incrédule.

— J'ai entraîné Millie pour en faire une véritable guerrière ! riposta Plume Grise. Une chatte domestique n'aurait jamais survécu à un si long voyage ! »

Sa voix se brisa en une quinte de toux. Nuage de Houx s'aperçut que le matou tremblait des oreilles au bout de la queue.

Étoile de Feu dut le remarquer, lui aussi. Il vint se presser contre son vieil ami.

« Nous allons te ramener au camp », déclara-t-il.

Plume Grise jeta un coup d'œil vers Millie.

« Te crois-tu capable de voyager encore un peu ce soir ? lui demanda-t-il.

— Oui, s'il le faut, lui assura-t-elle.

172

— Très bien, miaula Étoile de Feu, avant de se tourner vers les autres chefs de clan. Aviez-vous d'autres choses à annoncer ?

— Le Clan de la Rivière n'a rien à ajouter, répondit Étoile du Léopard.

— Le Clan du Vent est satisfait, dit Étoile Solitaire, pendant qu'Étoile de Jais secouait la tête.

— Dans ce cas, l'Assemblée est close. Rentrons, déclara le rouquin à ses guerriers. Nous allons montrer à Plume Grise et Millie leur nouveau foyer.

— Est-ce que cela signifie que le Clan du Tonnerre compte deux lieutenants, à présent ? » s'enquit Nuage de Brume avec insolence.

Sans lui répondre, Étoile de Feu désigna Griffe de Ronce du bout de la queue.

« Marche en tête », lui ordonna-t-il.

Aussitôt, le guerrier tacheté disparut dans les broussailles vers l'arbre-pont.

Tempête de Sable s'approcha de Millie.

« Reste près de moi, lui conseilla-t-elle. Vous serez tous les deux dans un nid chaud et sec avant que la lune ait le temps de descendre dans le ciel. »

Millie acquiesça et suivit, en boitant légèrement, la guerrière au poil roux clair. Nuage de Noisette se pressa de les rejoindre, visiblement impatiente de venir en aide à l'étrangère.

Nuage de Houx se retrouva derrière son frère et tous deux fermèrent la marche. Elle n'avait que trop conscience du regard des autres clans qui observaient leur départ. Une apprentie du Clan du Vent s'inclina sur leur passage.

« Tu la connais ? s'enquit Nuage de Houx.

« — C'est Nuage de Myosotis, expliqua Nuage de Lion. J'ai fait sa connaissance tout à l'heure. »

Nuage de Houx jeta un coup d'œil en arrière, vers la jeune chatte. Cette dernière murmurait à l'oreille d'un de ses camarades, les yeux rivés à Plume Grise.

Puis une voix s'éleva au-dessus des clapotis du lac :

« Étoile de Feu devra rétablir Plume Grise à son poste !

— La veillée pour Plume Grise n'était qu'une mise en scène ! » murmura un autre félin.

Nuage de Houx vit rouge, mais pas suffisamment pour oublier le doute que ces remarques avaient fait naître en elle. Griffe de Ronce avait-il été nommé lieutenant par erreur ? Elle repoussa cette idée et tenta d'ignorer les commérages.

L'arbre-pont se dressait droit devant eux. Elle bondit sur le tronc et, les griffes plantées dans l'écorce glissante, elle commença sa traversée. Nuage de Lion l'attendait déjà de l'autre côté. Ses yeux pétillaient. Lorsqu'elle sauta à terre, il se mit en route en déclarant :

« J'espère que les Assemblées sont toujours aussi palpitantes ! Tu te rends compte, Plume Grise nous a retrouvés !

— Et cela ne t'inquiète pas ?

— Quoi donc ?

— Qu'il soit revenu, voyons ! Comment le Clan des Étoiles peut-il accepter que Griffe de Ronce soit lieutenant alors que son prédécesseur est toujours en vie ?

— Le Clan des Étoiles ne nous a jamais dit qu'il était vivant. Si c'était si important pour eux, nos ancêtres nous auraient envoyé un signe ou je ne sais quoi. »

Nuage de Mulot ralentit pour marcher à leur niveau.

« Moi, je trouve que Griffe de Ronce est un lieutenant formidable. Étoile de Feu ne peut l'ignorer, déclara-t-il.

— Je suis bien d'accord, ajouta Nuage de Lion.

— Vous oubliez le code du guerrier ! protesta la novice.

— Est-ce que le code dit ce qu'il convient de faire lorsqu'un lieutenant revient d'entre les morts ? » demanda Nuage de Lion.

Nuage de Houx fit non de la tête. Pourtant, si personne n'avait évoqué le code du guerrier lors de l'Assemblée, elle avait le sentiment qu'une règle avait été enfreinte.

Nuage de Houx leva les yeux vers Tempête de Sable et Millie, qui cheminaient en tête du groupe. Elles longeaient la rive près d'Étoile de Feu et Plume Grise. Tout autour d'elles, les membres du clan échangeaient des murmures. L'apprentie devinait qu'eux aussi s'interrogeaient sur les conséquences du retour de Plume Grise.

CHAPITRE 12

Une ligne blanche comme du lait brillait à l'horizon lorsque Nuage de Houx regagna la combe en compagnie de ses camarades. Les murmures excités qui les avaient accompagnés durant le long voyage de retour cessèrent dès qu'ils pénétrèrent le tunnel de ronces. Des fourmillements d'impatience coururent sur la fourrure de Nuage de Houx lorsqu'elle repéra les petites silhouettes qui sortaient de la tanière des apprentis.

« Comment s'est passée l'Assemblée ? » lança Nuage de Cendre.

Étoile de Feu s'arrêta devant elle, imité par Plume Grise.

« Tu devrais être en train de dormir, la réprimanda-t-il. Tu seras trop fatiguée pour t'entraîner correctement demain.

— Pardon, Étoile de Feu. On n'arrivait pas à dormir, on attendait les nouvelles. »

Les moustaches de Plume Grise frémirent d'amusement lorsqu'il miaula :

« Rappelle-toi le bon temps, Étoile de Feu, nous aurions fait la même chose, à leur âge.

« — Qui es-tu ? s'enquit la petite chatte, les yeux ronds.

— C'était le lieutenant de notre clan, avant ta naissance, lui apprit le meneur.

— Plume Grise ? devina-t-elle.

— Plume Grise ! répéta Nuage de Pavot, tout excitée.

— Est-ce que je peux aller prévenir Flocon de Neige ? Dis, s'il te plaît ? » demanda Nuage de Cendre en trépignant.

Sans attendre, elle se précipita vers le gîte des guerriers pour appeler son mentor. Le matou blanc apparut sur le seuil. Son pelage ébouriffé luisait au clair de lune.

« Que se passe-t-il ? grommela-t-il.

— Plume Grise est revenu ! »

Poil de Fougère poussa Flocon de Neige pour sortir à son tour. Tandis qu'il bondissait vers son vieil ami, Pelage d'Orage et Aile blanche jaillirent de la tanière en poussant des miaulements exaltés.

« Je pensais que je ne te reverrais jamais, murmura Poil de Fougère en frottant son museau contre celui de Plume Grise.

— Étoile de Feu avait raison ! ajouta Pelage d'Orage. Il était certain que tu saurais nous retrouver ! »

Plume Grise contempla Pelage d'Orage, son fils, d'un air étonné.

« Tu vis donc au sein du Clan du Tonnerre, à présent ?

— Qu'est-ce que c'est que ce raffut ? »

Le miaulement courroucé de Poil de Souris résonna dans la clairière lorsque la vieille chatte s'extirpa tant bien que mal du repaire des anciens.

Longue Plume apparut à sa suite. Ses yeux aveugles balayaient inutilement la clairière. Il huma l'air. Malgré la pénombre, Nuage de Houx vit sa fourrure se dresser sur son échine.

« Je sens l'odeur de Plume Grise, miaula-t-il.

— Plume Grise ? Tu rêves, le rabroua Poil de Souris.

— Non, il ne rêve pas », déclara Étoile de Feu.

Plume Grise traversa la cohue.

« C'est bien moi, miaula-t-il.

— Par le Clan des Étoiles ! s'écria l'ancienne en se précipitant vers lui et en lui caressant le flanc du bout de la queue. Comment as-tu réussi à nous retrouver ?

— C'est sans doute une longue histoire qui pourra attendre le matin, répondit Tempête de Sable. Plume Grise et Millie sont épuisés.

— Millie ? répéta la vieille chatte en jetant un coup d'œil à l'inconnue.

— Elle m'a aidé à parvenir jusqu'ici, expliqua Plume Grise. C'est ma compagne. »

Poil de Souris plissa les yeux. Le ventre de Nuage de Houx se noua. Comment allait réagir la vieille chatte irascible ? Les guerriers n'étaient pas censés prendre une compagne ou un compagnon en dehors de leur clan, et encore moins un chat ou une chatte domestique.

Mais Poil de Souris se contenta de saluer Millie d'un signe de tête.

179

« Je vois que tu continues d'enfreindre les règles, Plume Grise. »

Nuage de Houx agita la queue, mal à l'aise. Le Clan du Tonnerre semblait accepter Millie, mais qu'en penserait le Clan des Étoiles ? Elle se tourna vers Étoile de Feu. Puisque leur chef était né chat domestique, cela n'avait sans doute pas d'importance. Millie et Plume Grise avaient tous deux survécu au voyage, ce qui signifiait sans doute que le Clan des Étoiles acceptait leur union.

Une ombre se glissa près du repaire des guerriers. Source s'était réveillée. La chatte des montagnes vint murmurer quelques paroles à l'oreille de Pelage d'Orage.

Nuage de Geai sortit à son tour de la tanière des apprentis, la truffe en l'air.

« Plume Grise est revenu ! lui annonça Nuage de Lion en sautant vers lui.

— Et qui est avec lui ? demanda-t-il en tournant son regard aveugle vers les deux nouveaux venus.

— Sa nouvelle compagne, expliqua Nuage de Cendre. Il l'a rencontrée chez les Bipèdes.

— Dites à Feuille de Lune qu'elle a une blessure infectée, déclara Nuage de Geai, le nez froncé. Je la sens d'ici.

— Griffe de Ronce ! appela Étoile de Feu. Trouve des nids pour Plume Grise et Millie chez les guerriers. »

Le lieutenant hocha la tête et s'éloigna aussitôt. Nuage de Houx prit conscience des murmures de plus en plus sonores parmi ses camarades.

« Plume Grise n'est pas aussi imposant que je l'imaginais, souffla Nuage de Cendre. Il fait tout petit, à côté de Griffe de Ronce.

— Et il sent la chair à corbeau, ajouta Nuage de Geai.

— Il a dû se nourrir comme un solitaire pendant des lunes, lui fit remarquer Nuage de Lion. Dès qu'il aura des repas dignes d'un guerrier, il paraîtra moins frêle. »

Aile Blanche regarda Poil d'Écureuil avec inquiétude.

« Et maintenant, que va-t-il se passer ? Qui est notre lieutenant ? »

Le regard de la rouquine papillonna de Plume Grise à l'entrée de la tanière des guerriers, où Griffe de Ronce avait disparu.

« Je ne sais pas, soupira-t-elle.

— Pour l'instant, rien ne va changer, annonça Étoile de Feu. Réjouissons-nous simplement du retour de notre ami.

— Il n'y a pas de place pour installer deux nouvelles litières, annonça Griffe de Ronce en revenant de la tanière.

— Peu importe où nous dormons, tant que nous sommes ensemble, Millie et moi, répondit Plume Grise d'un ton las.

— Ne t'inquiète pas, le rassura Étoile de Feu. Nous comptions agrandir le repaire des guerriers, de toute façon.

— Nous préférerions dormir à l'écart, pour commencer, expliqua Plume Grise. Jusqu'à ce que nous nous soyons de nouveau habitués à vivre en groupe.

181

— Il y a une alcôve, derrière le gîte des guerriers, leur rappela Cœur Blanc. Le sol y est tapissé d'herbe.

— De plus, il reste plein de ronces, celles qu'on a enlevées devant l'entrée de ma tanière, ajouta Feuille de Lune. Si nous les disposions devant l'alcôve, cela vous protégerait du vent.

— Cette solution te conviendrait-elle davantage ? » demanda Étoile de Feu à Plume Grise.

Ce dernier hocha la tête.

« Griffe de Ronce, Poil de Fougère et Flocon de Neige, occupez-vous des ronces », ordonna Étoile de Feu.

Le lieutenant s'éloigna, suivi des deux autres guerriers désignés.

L'aube pointait au-dessus du camp et projetait des coulées roses et orange dans le ciel semé de nuages lorsque les guerriers finirent de préparer la tanière. Plume Grise et Millie les remercièrent d'un petit hochement de tête et s'y faufilèrent.

À l'autre bout de la clairière, Tempête de Sable et Patte d'Araignée emmenaient Nuage de Miel et Nuage de Mulot pour la patrouille de l'aube. Griffe de Ronce et Flocon de Neige gagnèrent leur gîte pour un repos bien mérité. Nuage de Houx et Feuille de Lune s'attardèrent un instant devant l'antre de fortune pour admirer leur travail.

« La mousse que tu as apportée leur tiendra chaud », miaula l'apprentie.

Feuille de Lune en avait prélevé un peu dans chaque litière et Nuage de Houx l'avait aidée à assembler un nid douillet.

« Et si j'allais leur chercher des plantes revigo-rantes ? proposa-t-elle à son mentor. En plus, selon Nuage de Geai, Millie a une blessure infectée.

— Comment le sait-il ?

— Grâce à son flair. »

Elle tentait de retrouver le nom d'une plante ou d'une feuille qui pourrait les aider mais, après toutes ces émotions, sa tête lui semblait vide.

« Nous l'examinerons à midi, répondit la guérisseuse. Pour l'instant, Plume Grise et Millie ont avant tout besoin de repos. »

Nuage de Houx réprima un bâillement.

« Toi aussi, tu dois être fatiguée, ronronna son mentor.

— Un peu. »

En vérité, la novice dormait presque sur ses pattes.

« Allons nous reposer. »

Nuage de Houx la suivit avec reconnaissance vers son antre. Elle avait hâte de se rouler en boule dans son nid et de fermer les yeux.

Lorsque la novice se réveilla, de pâles rayons de soleil filtraient par le rideau de ronces. Aussitôt, elle pensa à Plume Grise. Étoile de Feu leur avait dit que rien ne changerait, *pour l'instant*. Cela signifiait-il qu'il comptait un jour remplacer Griffe de Ronce par son vieil ami ? Était-ce la volonté du Clan des Étoiles ?

Elle quitta son nid tout chaud et flaira l'air gla-cial. Son ventre gargouilla.

Feuille de Lune était toujours sur sa litière, les yeux clos. Lorsque son apprentie remua, elle leva le museau.

« Déjà debout ? s'étonna-t-elle tout en s'étirant. La nuit a été agitée. Je pensais que tu dormirais plus longtemps.

— J'ai faim, avoua la jeune chatte.

— Ça tombe bien, il y a du gibier tout frais. »

Nuage de Houx alla chercher une souris pour son mentor et un campagnol pour elle-même. Elle le dévora en quelques bouchées puis se lécha les pattes et se nettoya le museau.

« Est-ce qu'on va examiner Plume Grise ?

— Il est midi ?

— Non.

— Dans ce cas, laissons-les dormir encore un peu. » La guérisseuse s'approcha des tas de feuilles au fond de son repaire et les inspecta en détail. « J'ai besoin de bourrache. Nous n'en avons presque plus, alors que Plume Grise et Millie ont tous les deux de la fièvre. Tu en trouveras sur le chemin du lac, derrière la crête.

— Tu ne les réveilleras pas avant mon retour, hein ? »

Elle apprendrait sans doute beaucoup en traitant leurs nouveaux malades. Aucun membre du clan n'avait été souffrant depuis qu'elle était devenue apprentie guérisseuse, et elle était lasse de tenter de mémoriser les noms des herbes et leurs propriétés. Elle avait hâte de passer de la théorie à la pratique.

« Seulement si tu ne traînes pas en route.

— Je me dépêche ! »

Feuille de Lune reporta son attention sur ses remèdes. Elle étala les graines de pavot devant elle pour les compter.

Nuage de Houx fit mine de partir, puis se ravisa.

« Le clan a veillé Plume Grise, pas vrai ?

— En effet, répondit la chatte tigrée sans lever la tête.

— Est-ce que cela signifie qu'il est tout de même mort, aux yeux du Clan des Étoiles ?

— Je suis certaine que le Clan des Étoiles aura remarqué qu'il est avec nous, et non dans ses rangs.

— Dans ce cas, il est toujours le vrai lieute…

— Nous sommes là pour soigner, la coupa la guérisseuse en la regardant droit dans les yeux. Les problèmes d'Étoile de Feu ne nous concernent pas, sauf si le Clan des Étoiles en décide autrement. Bon, tu y vas, maintenant ?

— Où ça ?

— Chercher la bourrache… soupira la chatte. Si tu n'es pas rentrée avant midi, je ne t'attendrai pas pour m'occuper d'eux !

— J'y cours ! »

Sur la crête, une brise glaciale venant du lac soufflait entre les arbres. Nuage de Houx crut y discerner l'odeur du Clan de la Rivière.

Dans d'autres circonstances, elle en aurait profité pour explorer un peu le territoire. Cette fois, le temps lui manquait. La truffe au sol, elle huma les différents parfums végétaux à la recherche d'une piste qui la mènerait à la bourrache. Elle avait beau tenter désespérément de se remémorer l'odeur qu'elle avait humée dans la tanière de Feuille de Lune, les senteurs de l'eau et du vent lui troublaient l'odorat.

Elle descendit la pente raide, vers la zone où les arbres étaient plus rares. Le soleil scintillait sur le lac. Quelle magnifique journée pour chasser ! Elle repoussa cette idée. Elle était justement partie à la chasse... à la bourrache ! Flairant de nouveau le sol, elle repéra une senteur piquante qui lui était familière. Elle la suivit soigneusement, escalada les rochers bas qui jonchaient le sol et remonta le fumet jusqu'à un carré d'herbe haute où elle repéra des feuilles vertes et dentelées sur de longues tiges fines. De près, le fumet était plus fort encore, plus amer, aussi. Était-ce vraiment de la bourrache ? Elle connaissait cette plante, elle en était certaine.

Elle leva la tête. Le soleil brillait déjà très haut dans le ciel. Feuille de Lune allait bientôt réveiller les nouveaux arrivants. Elle cueillit quelques tiges en les cassant à leur base. Elle prit soin de ne pas avaler la sève amère lorsqu'elle les ramassa pour retourner au camp. Elle plaignait celui ou celle qui devrait ingérer une herbe si nauséabonde !

« Ce n'est pas de la bourrache, miaula Feuille de Lune, mais de la mille-feuille. Cette plante fait vomir. »

Nuage de Houx ferma les yeux, honteuse. Pourquoi n'arrivait-elle pas à se rappeler les noms des plantes ?

« Ce n'est pas grave, soupira la chatte tigrée. Il y a beaucoup à apprendre. »

Nuage de Houx fut incapable d'affronter son regard. *Pas la peine de me chercher des excuses. Depuis le temps, je devrais au moins me souvenir de ça !* songea-t-elle.

« Viens, lui dit brusquement la guérisseuse. Nous nous passerons de bourrache. Va chercher des feuilles de souci. Nous allons les réveiller. »

Du souci ! Voilà au moins une plante qu'elle savait reconnaître. Elle bondit au fond de la faille et revint la gueule chargée de feuilles pour suivre son mentor dans la clairière.

Étoile de Feu et Tempête de Sable se tenaient déjà devant la tanière de Plume Grise et Millie, tout comme Nuage de Miel, Pelage de Poussière, Cœur d'Épines et Nuage de Pavot. Nuage de Noisette, elle, leur tournait autour. Plume Grise et Millie, qui n'avait pas eu le temps de lisser sa fourrure, étaient assis sur le seuil. Le regard de Millie glissait de l'un à l'autre des félins ; ses oreilles frémissaient. Même Plume Grise semblait mal à l'aise.

« Vous êtes debout depuis longtemps ? » demanda Feuille de Lune en se frayant un passage parmi ses camarades. Elle toisa durement ces derniers avant d'ajouter : « J'espère que personne ne vous a dérangés.

— Non, répondit Plume Grise. C'est le soleil qui nous a réveillés.

— Tu pourras bavarder avec les autres plus tard », reprit la guérisseuse en agitant la queue.

Tout le monde comprit qu'elle voulait qu'ils s'en aillent.

« Quand tu auras fini de les examiner, viens me faire un rapport », lui demanda Étoile de Feu, qui éloigna les curieux.

Lorsque l'attroupement se dispersa, les épaules de Plume Grise se relâchèrent et Millie poussa un soupir de soulagement.

« Vous êtes blessés ?

— Millie s'est coupé un coussinet.

— Voyons ça. »

La chatte grise leva doucement la patte.

« Tu as une écharde, miaula Feuille de Lune. Nuage de Geai avait raison, ça s'est infecté. Mon apprentie va la retirer pendant que je prépare un cataplasme pour guérir l'infection. »

De surprise, Nuage de Houx avala un bout de souci, s'étrangla et recracha tout le paquet de feuilles. Elle jeta un regard paniqué à Millie, qui la dévisagea avec une crainte identique. En tant qu'apprentie guérisseuse, Nuage de Houx savait qu'elle ne pouvait refuser de retirer l'écharde. Voilà ce qu'elle attendait depuis le début, une occasion de mettre en pratique ses connaissances théoriques. Elle scruta la patte de Millie. Et repéra elle aussi l'épine enfoncée dans la chair. Nuage de Houx constata avec horreur que du sang et du pus suintaient tout autour.

« Ça doit faire mal… » souffla-t-elle.

Devait-elle vraiment l'enlever avec ses crocs ?

« Je ferais peut-être mieux de m'en charger », annonça Feuille de Lune.

Gênée, Nuage de Houx recula d'un pas pour laisser son mentor prendre sa place.

« Tu veux que je prépare le cataplasme ? proposa-t-elle, penaude.

— Oui. »

Feuille de Lune étudia la patte de Millie avec une concentration et un détachement qui firent l'envie de Nuage de Houx. Pourquoi était-ce si difficile pour elle ?

Plume Grise entreprit de se nettoyer le museau.

« Comme il est bon de retrouver le clan, miaula-t-il entre deux coups de langue. J'avai toujours espéré vous rejoindre, mais je n'avais jamais été sûr...

— Aïe ! » s'écria Millie en bondissant en arrière.

Aussitôt, elle se lécha la patte. Feuille de Lune tenait l'écharde entre ses dents. Elle la cracha et donna des consignes à son apprentie :

« Étale le cataplasme sur la blessure avec tes coussinets. »

Millie lui tendit sa patte gonflée et sanguinolente. Réprimant un frisson, Nuage de Houx préleva un peu de pulpe de souci. Elle entreprit de l'appliquer sur la blessure. Millie ne broncha pas, malgré la douleur.

« Museau Cendré serait fière de vous deux », miaula Plume Grise.

Si seulement c'était vrai, songea la novice en ravalant le jet de bile qui lui montait dans la gorge. *Si Museau Cendré nous observe à cet instant, elle doit savoir que je ne suis bonne à rien.*

« Cet après-midi, nous allons nous entraîner au combat, annonça ensuite Feuille de Lune. Même les guérisseurs doivent savoir défendre leur clan en cas de guerre. »

Nuage de Houx se sentit pousser des ailes. Plus de pus, plus d'herbes dégoûtantes, plus de malades grimaçants – elle allait enfin s'amuser ! Elles sortirent du camp en prenant la direction du lac puis suivirent le sentier menant à la clairière mousseuse où bataillaient les apprentis. En approchant, Nuage de Houx entendit des miaulements énergiques. Elle huma l'air. Nuage de Cendre et Flocon de Neige les avaient précédées.

Impatiente de voir à quoi ressemblait un vrai entraînement de guerrier, elle se mit à courir et dépassa Feuille de Lune. À travers les arbres, elle aperçut la petite chatte au pelage gris qui se précipitait vers son mentor. Le guerrier blanc pivota plus vite qu'une feuille prise dans une bourrasque et l'apprentie le manqua complètement.

« Non, non ! grommela le matou. Tu n'as pas entendu ce que j'ai dit ? Anticipe mes déplacements, ne te contente pas de foncer droit devant toi !

— Désolée, haleta Nuage de Cendre. On peut recommencer ? »

Nuage de Houx descendit la pente à toute allure.

« Bonjour, lança-t-elle.

— Tu cueilles des herbes ? s'enquit Flocon de Neige.

— Non, Feuille de Lune va m'apprendre à me battre.

— Super ! s'écria Nuage de Cendre. On va pouvoir s'entraîner ensemble. »

La guérisseuse rejoignit son apprentie.

« Peut-être une autre fois, miaula-t-elle. Je préfère montrer à Nuage de Houx quelques techniques de base avant qu'elle se mesure aux apprentis guerriers. »

Déçue, Nuage de Houx gratta le sol. Nuage de Cendre reporta son attention sur son mentor.

« Alors, on y va ?

— Oui, mais... »

Sans l'écouter, Nuage de Cendre courait déjà vers lui. Il l'esquiva de nouveau sans difficulté.

« Viens, dit Feuille de Lune à son apprentie. Nous allons nous mettre là-bas. »

Du bout de la truffe, elle désigna l'autre côté de la clairière mousseuse. Le sol dégagé et moelleux semblait idéal. Aucun risque de trébucher sur une racine ou de glisser sur des feuilles.

« Nous allons commencer par étudier un mouvement défensif, annonça la guérisseuse, qui tourna le dos à la jeune chatte et poursuivit. Je veux que tu m'observes bien, puis que tu répètes mon déplacement. » Elle baissa la tête, pivota, roula sur le dos et se retrouva sur ses pattes. Tout cela en un instant. « Tu veux te lancer ?

— Oui, je crois que j'ai compris. »

À son tour, elle baissa la tête et reproduisit parfaitement l'enchaînement.

« C'était la première fois que tu essayais ? lança Flocon de Neige depuis l'autre bout de la clairière.

— Oui. Est-ce que j'ai réussi ? demanda-t-elle en jetant un coup d'œil inquiet à son mentor.

— C'était parfait, la rassura la chatte tigrée. Voyons autre chose. »

Feuille de Lune lui montra des mouvements plus compliqués et Nuage de Houx l'imita avec la même détermination. Bien que Flocon de Neige n'ait pas fait d'autres commentaires, la novice savait qu'il la tenait à l'œil.

« Maintenant, le corps à corps, suggéra Feuille de Lune. Cours vers moi et tente de me dépasser.

— De quelle manière ?

— Comme tu veux. Nous évoquerons les tactiques ensuite. »

Nuage de Houx se tapit contre le sol, le regard braqué sur son mentor. Du coin de l'œil, elle repéra un arbrisseau au bord de la clairière et le prit comme point de repère. Elle se dit que Feuille de Lune n'était qu'un obstacle qu'elle devrait éviter pour y parvenir. Elle commença à courir et remarqua aussitôt que la guérisseuse faisait porter son poids sur ses pattes arrière, prête à lui sauter dessus. À sa posture, elle devina aussi que son mentor penchait un peu d'un côté. Lancée à une allure vertigineuse, elle fit une embardée du côté opposé. Feuille de Lune n'eut pas le temps de réajuster son saut et retomba à une bonne longueur de souris de l'endroit où son apprentie passa à toute allure.

Triomphante, Nuage de Houx atteignit le petit arbre. En se tournant, elle croisa le regard stupéfait de Feuille de Lune. La novice se sentit soudain un peu coupable. Avait-elle le droit d'être plus rapide que son mentor ?

« C'était très bien joué ! haleta la guérisseuse.

— C'est vrai ! renchérit Flocon de Neige, qui se dirigeait vers elles, suivi de Nuage de Cendre.

— Tu as été très rapide ! la complimenta cette dernière.

— Merci, lança Nuage de Houx en revenant vers Feuille de Lune.

— Et si Nuage de Cendre et Nuage de Houx s'entraînaient ensemble ? suggéra le guerrier blanc. Nuage de Cendre a plus d'énergie qu'un lapin bien nourri et davantage d'expérience que Nuage de Houx. Mais Nuage de Houx sait observer et écouter, et elle possède visiblement un don pour jauger son adversaire. »

Nuage de Houx n'en croyait pas ses oreilles. Un vrai guerrier proposait de l'aider à s'entraîner au combat !

« Je n'y vois pas d'objection.

— Parfait. Nuage de Cendre, que dirais-tu de montrer à Nuage de Houx la technique que nous venons de travailler ? »

L'apprentie grise conduisit Nuage de Houx au milieu de la clairière. Les rayons du soleil qui filtraient entre les branches projetaient des taches de lumière sur son pelage.

« Toi, tu m'attaques, et moi, j'essaie de te faire tomber. »

Nuage de Houx prit une courte inspiration puis se jeta sur sa camarade. Sans qu'elle comprenne ce qui lui arrivait, Nuage de Cendre lui fit un croche-patte puis, prenant appui sur ses pattes avant, elle la poussa de ses pattes arrière et la fit rouler sur le dos.

Nuage de Houx se releva et s'ébroua.

« Waouh ! À mon tour ! »

Elle voulait tenter ce mouvement d'une façon un peu différente. Dès que l'autre la chargea, elle baissa la tête et faucha Nuage de Cendre du bout du museau. Comme elle était près du sol, il lui fut facile de rouler sur le côté et de frapper si fort son adversaire de ses pattes arrière qu'elle décolla du sol.

Nuage de Cendre se releva à son tour.

« J'adore la façon dont tu t'es servie de ton museau au lieu de tes pattes ! Comme ça, il est bien plus facile de rouler au sol. Est-ce que je peux essayer ?

— Bien sûr ! »

Grâce à cette astuce, Nuage de Cendre assena un coup si puissant à Nuage de Houx qu'elle dérapa dans la mousse.

« Félicitations à vous deux ! » les louangea Flocon de Neige.

Nuage de Cendre se lécha la patte et la passa sur son oreille pour en déloger des brins de mousse. Avant d'humecter ses coussinets une nouvelle fois, elle agita la patte, les doigts écartés, comme pour se débarrasser de la terre coincée entre ses griffes. Les moustaches de Nuage de Houx frémirent d'amusement. À sa connaissance, Nuage de Cendre était la seule à accomplir ce petit geste.

« Et toi, Feuille de Lune, comment tu nous as trouvées ? » demanda l'apprentie noire.

Son mentor ne répondit pas. Elle contemplait Nuage de Cendre d'un air incrédule. Nuage de Houx se demanda si sa camarade venait subitement de se changer en blaireau, mais non, Nuage de Cendre était toujours occupée à se nettoyer les oreilles.

« Feuille de Lune ? » l'appela-t-elle encore.

La guérisseuse s'arracha à sa contemplation, les yeux toujours écarquillés.

« O-oui ?

— Tout va bien ? »

La chatte tigrée secoua la tête comme pour s'éclaircir les idées.

« Oui, bien sûr. C'est juste que, quand Museau Cendré faisait sa toilette, elle remuait la patte de la même façon. »

Elle jeta un regard troublé vers l'apprentie, qui tournoyait à présent autour de son mentor.

« Tu veux bien m'apprendre à frapper l'ennemi à la tête ? implorait-elle.

— Le soir va bientôt tomber, répondit Flocon de Neige. Nous ferions mieux de rentrer au camp.

— Tu as raison, ajouta Feuille de Lune. Je voudrais examiner la patte de Millie tant qu'il y a encore un peu de lumière. »

Le ciel s'assombrissait déjà au-dessus des arbres et l'air devenait frisquet. Et pourtant, Nuage de Houx regretta de devoir quitter la clairière mousseuse. Elle avait beau être fatiguée et courbatue, son esprit cherchait encore un moyen d'améliorer la technique qu'elle venait d'apprendre.

Tandis qu'elle suivait Flocon de Neige et Nuage de Cendre vers le camp, Feuille de Lune la complimenta :

« Tu t'es bien battue. Je suis très impressionnée. »

L'espace d'un instant, le cœur de Nuage de Houx déborda de joie, avant de se serrer douloureusement. *Elle ne m'a jamais félicitée pour mes connaissances de guérisseuse*, se lamenta-t-elle. Pourquoi ne parvenait-elle pas à mémoriser le nom des plantes alors qu'elle se souvenait sans mal des techniques de combat ?

Ça viendra ! se dit-elle. Un jour, son esprit serait aussi vif dans la réserve de remèdes que sur le terrain d'entraînement. Ce n'était qu'une question de temps. Elle avait choisi de devenir guérisseuse et elle se devait d'y parvenir, tant pour elle-même que pour son clan.

CHAPITRE 13

NUAGE DE GEAI MÂCHONNAIT sans grande conviction la souris qu'il avait prise au sommet du tas de gibier.

« Tu n'as pas faim, aujourd'hui ? s'enquit Source, qui passait par là avec Pelage d'Orage.

— Pas trop, non », marmonna-t-il.

Il prit une nouvelle bouchée minuscule, tandis que les deux guerriers s'installaient près de lui pour choisir une pièce de viande. Il n'était pas pressé de commencer ses corvées d'apprenti. Après des jours et des jours passés consigné au camp, il en avait plus qu'assez de nettoyer des litières et d'épucer les anciens. Ce matin-là, il était censé s'occuper du repaire de Plume Grise et Millie. Ces derniers, qui avaient repris suffisamment de forces pour manger dans la clairière avec le reste du clan, se partageaient un lapin sous la Corniche.

« Belle prise, Pelage de Poussière ! lança Plume Grise.

— Merci », répondit le chasseur.

Nuage de Geai appréciait Plume Grise. Il était facile à vivre et plein d'humour, même s'il se refermait encore sur lui-même lorsque ses camarades étaient trop nombreux autour de lui. Millie s'en sortait bien, pour une chatte domestique. Dire qu'ils allaient partir pour leur première patrouille, pendant que lui s'occuperait de leur litière puante ! Ce n'était pas juste !

Il prit un autre morceau de souris. Il devinait que Cœur Blanc l'observait depuis le demi-roc, où elle faisait sa toilette en compagnie de Pelage de Poussière, sans quitter son apprenti des yeux. Il percevait sa frustration, comme des épines coincées dans sa propre fourrure. Qu'attendait-elle de lui ? Devait-il se réjouir à l'idée de faire ses corvées au lieu d'apprendre à chasser et à combattre ? Même s'il n'avait pas le droit de sortir du camp, la clairière était assez grande pour qu'elle lui montre quelques mouvements. Pourtant, elle s'obstinait à l'envoyer ici ou là pour s'occuper de vétilles. N'était-il bon qu'à cela, à ses yeux ?

« Dépêche-toi d'aller nettoyer la tanière de Plume Grise, lança-t-elle. J'ai promis à Fleur de Bruyère que tu irais jouer avec ses petits pendant qu'elle chasse. Voilà deux lunes qu'elle n'est pas sortie du camp.

— Et moi, quand est-ce que j'aurai le droit de chasser ?

— Quand tu auras appris à servir ton clan sans te plaindre », répondit-elle avec douceur.

Pelage de Poussière émit un ronron amusé.

« Tu devras bien l'emmener dans la forêt un jour ou l'autre, Cœur Blanc, miaula le guerrier. De préférence avant qu'il nous rende tous fous !

« — C'est Étoile de Feu qui a décidé de sa punition, lui rappela-t-elle.

— Je suis sûr que tu pourrais le persuader de l'abréger.

— Être guerrier, ce n'est pas seulement savoir se battre et chasser », rétorqua-t-elle.

La barrière de ronces frémit. La patrouille de l'aube revenait faire son rapport. Aile Blanche, Pelage de Granit, Nuage de Lion, Patte d'Araignée et Nuage de Mulot rapportaient avec eux l'odeur alléchante de la forêt. Nuage de Geai repéra aussitôt leur inquiétude. La queue de Pelage de Granit battait en rythme tandis qu'Aile Blanche tournait en rond.

Griffe de Ronce sortit aussitôt du repaire des guerriers, suivi de Poil d'Écureuil.

« Alors ? s'enquit le lieutenant.

— Le Clan de l'Ombre a marqué chaque arbre de la frontière », répondit Pelage de Granit, furieux.

Nuage de Geai sentit combien Plume Grise était outré lorsque celui-ci bondit sur ses pattes.

« Le Clan de l'Ombre est toujours aussi retors, cracha-t-il. Si l'un de ses guerriers s'avise de mettre une patte sur le territoire du Clan du Tonnerre pendant une de mes patrouilles, je lui arracherai les oreilles.

— Ils n'ont pas encore franchi la nouvelle frontière, l'informa Griffe de Ronce. Nous avons donc décidé de les ignorer.

— Ignorer le Clan de l'Ombre ? renifla Plume Grise. Autant essayer d'ignorer le vent et la pluie... ça ne t'empêchera pas de tomber malade !

— C'était peut-être vrai dans l'ancienne forêt, mais la violence n'est pas forcément la meilleure solution ici.

— Tout a changé depuis le Grand Périple, ajouta Poil d'Écureuil.

— Pas suffisamment pour que le Clan de l'Ombre devienne digne de confiance, le coupa Pelage de Granit. Certains seront toujours prêts à tout pour s'emparer de ce qui ne leur appartient pas. »

Nuage de Geai perçut la crispation de sa mère. Qu'avait voulu dire Pelage de Granit, exactement ?

« Le Clan de l'Ombre ne se contentera jamais de ce qu'il possède ! » renchérit Pelage de Poussière.

Les moustaches de Nuage de Geai frémirent. Il avait beau savoir que la décision d'Étoile de Feu de céder du territoire au Clan de l'Ombre avait fait des mécontents, il s'étonnait que certains guerriers soutiennent ouvertement l'avis de Plume Grise. Leur loyauté n'allait-elle pas avant tout à leur meneur ?

« Étoile de Feu a décidé d'ignorer les tentatives d'intimidation du Clan de l'Ombre pour le moment », répéta Griffe de Ronce.

Malgré sa voix égale, son fils devina qu'il guettait chez ses camarades le moindre signe de rébellion.

« Que se passe-t-il ? demanda Étoile de Feu, qui venait de sauter de la Corniche pour les rejoindre dans la clairière.

— Plume Grise pense que nous devrions répondre aux provocations du Clan de l'Ombre, lui expliqua son lieutenant.

— Il a raison », annonça aussitôt le rouquin.

Nuage de Geai crut que son père allait protester, mais il garda le silence.

« S'il est vrai que Plume Grise vient d'arriver sur notre nouveau territoire, poursuivit Étoile de Feu, il connaît le Clan de l'Ombre de longue date. Je suis d'accord avec lui. Le Clan de l'Ombre continuera à rogner sur notre frontière si nous n'agissons pas.

— Ce n'est pas ce que tu disais avant l'Assemblée, lui rappela Griffe de Ronce.

— Certes. Cependant, lors de l'Assemblée, le Clan de l'Ombre nous a provoqués. Je ne voulais pas réagir de façon excessive. À présent, je pense que nous devons leur montrer que nous sommes prêts à défendre nos frontières. »

Pourquoi ne pas m'en avoir parlé plus tôt ? Cette question brûlante, Nuage de Geai la sentit tournoyer dans l'esprit de son père.

« Allons-nous les affronter ? demanda Pelage de Granit.

— Pas si nous pouvons l'éviter.

— Nous devons au moins multiplier les patrouilles, insista Pelage de Poussière.

— Oui, et nous allons faire comme eux, marquer chaque arbre sur la frontière. S'ils pensent pouvoir nous intimider pour que nous leur cédions davantage de terrain, ils se trompent.

— Entendu, Étoile de Feu, miaula Griffe de Ronce. Pelage d'Orage et Source pourront s'occuper du marquage pendant que la patrouille de Poil d'Écureuil partira chasser, comme prévu.

— Euh... il vaudrait mieux laisser les chasseurs de Poil d'Écureuil s'occuper du marquage, non ? hasarda Pelage de Poussière en grattant le sol, gêné.

Leur odeur plus pure enverra un message plus fort au Clan de l'Ombre. »

Nuage de Geai perçut l'humiliation de Pelage d'Orage et s'attendit à ce qu'il se jette sur Pelage de Poussière. Mais Source se leva avant qu'il ait le temps de réagir.

« Il n'a pas tort, reconnut-elle.

— Depuis le temps, le Clan de l'Ombre doit bien savoir que vous appartenez au Clan du Tonnerre, maintenant, contra Aile Blanche.

— Dans une querelle de frontières, il vaut mieux envoyer des messages aussi clairs que possible », riposta Pelage de Granit.

Un silence pesant s'installa dans la clairière.

« Poil d'Écureuil et sa patrouille iront renouveler le marquage. Pelage d'Orage et Source pourront partir à la chasse », déclara finalement Étoile de Feu.

Tandis que les deux patrouilles se constituaient, Nuage de Geai engloutit le reste de sa souris. Il ne tenait pas à voir ses camarades gagner la forêt alors que lui restait bloqué au camp. Il préférait encore nettoyer la tanière de Plume Grise. Il leva la truffe pour repérer l'odeur de Cœur Blanc et la découvrit devant la tanière de la guérisseuse, en compagnie de Feuille de Lune.

« Où est-ce que je suis censé trouver de la mousse propre, si je n'ai pas le droit de quitter le camp ? alla-t-il demander à son mentor. Feuille de Lune, est-ce que tu en as en réserve ? »

Il savait qu'elle en gardait un peu d'avance pour les malades qu'elle devait accueillir dans sa tanière.

« Tu en trouveras à l'intérieur, lui répondit-elle. Sers-toi. Nuage de Houx est partie cueillir de la bourrache. Elle pourra retourner chercher de la mousse à son retour. »

Lorsqu'il frôla son mentor, il l'entendit murmurer à Feuille de Lune :

« Je n'arrive pas à le satisfaire. Je ne sais pas comment m'y prendre, avec lui. »

Et si tu commençais par comprendre qu'être borgne ne te rend guère meilleure que moi ?

Il n'eut aucun mal à flairer la mousse propre, empilée le long de la paroi, et en prit une grosse boule dans la gueule. Le goût frais et végétal lui rappela sa mésaventure sur le territoire du Clan du Vent. Il avait peut-être fini dans le lac mais, au moins, l'espace d'une matinée, il avait été libre.

Il allait sortir lorsqu'il reconnut la voix d'Étoile de Feu, venu s'entretenir avec Feuille de Lune. Cœur Blanc était partie. Nuage de Geai reposa la mousse et tendit l'oreille.

« J'ai besoin que tu consultes le Clan des Étoiles, lui disait-il.

— Je sais que tu t'inquiètes à cause de Plume Grise.

— En effet. Je dois savoir qui de lui ou de Griffe de Ronce est le lieutenant légitime du Clan du Tonnerre. Peu importe que nous l'ayons veillé, Plume Grise était toujours en vie lorsque j'ai nommé Griffe de Ronce.

— Es-tu sûr de vouloir entendre la réponse de nos ancêtres, quelle qu'elle soit ?

— Plume Grise est mon ami. Je lui dois énormément. Quant à Griffe de Ronce, il est courageux et loyal, soupira-t-il. Je suivrai la décision du Clan des Étoiles, quoi qu'il m'en coûte.

— Et si le Clan des Étoiles n'apporte aucune réponse ?

— Alors je ferai ce que je jugerai être le mieux pour le clan.

— Bien. Ce soir, j'irai à la Source de Lune. »

La curiosité de Nuage de Geai était piquée. Il avait déjà entendu parler de la Source de Lune. Cet endroit lui avait toujours semblé mystérieux : seuls les guérisseurs avaient le droit de s'y rendre pour communier avec le Clan des Étoiles. Est-ce que Nuage de Houx serait autorisée à accompagner Feuille de Lune ?

Tandis qu'Étoile de Feu s'éloignait, Nuage de Geai reconnut les petits pas rapides de sa sœur, qui se précipitait vers eux. Elle s'arrêta devant son mentor.

« Ce sont les bonnes feuilles ? »

Nuage de Geai flaira une odeur de bourrache.

« Oui, ronronna Feuille de Lune. Bravo, Nuage de Houx.

— Je savais que je finirais par y arriver », miaula joyeusement l'apprentie.

Nuage de Geai reprit sa mousse et se faufila entre les ronces pour rejoindre les deux chattes à l'extérieur de l'antre.

« Tu as pris ton temps », bougonna Feuille de Lune.

Si elle le soupçonnait d'avoir épié sa conversation avec Étoile de Feu, elle n'en laissa rien paraître.

« Nuage de Houx, poursuivit-elle. Tu devras ranger ces feuilles toute seule. Assure-toi de ne garder que celles qui n'ont pas de défaut. Les feuilles abîmées pourriront au lieu de sécher.

— Tu ne vas pas m'aider ?

— Je dois me rendre à la Source de Lune.

— Tu n'es pas obligée de partir tout de suite. Il n'est même pas midi.

— La lune se lève de bonne heure en cette saison. Je veux m'assurer d'arriver à temps.

— Et si quelqu'un a besoin d'un remède ? s'affola la jeune chatte.

— Ne t'inquiète pas. Cœur Blanc connaît des tas de plantes et de baies. Si tu as besoin d'aide, demande-lui.

— Pourrais-tu au moins me rappeler le nom des plantes ?

— D'accord. Ensuite, je devrai partir. »

Elles disparurent toutes deux dans la faille. Nuage de Geai se retrouva seul, l'esprit en ébullition. Il était hors de question qu'il passe sa journée à nettoyer des litières. Si la guérisseuse se rendait à la Source de Lune, il la suivrait.

Il emporta la boule de mousse jusqu'à l'antre de Plume Grise. Puis il revint à la tanière de la guérisseuse, comme pour chercher une autre boule. Cependant, au lieu de se faufiler à l'intérieur, il alla se cacher dans le tas de ronces qui trônait non loin de l'entrée. Cette zone de la clairière était en friches : on ne pouvait ni y dormir ni y entreposer du gibier frais. Nuage de Geai savait que, derrière les ronciers, la muraille s'était suffisamment effondrée pour qu'il soit possible de l'escalader jusqu'au sommet. C'était un raccourci vers la forêt, celui que Griffe de Ronce avait emprunté lorsque la patrouille avait découvert la dépouille du renard. Le passage était raide, mais Nuage de Geai espérait parvenir à y grimper pour quitter le camp sans se faire remarquer.

Le cœur battant, il renifla la pierre et, tâtonnant du bout des pattes, il trouva un buisson qui poussait à une longueur de queue du sol. Il se hissa au-dessus des ronces et, à l'aide de son odorat, il repéra la prise suivante. De touffes d'herbes en racines, il progressa peu à peu. Il n'avait qu'une crainte : se trahir en délogeant des pierres qui rouleraient bruyamment jusqu'au sol. Il sentit enfin une brise fraîche lui battre les oreilles. Il avait atteint le sommet ! Les griffes plantées dans l'herbe douce, il se hissa tant bien que mal jusqu'au haut de la falaise.

Il suivit la pente de la forêt vers le ravin qui menait à l'entrée du camp. L'endroit lui était familier ; il s'arrêta à une longueur de queue de la barrière de ronces, tapi dans les fougères.

Peu après, Feuille de Lune sortit du camp. Nuage de Geai la suivit de loin. Se fiant à son instinct autant qu'à ses moustaches, il louvoyait entre les arbres, qui lui offraient un camouflage parfait. L'odeur du Clan du Vent fut bientôt perceptible. Feuille de Lune se dirigeait vers les collines. Au lieu de franchir la frontière, elle obliqua vers le soleil et poursuivit jusqu'à ce que le terrain devienne pentu et que les arbres se raréfient.

Nuage de Geai repéra bientôt le gazouillis d'un ruisseau. Il suivit l'odeur de la guérisseuse, qui s'éloignait de la piste herbeuse pour s'engager dans les pierres pointues qui longeaient le torrent. Il perdit un peu de terrain et frissonna tant le vent était glacial. Ici, la végétation n'offrait guère de protection. Il espérait que son pelage tigré se fondrait parmi les pierres. Au moins, le bruit du torrent étouffait ses pas trébuchants. Le sol irrégulier l'obligeait à ralentir. Heureusement, l'odeur de Feuille de Lune restait forte.

Soudain, il crut reconnaître le terrain sous ses pattes, et des images de sa vision nocturne lui revinrent en mémoire. Ce même fossé, il l'avait remonté dans son rêve, et savait donc à quoi il ressemblait. Il se remémora les rochers qui jonchaient le sol, aussi acérés que des crocs de renard. Devant lui, il savait qu'un torrent dévalait le flanc de la montagne en scintillant sous les rayons du soleil. Il se dirigeait vers la source du cours d'eau et, avec un frisson d'excitation, il comprit qu'il s'agissait de la Source de Lune.

Des pierres roulèrent devant lui. Il s'arrêta, devinant que la guérisseuse devait escalader les rocs qui menaient au sommet. Il attendit que le silence soit revenu et, une fois certain qu'elle avait disparu, il commença tant bien que mal l'ascension et s'écorcha les coussinets sur le granit rugueux.

Hors d'haleine, il marqua une pause au sommet et frémit. Le soleil couchant avait dû s'évanouir derrière les pics. L'apprenti comprit qu'il surplombait la cuvette, où l'odeur de Feuille de Lune se mêlait à des senteurs nouvelles de roche mouillée, de lichen poussiéreux et d'eau, fraîche et minérale. Le clapotis de la source résonnait dans la petite combe.

Lorsque Nuage de Geai s'avança prudemment, il comprit qu'il n'était pas seul : d'autres félins le frôlèrent d'un côté, puis de l'autre, ce qui faillit lui faire perdre l'équilibre.

Arrêtez de me pousser ! Il voulut rendre la pareille et vacilla, ne trouvant aucune résistance.

Des voix murmuraient près du bassin, tout en bas.

« Ils sont venus.

— Nous devons nous dépêcher. La lune se lève. »

Qui sont-ils ? se demanda l'apprenti.

Il huma l'air, mais ne repéra que la guérisseuse. La queue tremblante, il tendit l'oreille pour essayer de la localiser. Les parois rocheuses amplifiaient le bruit de la respiration de Feuille de Lune, qui avait posé le museau au bord de l'eau. Son rythme apaisé lui apprit qu'elle dormait.

D'un pas prudent, il descendit vers la source. Lune après lune, des félins venus visiter ces lieux avaient laissé leurs empreintes dans la roche. Nuage de Geai s'arrêta lorsque l'eau vint lui lécher les griffes, glaciale. Il se coucha à une longueur de queue de la chatte tigrée et ferma les yeux.

Dès qu'il eut goûté l'eau de la Source de Lune, des étoiles emplirent sa vision. Il eut l'impression que des pattes gigantesques l'avaient soulevé vers le ciel d'encre où l'attendaient d'innombrables lumières d'un blanc bleuté.

De là-haut, il apercevait les parois de la cuvette entourant la Source de Lune. Les yeux écarquillés, il se mit à haleter. La petite combe était à présent remplie de félins, dont le pelage luisait au clair de lune.

Le Clan des Étoiles !

Il plissa les yeux pour discerner plus clairement chaque fourrure et chaque museau. Tous regardaient Feuille de Lune, tapie au bord de l'eau. Il se vit lui-même, endormi, non loin d'elle.

Je suis sorti de mon propre corps !

Nuage de Geai scruta la source, soudain conscient de la froideur de la pierre sous ses pattes. Il n'était plus dans le ciel mais au somment de la combe, à présent.

Feuille de Lune se leva et alla saluer du bout du museau les guerriers de jadis comme s'il s'agissait de vieux amis. Nuage de Geai n'en reconnaissait aucun. Ils avaient vécu bien avant sa naissance. Seuls les parfums de leurs clans lui étaient familiers. Il recula dans l'ombre, où personne ne pouvait le voir.

« Étoile Bleue, murmura Feuille de Lune en s'inclinant devant une chatte au large museau et au long pelage bleu-gris.

— Tu es la bienvenue, Feuille de Lune. Nous nous doutions que tu viendrais. »

Près d'elle se dressait un mâle roux pâle au regard chaleureux.

« Je suis content de te revoir, miaula-t-il.

— C'est réciproque, Cœur de Lion.

— Tu nous apportes de bonnes nouvelles ? poursuivit Étoile Bleue.

— Oui. Plume Grise est de retour. »

Cette annonce provoqua des murmures de joie dans l'assemblée de guerriers-étoiles.

« Il y a pourtant un problème, ajouta la guérisseuse. Étoile de Feu ne sait pas qui est le véritable lieutenant du Clan du Tonnerre. Plume Grise et Griffe de Ronce ont été nommés tous deux selon le code du guerrier.

— Ils peuvent donc tous deux y prétendre », lança un mâle de l'autre côté du bassin.

Feuille de Lune tourna la tête vers un matou au pelage sombre dont la longue queue s'agitait. Nuage de Geai huma l'air. Ce chat-là appartenait au Clan du Vent.

« Si Étoile de Feu fait preuve de sagesse, poursuivit-il, il choisira celui qui connaît le mieux le clan.

— Ce sera une décision difficile à prendre, Étoile Filante, rétorqua Étoile Bleue. Une situation qu'aucun autre chef n'a eu à affronter.

— Si seulement nous avions su que Plume Grise était vivant… Nous en aurions averti Feuille de Lune, se lamenta Cœur de Lion.

— Il était trop loin de nous, alors, lui rappela Étoile Bleue. Et le Clan du Tonnerre avait besoin d'un lieutenant. Griffe de Ronce a fait du bon travail.

— Alors qui doit être lieutenant aujourd'hui ? s'enquit Feuille de Lune.

— Il n'y a pas de réponse facile à cette question.

— La décision revient-elle à Étoile de Feu ?

— Oui, soupira la chatte gris-bleu. Mais Étoile Filante a raison : Étoile de Feu devra choisir celui qui connaît le mieux son clan. Il doit laisser sa raison s'exprimer, et non son cœur.

— Dois-je le lui répéter ?

— Dis-lui simplement que c'est à lui de trancher.

— Entendu. »

Elle tourna le dos au Clan des Étoiles et revint s'asseoir près de la Source de Lune.

Les yeux écarquillés, Nuage de Geai dévisageait l'assistance. D'après leur stature, il essayait de deviner à quel clan appartenait tel ou tel ancêtre. Soudain, il se figea, comme pétrifié.

Une chatte le regardait droit dans les yeux. Son pelage était long et sombre, et son large museau aplati portait de vieilles cicatrices. Dans ses yeux brûlait une flamme ardente qui poussa le novice à reculer un peu plus dans l'ombre. Son instinct lui disait qu'il n'était pas censé espionner cette rencontre.

Au bord du bassin, Feuille de Lune s'attarda un instant.

« Museau Cendré ? » appela-t-elle, d'une voix pleine d'espoir en passant en revue les guerriers de jadis.

Nul ne lui répondit. Elle ferma ses yeux tristes puis s'allongea, les pattes bien repliées sous elle, le museau au bord de l'eau.

« Nuage de Geai ! »

Le miaulement outré de la guérisseuse réveilla l'apprenti en sursaut. Il se leva d'un bond et faillit trébucher sur les graviers. Il était de nouveau aveugle.

« Qu'est-ce que tu fais ici ?

— Je… je…

— Cet endroit est sacré, réservé aux guérisseurs ! Je suis venue ici pour communier avec le Clan des Étoiles !

211

— Je sais, je t'ai vue.

— Comment ? Tu m'as vue parler avec le Clan des Étoiles ?

— Oui, du sommet de la combe, je t'observais pendant que tu discutais avec Étoile Bleue et Cœur de Lion.

— Tu m'observais ? Comment est-ce possible ?

— Quand j'ai fermé les yeux, je vous ai vus dans mes rêves, c'est tout.

— Et que m'ont-ils dit ?

— Étoile Bleue t'a annoncé qu'Étoile de Feu devait prendre seul sa décision. Qu'il devait se fier à sa raison, non à son cœur, ce qui signifie sans doute qu'il doit choisir...

— Comment as-tu réussi à venir jusqu'ici ? le coupa-t-elle.

— Je t'ai suivie...

— Tu as suivi mon odeur, tu veux dire ? Depuis la combe rocheuse ?

— Au début, oui. Mais j'avais déjà rêvé de ce chemin, je savais donc à quoi il ressemblait. »

Feuille de Lune en eut le souffle coupé.

« Ce n'est pas ma faute si je fais des rêves étranges ! se défendit Nuage de Geai.

— Ce qui s'est passé est vraiment extraordinaire », miaula-t-elle en lui tournant le dos. Ses paroles, à peine audibles, ne semblaient destinées qu'à elle-même. « J'aimerais tant savoir ce que cela veut dire.

— Pourquoi y chercher une signification particulière ?

— Viens, lui ordonna-t-elle. Nous devrions rentrer au camp. »

Malgré son ton brusque, il perçut sa perplexité. Il remonta derrière elle le sentier tortueux jusqu'au sommet de la petite combe, puis il la laissa le guider dans la descente qui longeait le torrent, même s'il aurait pu se débrouiller seul.

« Vas-tu rapporter à Étoile de Feu toutes les paroles du Clan des Étoiles ?

— Je lui dirai que la décision lui appartient.

— C'est tout ?

— Oui, pourquoi ?

— À mon avis, Étoile Filante et Étoile Bleue voulaient qu'Étoile de Feu choisisse Griffe de Ronce. C'est lui qui connaît le mieux le clan, à présent. »

Sa truffe frémit. Il venait de flairer une souris.

« Tu voudrais que j'influence sa décision ?

— Tu ne ferais qu'interpréter les paroles du Clan des Étoiles. » La souris était tout près. « Tel est ton rôle, non ?

— C'est ce que toi, tu ferais ?

— J'agirais en pensant avant tout au bien du clan. »

Un gravier roula juste devant ses pattes. Il bondit, mais la souris s'était réfugiée dans son terrier. Il releva le museau, déçu.

Feuille de Lune s'était arrêtée. Une vague de peur émanait d'elle telle une brume épaisse. Avait-il fait quelque chose de mal ?

« Qu'est-ce qu'il y a ? demanda-t-il.

— Rien. »

Sans un mot, elle se remit en route. Nuage de Geai se précipita à sa suite.

« Tu sais, c'est prodigieux, ce qui s'est passé tout à l'heure », déclara-t-elle ensuite.

Malgré le ton enjoué de la chatte, il perçut son inquiétude... ou était-ce de l'excitation ? Pourquoi était-elle si nerveuse ?

« N'est-ce pas normal de rêver près de la Source de Lune ? répliqua-t-il dans un haussement d'épaules.

— Il ne s'agissait pas de n'importe quel rêve. Mais du mien. Tu es entré dans mon rêve. Tu as vu ce que j'ai vu.

— Oui, et ?

— Une seule fois dans ma vie, j'ai pénétré dans le rêve d'un autre chat.

— Quand cela ?

— Le jour où Jolie Plume m'a guidée jusqu'au rêve de Nuage de Saule, pour que je lui dise où trouver de l'herbe à chat. Cependant, Jolie Plume appartenait déjà au Clan des Étoiles. C'est elle qui m'a invitée à la suivre. Toi, tu es entré seul dans mon rêve, sans la permission du Clan des Étoiles, sans même que ce dernier soit au courant. »

Il frissonna en se rappelant le regard dur de la guerrière au museau couturé de cicatrices.

« Tu en es certaine ?

— Oui, sinon Étoile Bleue m'aurait avertie.

— Pourquoi as-tu appelé Museau Cendré ? Avais-tu une question à lui poser ?

— Non. Je voulais simplement savoir si elle était là, répondit-elle tout bas.

— Mais elle n'a pas répondu... Où pourrait-elle être, puisqu'elle est morte ? »

Feuille de Lune s'immobilisa. L'apprenti percevait son trouble aussi sûrement que l'humidité dans l'air.

« Qu'as-tu éprouvé en voyant le Clan des Étoiles ? De la peur ?

— Pourquoi aurais-je peur d'une bande de matous disparus depuis des lunes ?

— Ce sont tes ancêtres, lui rappela-t-elle. Ils en ont vu et entendu plus que tu ne peux l'imaginer.

— Bien sûr qu'ils en ont *vu* plus que moi ! Il n'y a pas de mal, je suis aveugle !

— Pas dans tes rêves, Nuage de Geai. Dis-moi, mis à part ta venue à la Source de Lune, as-tu déjà fait un rêve prémonitoire ?

— Bien sûr que non. Les rêves ne sont que des rêves.

— Pas pour tout le monde.

— Dans mon rêve le plus fréquent, je suis encore un tout jeune chaton, et je voyage par temps de neige, confessa-t-il. Est-ce un souvenir ? Je ne peux pourtant pas me rappeler le Grand Périple, si ?

— Non, toi, ton frère et ta sœur, vous êtes nés bien après, confirma-t-elle, plus tendue que jamais. Mais ta… ta mère a bien accompli un long voyage dans la neige quand vous étiez tout petits. Vous avez vu le jour hors de la combe rocheuse, et elle a dû attendre que vous soyez tous les trois suffisamment robustes pour vous ramener. »

Nuage de Geai sentait qu'une idée tournoyait dans l'esprit de la chatte comme un poisson piégé dans une flaque.

« Qu'y a-t-il ?

215

— Je pense que ton destin est de devenir guérisseur.

— Tu racontes n'importe quoi. Je m'entraîne
pour devenir guerrier.

— Tu es pourtant entré dans mon rêve !

— Tu crois vraiment que j'ai envie de rester
coincé au camp à m'occuper des chatons et des
anciens ?

— Être guérisseur, c'est bien plus que ça !
s'emporta-t-elle, la fourrure en bataille.

— Dans ce cas, que ce soit le destin de quelqu'un
d'autre ! Moi, je veux courir dans la forêt, chasser
et me battre pour mon clan. Tu es comme Cœur
Blanc ! Tu me traites toujours différemment parce
que je suis aveugle !

— Non, je te traite différemment parce que tu
as vu le Clan des Étoiles dans *mon* rêve ! Aucun
guérisseur de ma connaissance ne reçoit de visions
aussi puissantes que les tiennes. »

Nuage de Geai n'écoutait plus. Il avançait en
martelant le sol d'un pas furieux.

« Je me fiche bien de ces rêves débiles, lança-t-il.
Je veux devenir guerrier. En plus, tu as déjà
Nuage de Houx, non ? Tu ne peux pas avoir *deux*
apprentis ! »

CHAPITRE 14

❧

« **C**HATS DU CLAN DU TONNERRE ! Que tous ceux qui sont en âge de chasser s'approchent de la Corniche ! »

Nuage de Lion redressa la tête. L'appel d'Étoile de Feu l'avait réveillé alors qu'il dormait bien au chaud dans son nid. C'était l'aube. Nuage de Sureau remuait déjà près de lui.

Nuage de Geai s'étira, sa queue si recourbée que son extrémité frôla sa colonne vertébrale.

« Qu'est-ce qu'Étoile de Feu peut bien nous vouloir, de si bon matin ? bâilla-t-il.

— Il convoque une assemblée du clan ! » répondit Nuage de Lion, qui bondit sur ses pattes et passa devant les autres pour sortir le premier.

« Arrête de pousser ! grommela Nuage de Sureau.

— Le chasseur le plus rapide attrape le plus de souris », rétorqua l'apprenti au pelage doré d'un ton enjoué.

Dehors, une bourrasque glaciale le fouetta comme une branche de frêne. Du givre scintillait sur les buissons en bordure de clairière et le sol gelé meurtrit ses coussinets. Il se mit à trotter en laissant échapper des nuages de vapeur dans son sillage. Des guerriers s'étaient déjà rassemblés sous la Corniche, pelotonnés les uns contre les autres pour se tenir chaud.

Étoile de Feu se dressait en haut de l'éboulis, encadré par Griffe de Ronce et Plume Grise. Le pelage lustré du guerrier tacheté mettait en valeur ses muscles puissants. En comparaison, la fourrure de Plume Grise paraissait terne et ses côtes saillantes lui donnaient l'air famélique.

« Il a dû décider lequel des deux devait être lieutenant », miaula Nuage de Houx, qui venait de sortir en trombe de l'antre de la guérisseuse.

Elle s'assit tout près de Nuage de Lion en frissonnant. Nuage de Geai vint se placer près de sa sœur.

« Plume Grise et Griffe de Ronce sont sur la Corniche avec Étoile de Feu, lui annonça celle-ci.

— Je sais », répondit-il d'une voix ensommeillée.

Nuage de Lion s'étonna que son frère soit si fatigué alors qu'il n'était pas sorti de la combe depuis des jours.

Dans la lumière froide de l'aube, la robe orange du meneur, qui balayait son clan du regard, paraissait enflammée. Millie, qui ne semblait plus intimidée par la compagnie des guerriers, dévisageait le chef. Poil de Châtaigne, Aile Blanche et Flocon de Neige s'assirent devant elle et Fleur de Bruyère. Poil de Fougère et Cœur d'Épines, derrière.

« Je sais que vous vous demandez tous ce qui va se passer maintenant que notre ancien lieutenant est de retour. »

Plume Grise fit glisser sa queue touffue autour de ses pattes. L'une des oreilles de Griffe de Ronce frémit.

« Lorsque nous avons quitté notre ancienne forêt, je croyais ne plus jamais revoir Plume Grise. Plus d'une nuit, j'ai contemplé la Toison Argentée en imaginant qu'il avait rejoint les rangs des guerriers de jadis. »

Nuage de Lion jeta un coup d'œil vers sa sœur et se demanda ce qu'il ressentirait s'il devait la perdre. La douleur fulgurante qui lui transperça le ventre lui en donna un aperçu qu'il n'apprécia guère.

Le chef du Clan du Tonnerre poursuivit :

« Plume Grise était mon lieutenant et mon ami. Je me suis entraîné à son côté, je me suis battu à son côté. J'avais plus confiance en lui qu'en n'importe qui. Le retrouver, c'est comme retrouver une de mes vies perdues.

— Il va renommer Plume Grise comme lieutenant ! souffla Nuage de Houx.

— Attends », murmura Nuage de Geai.

Nuage de Lion se tourna vers son frère. Pourquoi semblait-il si sûr de lui ?

« Cependant, Griffe de Ronce m'a aidé à sortir le clan des situations les plus difficiles qui soient. Jamais sa loyauté n'a failli. Le Clan du Tonnerre n'a guère besoin d'un autre bouleversement. » Il marqua une pause, regardant l'un, puis l'autre guerrier. « J'ai donc décidé que Griffe de Ronce resterait lieutenant.

— Mais... » fit Poil de Fougère malgré lui, bientôt imité par Poil de Châtaigne.

Des murmures surpris s'élevèrent un peu partout dans la clairière. Nuage de Lion eut beau guetter des traces de regret sur le visage de Plume Grise, l'expression du matou resta indéchiffrable.

Poil d'Écureuil lança joyeusement :

« Griffe de Ronce !

— Griffe de Ronce ! Griffe de Ronce ! » répéta Pelage de Granit.

La guerrière rousse se tourna aussitôt vers le guerrier gris clair.

Pourquoi semble-t-elle si surprise ? s'étonna Nuage de Lion.

Pelage de Poussière et Cœur d'Épines reprirent à leur tour le nom du lieutenant. Plume Grise se leva et joignit sa voix au chœur. Griffe de Ronce s'inclina respectueusement devant l'ancien lieutenant.

« Je te l'avais dit, murmura Nuage de Geai.

— Comment le savais-tu ? s'enquit son frère avec méfiance.

— C'était la décision la plus sage.

— Tu penses que Plume Grise est déçu ? chuchota Nuage de Houx.

— Quelle importance ?

— Il peut comprendre que le clan a beaucoup changé, répondit Nuage de Lion.

— Mais lorsqu'il aura retrouvé toutes ses forces, est-ce qu'il sera heureux de n'être qu'un guerrier ?

— Je pense aussi qu'Étoile de Feu a pris la bonne décision. »

Nuage de Lion sursauta en entendant le miaulement rauque de Pelage de Granit, qui avançait vers eux.

« Et vous devez être heureux pour votre père, ajouta le guerrier.

— Il le mérite, rétorqua Nuage de Lion avec conviction. Plume Grise ne connaît même pas le territoire. Il serait aussi perdu qu'un chaton du Clan du Vent lâché au milieu de la pouponnière du Clan de l'Ombre.

— Tu dis vrai.

— Et il lui faudra au moins une lune pour se remettre complètement, ajouta Nuage de Geai. Il sent toujours la chair à corbeau. »

Griffe de Ronce s'approcha d'eux, Nuage de Sureau sur les talons.

« Nous partons chasser, annonça-t-il.

— Est-ce qu'on peut vous accompagner ? demanda Pelage de Granit.

— Bien sûr. Cœur Blanc et Nuage de Geai viennent aussi. Si le nombre ne te gêne pas…

— Pas du tout, répondit le chasseur gris en plissant les yeux. Je pensais qu'il serait amusant d'organiser un concours entre Nuage de Lion et Nuage de Sureau.

— Bonne idée, répondit Griffe de Ronce, l'œil brillant.

— Oh oui ! se réjouit le novice couleur crème en griffant le sol d'impatience.

— Chouette ! lança l'apprenti doré.

— Bien. Le premier à attraper trois proies choisira sa pièce de viande avant tout le monde ce soir. »

Nuage de Lion jaugea Nuage de Sureau. Son camarade était plus grand que lui, et plus expérimenté. S'il voulait gagner, il devrait compter davantage sur l'acuité de ses sens que sur sa vitesse.

« Pourquoi est-ce qu'on est obligés d'aller avec eux ? grommela l'aveugle lorsque son mentor les rejoignit. Je suis parfaitement capable de chasser seul. »

Une lueur de pitié s'alluma dans le regard de la chatte. Nuage de Geai leva la tête vers son mentor, les sourcils froncés, comme s'il savait exactement ce qu'elle pensait.

« Nous partirons dans un instant, annonça Griffe de Ronce. Je dois d'abord demander à Pelage de Poussière et Nuage de Frêne de patrouiller le long de la frontière du Clan de l'Ombre. Je vous retrouve à l'entrée. » Alors qu'il s'éloignait, il ajouta à l'intention de sa fille : « Dis-moi, Nuage de Houx, tu ne devrais pas être en train d'aider Feuille de Lune ?

— Euh, si… » miaula-t-elle aussitôt.

Elle s'en fut à vive allure en laissant le bout de sa queue noire traîner sur le sol.

« Tu crois vraiment que tu peux me battre ? feula Nuage de Sureau à l'oreille de Nuage de Lion.

— J'ai attrapé un campagnol le premier jour de mon entraînement, lui rappela le novice au pelage doré.

— Tant mieux. Je n'aime pas gagner trop facilement.

— Tu auras de la chance si tu gagnes tout court ! gronda Nuage de Lion.

— Comment une petite boule de poils telle que toi pourrait attraper trois proies en une seule matinée ? »

Nuage de Lion ne comptait pas laisser son camarade s'en tirer à si bon compte. Tapi au sol, il tortilla de l'arrière-train.

« Répète un peu ça ! le défia-t-il.

— Tu es à peine plus gros qu'une souris ! » ron-ronna Nuage de Sureau.

Nuage de Lion bondit sur le jeune matou et les deux apprentis roulèrent vers la barrière de ronces. Nuage de Lion fut surpris par le poids de Nuage de Sureau. Il se démena pour se débarrasser de lui, mais celui-ci le poussa vers les épines. Après avoir réfléchi un instant, Nuage de Lion se relâcha complètement, si bien qu'il lui fut facile de s'échapper de l'étreinte de son aîné. Vif comme l'éclair, il lui sauta sur le dos et lui mordit la nuque. Nuage de Sureau secoua la tête pour le déloger. Même sans sortir les griffes, Nuage de Lion trouva la force de rester cramponné aux larges épaules de son adversaire.

« Nuage de Lion ! »

Il leva la tête vers sa sœur, qui revenait vers eux en courant. Nuage de Sureau en profita pour le faire tomber et le clouer au sol.

« Tu es ma première prise de la journée, miaula-t-il, triomphant.

— Nuage de Houx m'a déconcentré ! gémit Nuage de Lion.

— Un bon guerrier ne se laisse jamais distraire », miaula Pelage de Granit, qui observait depuis le début la rixe des deux novices.

Nuage de Lion se releva, tête basse, tandis que Nuage de Houx leur courait autour.

« Feuille de Lune veut que j'aille chercher de la tanaisie, par précaution. Si ce temps froid persiste, une épidémie de mal blanc risque de se déclarer, haleta-t-elle, tout excitée. Elle m'a dit de me joindre à votre patrouille pour gagner le Chemin du

223

Tonnerre, où il en pousse en quantité. Où est Griffe de Ronce ?

— Il donne ses ordres à Pelage de Poussière », lui répondit Pelage de Granit.

Le lieutenant revenait justement, suivi de Plume Grise.

« Est-ce que je peux vous accompagner ? demanda ce dernier à Pelage de Granit. Je voudrais me familiariser avec le territoire.

— Cela ne me dérange pas, répondit le guerrier avant de désigner Nuage de Houx. Nous comptons également une apprentie de plus. »

Les trois jeunes félins n'avaient pas eu l'occasion de sortir du camp ensemble depuis leur chasse au renard. Ils retrouvèrent bien vite leurs habitudes de déplacement : Nuage de Houx devant Nuage de Geai, et Nuage de Lion à côté de lui pour le guider entre les arbres.

Ils se dirigèrent vers le cœur de la forêt en empruntant le sentier le plus dégagé menant à l'ancien Chemin du Tonnerre. Nuage de Houx scrutait les sous-bois de chaque côté du chemin.

« La tanaisie ressemble beaucoup à la mille-feuille, lui souffla Nuage de Geai, mais son goût se rapproche davantage de celui de l'herbe que de celui de la bile de souris.

— Je sais ! » s'emporta l'apprentie.

Pourquoi Nuage de Geai se sent-il obligé de l'aider ? se demanda Nuage de Lion. C'était Nuage de Houx, l'apprentie de Feuille de Lune, pas lui.

La petite chatte tendit la queue vers une botte de plantes pourvues d'une longue tige et de feuilles pointues.

« C'est ça, non ? » Ses compagnons l'attendirent le temps qu'elle morde dans une tige. Elle plissa les yeux, pensive, avant d'avaler. « Ce n'est pas amer du tout, annonça-t-elle. C'est bien de la tanaisie.

— Cueilles-en autant que possible et retourne au camp, miaula Griffe de Ronce.

— Mais Feuille de Lune n'en a pas besoin tout de suite, protesta-t-elle, visiblement déçue.

— Il serait imprudent de la laisser retourner au camp toute seule, fit remarquer Nuage de Lion, qui devinait que sa sœur voulait rester dans la forêt. Avec les renardeaux qui rôdent encore…

— Bon, si tu es certaine que ce n'est pas urgent, nous en cueillerons en revenant », conclut Griffe de Ronce avant de s'élancer vers la forêt profonde.

Même au cœur de la mauvaise saison, les sous-bois étaient encore denses. Sans leurs feuilles, les plantes ressemblaient à de grands squelettes élancés.

« Il n'y a pas la moindre odeur de renard, par ici, miaula Plume Grise. Et peu de couvert pour les proies. Un endroit idéal pour commencer la chasse ! »

Pelage de Granit regarda Nuage de Sureau puis Nuage de Lion.

« Qui veut commencer ? demanda-t-il.

— Il y a une souris, là-bas », annonça Nuage de Geai d'un ton détaché, comme s'il lui était égal d'être exclu de la compétition.

Assis bien droit, il agita la queue vers le pied d'un chêne. Pelage de Granit tourna brusquement la tête, surpris.

« Elle s'est cachée sous les feuilles gelées », expliqua l'aveugle.

Nuage de Lion tendit l'oreille et repéra lui aussi un léger grattement contre la terre froide et perçut l'odeur de l'humus fraîchement retourné.

« Nuage de Lion, murmura Griffe de Ronce. Tu commences. »

D'un pas lent et prudent, il s'approcha sans bruit. Le frétillement se poursuivit. Il adopta la position du chasseur. Accroupi, le museau en avant, il laissa sa queue retomber, immobile, derrière lui. Il discernait l'odeur de la souris, à présent, ainsi que les légers mouvements des feuilles.

« Griffe de Ronce ! »

La souris jaillit et disparut aussitôt entre les racines d'un arbre. Feulant de rage, Nuage de Lion fit volte-face pour voir qui avait gâché son approche.

Bois de Frêne surgit des sous-bois et s'arrêta brusquement devant les félins.

« Le Clan de l'Ombre a déplacé la frontière ! Leur marquage empiète sur notre territoire !

— Quoi ? s'étrangla Griffe de Ronce.

— Venez, je vais vous montrer. »

Sans attendre, Bois de Frêne replongea dans les taillis.

« Où est Pelage de Poussière ? lança Griffe de Ronce.

— Parti prévenir Étoile de Feu au camp », répondit le messager qui n'était déjà plus en vue.

Le lieutenant se tourna vers Cœur Blanc.

« Tu nous accompagnes. Je ne veux pas risquer de te laisser seule.

— Et Nuage de Geai ? demanda la guerrière borgne.

« — Ne le perds pas de vue, et restez aussi près de nous que possible, ordonna le lieutenant. Toi, Pelage de Granit, escorte-les. Et toi, Plume Grise, tu me suis. »

Tandis que les félins s'élançaient dans les sous-bois, Nuage de Lion jeta un regard inquiet vers son frère, qui slalomait entre les arbres comme n'importe quel apprenti. *Il doit être guidé par le Clan des Étoiles !* se dit-il, stupéfait. Puis il se concentra sur ses propres pattes. *Est-ce que le Clan de l'Ombre a vraiment osé déplacer la frontière ?*

Bois de Frêne les fit passer par l'ancien Chemin du Tonnerre avant d'obliquer vers la frontière. Il s'arrêta net en haut d'une butte.

« Là ! » hoqueta-t-il en désignant d'un battement de queue la rangée de frênes qui longeait la crête.

Nuage de Lion flaira le tronc le plus près de lui et fronça la truffe. C'était pourtant vrai. Le Clan de l'Ombre avait marqué des arbres du Clan du Tonnerre !

« Ce n'est pas la bonne frontière ? voulut savoir Plume Grise.

— Non ! feula Griffe de Ronce. La frontière est là ! lui apprit-il en montrant l'orée de la clairière.

— Ont-ils cru que nous ne remarquerions rien ? » s'enquit Nuage de Houx.

Pelage de Granit émergea des fougères peu après, suivi de Cœur Blanc et de Nuage de Geai.

Les poils de l'aveugle se dressèrent aussitôt sur sa nuque.

« Des guerriers du Clan de l'Ombre, tout près ! » prévint-il.

Au même instant, trois membres du Clan de l'Ombre surgirent au sommet de la butte et défièrent du regard la patrouille du Clan du Tonnerre.

« C'est Bois de Chêne ! » feula Griffe de Ronce en foudroyant du regard le petit guerrier brun en tête du trio.

Nuage de Lion reconnut les deux autres pour les avoir identifiés lors de l'Assemblée : il s'agissait de Nuage de Chouette et de son mentor, Pelage de Fumée.

« Un chaton aveugle nous a repérés avant même le lieutenant du Clan du Tonnerre, cracha Bois de Chêne avec mépris. Comme c'est humiliant pour eux !

— Le Clan du Tonnerre manque-t-il de guerriers au point de devoir entraîner même les chatons les plus inutiles ? » feula Pelage de Fumée.

Nuage de Geai se rua sur lui en crachant. Cœur Blanc le retint par la queue.

« Un chaton aveugle sauvé par une guerrière borgne, se moqua encore Bois de Chêne. Le Clan du Tonnerre n'est plus ce qu'il était. Il n'en reste qu'un ramassis de chats domestiques et de mutilés, dirigés par un lieutenant décrépit, ajouta-t-il en toisant durement Plume Grise.

— Vous avez déplacé la frontière ! feula Griffe de Ronce.

— Nous avons pris ce qui nous revenait de droit, et nous prendrons plus encore, rétorqua Pelage de Fumée.

— Le Clan du Tonnerre n'est plus un véritable clan, renchérit Bois de Chêne. Je suis sûr que le Clan des Étoiles approuvera le fait que seuls de véritables guerriers ont le droit de chasser sur les territoires des clans.

— Le Clan du Tonnerre ne compte que des guerriers véritables ! » hurla Griffe de Ronce.

Les oreilles rabattues, il franchit le nouveau marquage et ne s'arrêta qu'à une longueur de queue de Bois de Chêne.

« Si vous voulez notre territoire, vous devrez en conquérir par la force la moindre touffe d'herbe. »

La fourrure de Nuage de Lion se hérissa. Sa première bataille ! Il planta ses griffes dans le sol, imaginant qu'il s'agissait de la fourrure de l'adversaire.

« Es-tu bien certain que nous ne l'emporterons pas ? »

Les yeux du matou ennemi scintillèrent lorsqu'une cohorte de guerriers du Clan de l'Ombre apparut derrière la crête, alignés tels des étourneaux sur une branche. Le cœur de Nuage de Lion fit un bond dans sa poitrine. Il avait l'impression que tous les guerriers du Clan de l'Ombre étaient venus se battre. Il voyait leurs muscles gonfler sous leur fourrure et leurs griffes luire tandis qu'ils grattaient le sol pour les aiguiser.

CHAPITRE 15

❧

« **R**ETOURNE VITE AU CAMP et dis à Étoile de Feu d'amener des renforts, murmura Plume Grise à l'oreille de Nuage de Lion. Maintenant ! »

Nuage de Lion fila ventre à terre. Il lui en coûtait de laisser son frère et sa sœur mais, sans aide, la bataille était déjà perdue.

« Arrêtez-le ! » hurla Feuille Rousse.

Aussitôt, les feuilles mortes craquèrent derrière Nuage de Lion. Deux guerriers du Clan de l'Ombre le pourchassaient. Soudain, un éclair de fourrure grise surgit : Plume Grise s'était jeté sur le premier chasseur. Ils roulèrent au sol dans une mêlée de griffes et de crocs.

Nuage de Lion se força à courir plus vite encore, si vite qu'il crut que son cœur allait lâcher. Le deuxième matou était toujours à sa poursuite. Le novice se glissa dans une épaisse roncière en espérant que sa petite taille lui permettrait d'en sortir avant l'ennemi. Cependant, lorsqu'il émergea des branchages et jeta un coup d'œil en arrière, il aperçut un mâle de forte carrure qui se frayait un passage à coup d'épaules puissantes.

Le novice dévala la pente qui menait au terrain d'entraînement et le traversa d'une traite. Il était presque arrivé. Encore une petite longueur sous les arbres, puis la descente jusqu'à l'entrée du camp... Son poursuivant était presque sur lui lorsqu'il aperçut enfin la barrière.

« Au secours ! » hurla-t-il.

Des griffes acérées lui frôlèrent la queue. L'autre était tout près. Dans un regain d'énergie, le novice accéléra une dernière fois.

Un félin jaillit du tunnel de ronces et passa sans s'arrêter devant lui. C'était Poil d'Écureuil.

« Je m'en charge ! » feula-t-elle en fonçant sur l'intrus.

Le matou poussa un cri de douleur. Nuage de Lion ralentit, hors d'haleine. La chatte força le guerrier du Clan de l'Ombre à remonter la pente. Elle feulait aussi furieusement que si tous ses ancêtres se battaient à ses côtés.

L'apprenti se précipita dans le camp.

« Le Clan de l'Ombre nous envahit ! »

Étoile de Feu, qui était dans la clairière en compagnie de Pelage de Poussière, bondit à sa rencontre.

« Pelage de Poussière m'a dit que le Clan de l'Ombre avait modifié la frontière, miaula le chef.

— Oui, mais ce n'est pas tout ! Griffe de Ronce nous a emmenés sur place, et nous sommes tombés dans une embuscade.

— Tu veux dire qu'ils livrent bataille ? » s'écria le meneur.

Nuage de Lion hocha la tête, les pattes tremblantes à l'idée que Nuage de Geai et Nuage de Houx affrontaient des vétérans du Clan de l'Ombre.

« Tempête de Sable, Patte d'Araignée, Aile Blanche, Pelage d'Orage, Source ! »

Les combattants s'étaient déjà rassemblés dans la clairière, la queue battante.

« Le Clan de l'Ombre a franchi la frontière. Griffe de Ronce les retient ! Il faut des renforts !

— Est-ce que j'emmène Nuage de Mulot ? s'enquit Patte d'Araignée.

— S'il est prêt à se battre, oui. »

Poil d'Écureuil revint au pas de charge.

« Un de moins, annonça-t-elle. Il n'est pas près de se relever.

— Beau travail. Je veux que tu restes au camp pour monter la garde.

— Entendu, Étoile de Feu.

— Je vous accompagne », déclara Millie, qui venait de sortir du repaire des guerriers.

Nuage de Lion la dévisagea avec stupéfaction. *Une chatte domestique !*

« D'accord, répondit le chef. Si tu ne prends pas de risques. Et toi, es-tu en état de te battre ? » demanda-t-il ensuite à Nuage de Lion, qui frissonnait toujours de terreur et de fatigue.

Le novice fit oui de la tête.

« Parfait, ton frère et ta sœur ont besoin de toi. »

Sur ces paroles, le meneur sortit du camp à la tête de ses guerriers.

Nuage de Lion fermait la marche. *Comment le Clan de l'Ombre ose-t-il envahir le territoire du Clan du Tonnerre ?* se demanda-t-il. Il se battrait crocs et griffes pour chasser ces matous au cœur de renard.

Bientôt, ses pattes cessèrent de trembler tant il était impatient d'en découdre.

« Protège toujours tes arrières ! lança Aile Blanche en ralentissant pour se placer à son niveau. Chez les guerriers Clan de l'Ombre, tous les mauvais coups sont permis. Tu es rapide et fort, malgré ta petite taille. Tu seras plus agile qu'eux. Sers-t'en à ton avantage. »

Des cris et des feulements leur parvinrent avant même qu'ils aient atteint la frontière.

« Par là ! » ordonna Étoile de Feu.

Alors que les combattants du Clan de l'Ombre avaient encerclé la patrouille du Clan du Tonnerre, Griffe de Ronce et ses camarades parvenaient tout de même à leur tenir tête.

« À l'attaque ! » cria Étoile de Feu.

Aussi sec, les renforts se jetèrent dans la bataille.

« Par ici, Nuage de Lion ! héla Patte d'Araignée. Trouve Nuage de Geai et défends-le ! »

L'apprenti s'élança en cherchant des yeux son frère et sa sœur. Il repéra aussitôt Cœur Blanc, Pelage de Granit et Bois de Frêne, qui tenaient à distance quatre combattants adverses. Nuage de Geai était tapi derrière eux, hirsute. Il feulait et donnait des coups de griffes dès qu'un ennemi franchissait leur ligne défensive. Il ne semblait pas du tout avoir besoin d'aide.

Le cœur battant, Nuage de Lion chercha alors le pelage noir de sa sœur. Était-elle blessée ? Il fut aussitôt soulagé en la voyant se battre au côté de Plume Grise. Les oreilles rabattues, les crocs découverts, le matou au long pelage gris lacéra le flanc d'une guerrière à la robe roux sombre qui en voulait à Nuage de Houx.

Feuille Rousse ! Nuage de Lion reconnut le lieutenant du Clan de l'Ombre.

Nuage de Houx passa sous Plume Grise et jaillit de l'autre côté pour mordre férocement la patte arrière de leur opposante. La guerrière virevolta, toutes griffes dehors. Nuage de Lion bondit au secours de sa sœur et entailla la truffe du lieutenant. Feuille Rousse poussa un cri de douleur tandis que du sang jaillissait sous ses yeux.

« Bravo ! » le félicita Plume Grise.

Deux matous du Clan de l'Ombre en profitèrent pour faire basculer ce dernier. Le plus gros des deux, un mâle noir, le cloua au sol et l'autre, une chatte blanche, se dressa sur ses pattes arrière, les griffes saillantes, prête à taillader le museau de l'ancien lieutenant.

Un éclair orange fila devant Nuage de Lion : Étoile de Feu attaquait la chatte. Il la repoussa sans mal et lui griffa la joue d'un coup de patte bien dirigé.

Nuage de Lion sauta sur le dos du mâle noir et lui planta les crocs dans l'épaule. Contraint de reculer, le guerrier adverse relâcha Plume Grise puis tomba au sol lorsque Nuage de Houx lui fit un croche-pattes.

« Joli coup ! lança Nuage de Lion à sa sœur.

— Il a encore du répondant », le mit-elle en garde.

Le noiraud, qui s'était déjà relevé, crachait férocement. Le frère et la sœur attaquèrent ensemble et forcèrent leur adversaire essoufflé et couvert de sang à reculer vers la frontière.

Soudain, du coin de l'œil, Nuage de Lion repéra Bois de Chêne qui se faufilait entre les fougères vers Étoile de Feu. Le chef du Clan du Tonnerre maintenait immobilisée la guerrière blanche sans se douter de la menace. Avant que Nuage de Lion ait eu le temps de l'alerter, Bois de Chêne se jeta sur le meneur et le mordit au cou.

La guerrière se tortilla sous le rouquin et lui donna des coups de crocs dans les pattes avant pour le faire tomber. Étoile de Feu disparut alors sous les deux combattants du Clan de l'Ombre.

« Tu peux te débrouiller toute seule ? demanda Nuage de Lion à sa sœur.

— Je l'aiderai », le rassura Plume Grise dans un feulement.

Nuage de Lion se rua vers Bois de Chêne et lui mordit la queue. *Ça, c'est pour avoir dit que Nuage de Geai n'était bon à rien !* pensa-t-il en serrant les mâchoires de toutes ses forces. Le petit matou brun relâcha Étoile de Feu en poussant un cri de douleur. Le meneur du Clan du Tonnerre se releva aussitôt et saisit son adversaire par la peau du cou. Sans le relâcher, il donna de violents coups de pattes arrière à la chatte blanche, qui s'effondra. Puis il assomma Bois de Chêne en lui cognant violemment la tête contre un arbre. Les branches frémirent et l'ennemi s'effondra au sol.

Voyant qu'Étoile de Feu ne risquait plus rien, Nuage de Lion se retourna vers sa sœur et la découvrit seule au milieu de la mêlée. Plume Grise l'avait laissée sans défense.

« Attention ! » hoqueta-t-il en voyant Pelage de Fumée se précipiter sur elle.

À deux longueurs de queue de là, Plume Grise tentait de faire fuir l'assaillant de Millie.

« Retourne aider Nuage de Houx ! s'emporta cette dernière. Je peux me débrouiller toute seule ! »

Elle assena un coup si puissant à son ennemi que le sang gicla sur le sol de la forêt, et le matou s'enfuit en gémissant.

Perché sur le dos de Nuage de Houx, Pelage de Fumée lui griffait les flancs, mais Plume Grise le déséquilibra et, une fois au sol, lui laboura le ventre. Nuage de Lion se précipita vers sa sœur pour s'assurer qu'elle allait bien. Lorsque Plume Grise relâcha Pelage de Fumée, il prit la fuite en hurlant de douleur.

« Poussez les derniers dans les ronces ! ordonna le matou au long pelage gris.

— Quoi ? fit Patte d'Araignée, incrédule.

— Nous aurons encore plus de mal à les affronter ! s'indigna Bois de Frêne.

— Au contraire, c'est le Clan de l'Ombre qui aura plus de mal à nous affronter ! miaula Nuage de Houx à l'oreille de son frère. Il n'y a pas de ronces, dans leur pinède. »

Étoile de Feu hocha la tête avec détermination.

« Ils n'ont pas l'habitude de se battre dans les taillis ! lança-t-il. Faites ce que Plume Grise a dit !

— Tout le monde derrière moi ! » ordonna Griffe de Ronce, qui avait pivoté pour tourner le dos à la frontière.

Les guerriers du Clan du Tonnerre s'éloignèrent de leurs ennemis pour se repositionner autour de leur lieutenant. Désemparés, les combattants du Clan de l'Ombre tournèrent la tête en tout sens. Ils se retrouvaient pris au piège du mauvais côté de la frontière.

Épaulé de chaque côté par ses camarades de clan, Griffe de Ronce lança la charge pour pousser l'envahisseur dans les ronces du territoire du Clan du Tonnerre.

Nuage de Lion repéra Nuage de Geai, qui tentait d'attaquer Nuage de Chouette. Au lieu de se battre à la loyale, l'apprenti du Clan de l'Ombre jouait avec Nuage de Geai. Il évitait ses attaques et le tourmentait en lui assenant d'un côté un coup de patte, de l'autre un coup de griffes.

Nuage de Lion bondit près de son frère.

« Tu n'es qu'un lâche ! gronda-t-il.

— Tu vas voir, si je suis un lâche », feula Nuage de Chouette.

Il griffa aussitôt le museau de Nuage de Geai, qui gémit de douleur mais n'en continua pas moins de lancer des attaques aveugles.

« Il baisse la tête », lui souffla Nuage de Lion.

Nuage de Geai corrigea son attaque pour frapper plus bas et érafla les oreilles de Nuage de Chouette. Nuage de Geai poussa un cri triomphal.

« Il essaie de te prendre à revers », souffla encore son frère.

Nuage de Lion se retenait d'intervenir. Il savait que Nuage de Geai ne le lui pardonnerait jamais s'il se battait à sa place et, de plus, il avait déjà pivoté prestement pour rouer de coups son adversaire. Ce dernier voulut esquiver, cependant l'aveugle, qui avait anticipé son geste, lui sauta sur le dos et le cloua au sol. Lorsqu'il lui lacéra l'échine, l'apprenti du Clan de l'Ombre finit par demander grâce.

« Laisse-le ! » lança Nuage de Lion, et Nuage de Geai obtempéra.

Nuage de Chouette se releva tant bien que mal et cracha férocement, prêt à attaquer de plus belle. Nuage de Lion lui décocha un regard si menaçant que, face aux deux frères, l'autre préféra reculer en feulant.

Les guerriers ennemis trébuchaient à présent dans les ronces et luttaient contre les épines plantées dans leur fourrure tout autant que contre les guerriers du Clan du Tonnerre. Tempête de Sable agita fièrement la queue lorsqu'un combattant adverse recula sous ses attaques. Près d'elle, Aile Blanche mordit un apprenti au poil tacheté qui tentait de la repousser pour s'extirper des ronces. À eux deux, Source et Pelage d'Orage harcelaient Pelage de Fumée. L'attaquant sans relâche, ils le forçaient à s'enfoncer un peu plus dans les épines.

Stupéfaite, Feuille Rousse vit que ses guerriers se débattaient pitoyablement dans la roncière.

« Repli ! » ordonna-t-elle.

Au prix de quelques touffes de fourrure, les envahisseurs réussirent à s'extirper du piège végétal puis regagnèrent leur territoire à toute allure.

Nuage de Lion scruta ses camarades épuisés.

« Nuage de Houx ! appela-t-il.

— Je suis là ! répondit-elle en sortant à reculons des taillis, la queue couverte d'épines.

— Des blessés ? s'inquiéta Étoile de Feu, dont le museau était barbouillé de sang.

239

— Tempête de Sable », l'informa Griffe de Ronce.

Près de lui, la guerrière roux pâle se lécha la patte avant.

« Ce n'est qu'une petite foulure, le rassura-t-elle.

— Pelage d'Orage, cette entaille a l'air sérieuse, miaula Étoile de Feu.

— Elle guérira.

— J'y ai laissé un bout de ma queue, cracha Patte d'Araignée, mais cela en valait la peine ! À l'avenir, le Clan de l'Ombre y repensera à deux fois avant de tenter de nous voler notre territoire.

— Nous devons nous assurer qu'ils sont tous partis, miaula Étoile de Feu.

— Je m'en charge, proposa Source.

— Es-tu blessée ?

— Juste une oreille déchirée.

— Alors Patte d'Araignée et toi, vous fouillerez les ronces. Vérifiez qu'aucun d'eux n'a pénétré plus loin. »

Du bout de la queue, Pelage de Granit donna une pichenette à Nuage de Lion.

« Que le Clan des Étoiles soit loué, tu as réussi à ramener des renforts très vite.

— Et vous, vous les avez contenus jusqu'à notre arrivée, le félicita Étoile de Feu.

— Nuage de Houx s'est battue comme une guerrière ! se réjouit Bois de Frêne.

— Et Nuage de Geai n'a jamais reculé devant l'ennemi, ajouta Cœur Blanc.

— On ne pouvait tout de même pas laisser le Clan de l'Ombre nous chasser de notre propre territoire ! » gronda Plume Grise.

Griffe de Ronce balaya du regard la clairière, d'où avaient disparu les agresseurs.

« Il nous faudra agir contre le Clan de l'Ombre avant la prochaine Assemblée, déclara-t-il.

— Commençons par rétablir la frontière, répondit Étoile de Feu. Griffe de Ronce, tu restes là avec Pelage de Granit et Bois de Frêne pour marquer deux fois tous les arbres concernés. »

Griffe de Ronce opina.

« Je ramène les autres au camp.

— Est-ce que je peux rester aussi ? implora Nuage de Lion.

— Non, répondit son mentor. Tu dois faire soigner ces égratignures. Je veux que tu reprennes l'entraînement dès que possible. »

À contrecœur, l'apprenti suivit ses camarades. Tempête de Sable boitait et Pelage d'Orage s'arrêtait sans cesse pour lécher le sang qui suintait de son épaule meurtrie. Millie avait elle aussi perdu quelques touffes de poils mais, galvanisée par sa première victoire, elle gambadait joyeusement, les oreilles dressées et la queue frétillante.

Nuage de Lion rattrapa son frère et sa sœur.

« Tu m'as vu sauter sur Bois de Chêne ? miaula-t-il, tout fier.

— J'aurais bien aimé ! répondit Nuage de Houx, plus excitée qu'il ne l'était lui-même. J'étais trop occupée à régler son compte à ce guerrier tigré. » Ses yeux brillaient intensément. « Je me suis servie d'une technique que Nuage de Cendre m'a montrée l'autre jour. C'était trop génial, de pouvoir l'appliquer en vrai !

— Et toi, Nuage de Geai, reprit Nuage de Lion, tu as montré à Nuage de Chouette qu'il ne faisait pas le poids face à un apprenti du Clan du Tonnerre.

— C'est ça », grommela-t-il.

Il marchait lentement et sa queue traînait au sol.

« Nuage de Houx ! appela Feuille de Lune, venue à leur rencontre. Y a-t-il beaucoup de blessés ?

— Euh... P-Pelage d'Orage a une entaille... balbutia-t-elle.

— Tu n'as pas vérifié les blessures de chacun ? gronda son mentor.

— Tout le monde était capable de marcher, hasarda la jeune chatte.

— Et la tanaisie ? reprit la guérisseuse. Tu en as trouvé ?

— Oh, oui !

— Et... où est-elle ? »

La mine de Nuage de Houx se décomposa.

« Nous devions en cueillir sur le chemin du retour, après la chasse, puis Bois de Frêne est venu nous prévenir que le Clan de l'Ombre avait déplacé la frontière, et ensuite Griffe de Ronce nous a ordonné de...

— Ce n'est pas grave. Je suis fière de toi. Tu as combattu avec tes camarades. Mais guette la moindre herbe utile en revenant au camp. Nous aurons des morsures et des griffures à traiter. Je vais examiner les autres. »

Nuage de Houx scruta les sous-bois.

« Vous pensez que des baies de genièvre nous serviront ? demanda-t-elle à ses frères alors qu'ils

242

dépassaient un grand buisson couvert de fruits sombres.

— Prends plutôt les prêles qui poussent juste à côté », lui conseilla Nuage de Geai.

La jeune chatte ferma les yeux.

« Des prêles… contre l'infection », récita-t-elle en se précipitant vers les plantes chétives.

Les égratignures de Nuage de Lion commençaient à le picoter. Fourbu, il avait mal partout. Une fois au camp, il s'approcha du demi-roc et s'effondra au sol. Nuage de Geai s'allongea sur la pierre lisse en laissant pendre sa tête sur le côté, pendant que Nuage de Houx déposait les prêles qu'elle avait traînées jusqu'à la clairière et s'écroulait à son tour.

« Je n'arrive toujours pas à croire qu'on ait affronté de vrais guerriers », souffla-t-elle.

Nuage de Geai semblait contempler le sol avec tristesse.

« Pourquoi tu fais la tête ? s'étonna son frère. Tu t'es battu comme un chef !

— Parce que tu m'as aidé…

— Chaque guerrier a besoin d'aide à un moment où à un autre, le clan est là pour ça ! lui rappela sa sœur.

— Nuage de Houx et moi, on a dû s'y mettre à deux pour repousser un de leurs guerriers.

— Et moi, je n'ai pas pu m'occuper d'un simple apprenti tout seul… Ils ont dit que j'étais inutile. Ils ont peut-être raison, dans le fond. Je me voile la face en croyant que je peux devenir un véritable guerrier.

— Nuage de Houx ! » Feuille de Lune l'appelait depuis l'autre côté du camp, où les blessés léchaient leurs plaies. « Je ne peux pas m'occuper de tout le monde toute seule. »

Nuage de Houx bondit sur ses pattes.

« J'arrive ! Désolée, les gars… »

Elle arracha du bout des dents une feuille de prêle et trotta vers Millie et Plume Grise.

Nuage de Lion aurait voulu remonter le moral de son frère, mais ce dernier devrait livrer seul sa bataille personnelle. Rien ni personne ne pourrait jamais guérir la cécité de Nuage de Geai, pas même le Clan des Étoiles.

Au moins, Nuage de Houx avait apprécié le combat autant que lui. Tout en reposant ses pattes endolories, il l'observait qui mâchait la feuille de prêle et en déposait le jus sur les blessures de Millie. Chaque fois que Millie se crispait, Nuage de Houx sursautait en grimaçant. Elle semblait si mal à l'aise, à cet instant… Ses mouvements gauches tranchaient avec l'aisance gracieuse de ses gestes en plein combat. Alors qu'elle s'était jetée dans la bataille, l'œil brillant à l'idée de relever un tel défi, elle devenait maladroite dès qu'il s'agissait de soigner ses camarades. Une idée étrange vint tourmenter Nuage de Lion. Nuage de Houx voulait-elle vraiment devenir guérisseuse ?

CHAPITRE 16

♣

« Poil d'Écureuil, emmène Flocon de Neige, Nuage de Cendre, Cœur d'Épines et Nuage de Pavot, et rapportez autant de gibier que possible. » Perché sur le demi-roc, Nuage de Geai écoutait les ordres d'Étoile de Feu. « Nos guerriers auront faim, ce soir. »

Épuisé et meurtri par le combat, l'apprenti laissait ses pattes pendre dans le vide. Le contact froid de la pierre soulageait son corps endolori. Il s'occuperait de ses propres blessures plus tard, sa sœur et Feuille de Lune étaient déjà bien assez occupées.

Un parfum de souci suivit Feuille de Lune lorsqu'elle traversa la clairière pour soigner l'entaille de Pelage d'Orage. Quant à Nuage de Houx, elle traitait Millie avec du jus de prêle. Perplexe, Nuage de Geai percevait chez sa sœur davantage de répulsion que d'empathie. Quelque chose la troublait, mais ses propres pensées l'accaparaient tant qu'il était incapable de deviner pourquoi.

Une seule question l'obsédait : aurait-il battu Nuage de Chouette sans l'aide de son frère ? Il voulait le croire, puisqu'il avait réussi à l'immobiliser grâce à son odorat et à son ouïe seuls. Pourtant, un doute lancinant le tourmentait. Les mouvements trop rapides de son adversaire l'avaient décontenancé. Il avait entendu le souffle de Nuage de Chouette sur sa droite, puis celui-ci l'avait attaqué sur sa gauche – le bruit de ses pas sur les feuilles avait été étouffé par les cris des autres guerriers. Nuage de Geai avait bondi inutilement de-ci, de-là, avant de découvrir que Nuage de Chouette l'avait contourné pour le frapper par-derrière.

Il ne deviendrait jamais un guerrier.

Lui qui ne voulait rien de plus au monde, il devait se résoudre à l'évidence : il ne pouvait combattre seul. Une colère noire monta en lui. *Aucun guérisseur de ma connaissance ne reçoit de visions aussi puissantes que les tiennes.* Les paroles de Feuille de Lune lui revinrent en tête. *Je pense que ton destin est de devenir guérisseur.*

« Griffe de Ronce ! » appela Étoile de Feu lorsque son lieutenant revint au camp.

Trop occupé à ruminer, Nuage de Geai n'avait même pas remarqué que son père était de retour.

« Nous avons marqué tous les arbres pour dissimuler la puanteur du Clan de l'Ombre », rapporta le matou tacheté.

Quelque chose le préoccupait : Nuage de Geai percevait une pointe d'hésitation dans sa voix.

« Avant la bataille, Bois de Chêne nous a affirmé que le Clan de l'Ombre avait le droit d'annexer notre territoire car le Clan du Tonnerre a trop de membres qui... » Le lieutenant, gêné, marqua une pause avant de poursuivre : « ... ne sont pas nés dans un clan.

— Alors le Clan de l'Ombre pense toujours qu'un chat doit être né dans un clan pour devenir guerrier, feula Étoile de Feu.

— Je lui ai répondu que tous les membres du Clan du Tonnerre étaient de véritables guerriers.

— Tu as bien fait. » Étoile de Feu éleva la voix pour que tous les félins présents dans la clairière l'entendent. « Tous les membres du Clan du Tonnerre méritent leur place parmi nous !

— Il y a pourtant un fond de vérité dans les paroles de Bois de Chêne, rétorqua Pelage de Poussière, inquiet. En accueillant autant de réfugiés, nous prêtons le flanc aux critiques.

— Pourquoi nous préoccuper de l'opinion des autres ? s'insurgea Pelage d'Orage en bondissant sur ses pattes. J'ai grandi au sein du Clan de la Rivière, pourtant est-ce que quelqu'un doute de ma loyauté envers le Clan du Tonnerre ?

— Ton père est l'un des nôtres, lui rappela Pelage de Poussière. Tu descends pour moitié du Clan du Tonnerre.

— Et ceux dont ce n'est pas le cas ? protesta Nuage de Noisette, sa douce fourrure gris et blanc hérissée. Je suis née sur le territoire des chevaux, comme Nuage de Sureau et Nuage de Mulot. Est-ce que quelqu'un pense que nous ne sommes pas dignes de devenir des guerriers ?

— Bien sûr que non ! s'emporta Plume Grise. L'appartenance au clan n'est pas qu'une question de sang. Je suis un pur guerrier du Clan du Tonnerre, et pourtant, sur ce territoire, c'est moi l'étranger. Il y a deux lunes, Millie était encore une chatte domestique et aujourd'hui, elle s'est battue aussi férocement qu'Étoile de Feu... tout comme Source ! »

Son regard glissa vers la chasse-proie, qui le remercia d'un battement de cils.

« La loyauté ne se juge pas à notre origine, mais à l'aune de nos actes ! » renchérit Poil de Châtaigne.

Nuage de Geai releva la tête, étonné de sentir des vagues de doute émaner de sa sœur.

« Pourtant, le code du guerrier nous enseigne que nous devons chasser les étrangers de notre territoire, miaula-t-elle d'une petite voix.

— Nous avons accueilli tous ceux qui en ont formulé la demande, expliqua Étoile de Feu. Le code du guerrier nous condamne-t-il pour notre clémence ?

— N-non...

— Et ces nouvelles recrues ont contribué à nous renforcer ! » poursuivit le chef.

Des miaulements convaincus retentirent dans l'assistance.

« Cependant, reprit-il, Griffe de Ronce a eu raison de me rapporter les propos du Clan de l'Ombre.

— Quand avons-nous déjà laissé les autres clans nous dicter notre conduite ? ajouta Plume Grise.

— Jamais ! À la prochaine Assemblée, je leur ferai comprendre que le Clan du Tonnerre n'a de leçon à recevoir de personne. Nous défendrons nos frontières comme nous l'avons toujours fait et ne laisserons personne nous reprocher nos décisions. »

Les autres apprentis dormaient. Nuage de Geai, lui, ne trouvait pas le sommeil. Les paroles de Feuille de Lune ne cessaient de le hanter. Il avait beau essayer de se convaincre qu'il pourrait apprendre à se battre, il y croyait de moins en moins.

De guerre lasse, il décida de se rendre à la Source de Lune, espérant y obtenir des réponses. Sans bruit, il se glissa hors de la tanière. Un vent glacial agitait les branches nues des arbres au sommet de la combe. Il lui faudrait donc marcher discrètement, car le moindre bruit porterait loin.

Poil de Fougère gardait l'entrée du camp ; Nuage de Geai reconnut son odeur. Si le guerrier l'empêchait de sortir, il trouverait un autre moyen de gagner la forêt.

« Tu es encore debout ?

— Je n'arrive pas à dormir.

— Cela arrive souvent, après une bataille.

— Je vais faire un tour dans les bois. »

Nuage de Geai s'attendait à une objection, mais le matou ne broncha pas.

« Veux-tu que je t'accompagne ? Source ne m'en voudra pas de l'appeler un peu plus tôt que prévu pour me remplacer.

— Non, merci.

— Tu as besoin d'être seul, je comprends. »

Nuage de Geai acquiesça, et Poil de Fougère poursuivit :

« Tout est calme, ce soir. Je garderai l'oreille tendue, au cas où tu aurais besoin d'aide.

— Merci, Poil de Fougère. »

Nuage de Geai fut soulagé de trouver au moins un camarade qui ne le traitait pas comme un chaton sans défense.

« Je reviens bientôt », lança-t-il en s'engageant dans la montée couverte de feuilles gelées.

Il se sentit aussitôt plus léger. Toutes les émotions de ses camarades qui l'oppressaient habituellement, tel un nuage de moustiques tourbillonnant autour de ses oreilles, avaient disparu. Il suivit le chemin qu'il avait emprunté avec Feuille de Lune vers le territoire du Clan du Vent. Il s'en souvenait parfaitement, comme si l'itinéraire était gravé dans ses pattes.

Son ouïe était si fine qu'il entendit le gazouillis du torrent avant que la terre devienne rocailleuse sous ses coussinets. La truffe frémissante, il guetta le moindre signe de danger, mais ne flaira rien que l'air frais descendu des montagnes. Il suivit le cours d'eau jusqu'aux rochers, qu'il escalada pour gagner les taillis ceignant la Source de Lune. Les voix murmurantes, les pas silencieux des guerriers de jadis l'entourèrent de nouveau. Leur présence le rassurait, comme s'ils étaient venus l'accueillir.

Nuage de Geai marqua une halte en haut du sentier tortueux. Malgré sa cécité, il s'imaginait parfaitement les parois rocheuses de la cuvette ainsi que le bassin où la lune se reflétait. Les murmures s'intensifièrent au point de devenir un bourdonnement amplifié par l'écho. Tout en descendant vers la Source de Lune, le novice tendit l'oreille pour tenter de comprendre ces chuchotis.

« Sois le bienvenu, Nuage de Geai.

— Viens à nous. »

Une multitude d'odeurs envahit ses sens – parfums de guerriers qu'il n'avait pas connus et qui lui semblaient pourtant familiers.

250

« Viens rêver avec nous, Nuage de Geai. »

Un pelage le frôla, puis un autre, comme pour le guider jusqu'à la source. Une bribe de souvenir remonta à la surface de sa conscience, venue de ce long voyage entrepris dans la neige, au cours duquel la voix de sa mère l'avait réconforté et deux autres petits corps chauds l'avaient encouragé à poursuivre.

Arrivé au bord du bassin, il se coucha sur les pierres. Il ferma les yeux et goûta l'eau aux saveurs d'étoiles.

Lorsqu'il rouvrit les paupières, il se trouvait dans des bois touffus. Les branches des arbres se dressaient vers le ciel bleu. Des fougères déroulaient leurs frondes tout autour de lui. L'air chaud, qui lui portait les fumets du gibier venus des bois, caressait sa fourrure. Tout le paysage semblait célébrer la vie végétale.

« Étoile Bleue ? appela-t-il. Cœur de Lion ? Museau Cendré ? »

Après tout, même si Feuille de Lune n'avait jamais réussi à contacter son mentor, peut-être que lui y parviendrait.

Nulle réponse ne vint.

Frustré, il se leva pour s'engager dans les sous-bois. Pourquoi toutes ces voix qui l'avaient accueilli près de la source le laissaient-elles seul ici ? Il leur en voulait un peu. Pourquoi le Clan des Étoiles compliquait-il toujours tout ?

Au moins, ici, il avait chaud et se sentait en sécurité. Et il *voyait*. Il se mit à courir, si vite que ses pattes effleuraient à peine le sol et qu'il crut voler. Il fila sous les fougères, le cœur léger.

Soudain, un grand vide sembla s'ouvrir devant lui. Nulle odeur, nul bruit ne lui parvenait de cette partie de la forêt.

Sa fourrure se hérissa. Sur le qui-vive, il ralentit. À travers le feuillage, il distinguait un mur de brouillard qui lui barrait la route. Il s'approcha tout de même et, tandis que la brume s'enroulait autour de ses pattes, il remarqua que les taillis s'éclaircissaient. Les arbres étaient raides et dépourvus de vie ; leurs branches paraissaient trop hautes pour qu'un chat puisse y grimper.

« Nuage de Geai ? »

Sur ses gardes, il scruta la forêt brumeuse. Peu à peu, il distingua une silhouette qui lui semblait familière. Sa carrure massive et son large museau lui rappelèrent son père, Griffe de Ronce.

« Nuage de Geai ! » lança de nouveau le félin.

Une deuxième forme apparut dans l'ombre et se plaça près de la première, à qui elle ressemblait beaucoup.

« Oui ? » fit l'apprenti d'une voix ténue.

Les deux matous s'approchèrent. Leur pelage tacheté était aussi sombre que les ombres projetées par les arbres.

« Bienvenue. N'aie crainte. Nous sommes parents, miaula le premier, le plus imposant. Je suis Étoile du Tigre, le père de ton père, et voici Plume de Faucon, son frère. »

Nuage de Geai contempla les deux guerriers avec stupéfaction. Il avait entendu dans la pouponnière les terribles récits de leurs actes odieux. Que faisaient-ils ici, tous les deux, et que lui voulaient-ils ?

« Il est bon de pouvoir enfin te rencontrer, poursuivit Étoile du Tigre, l'œil brillant.

— Griffe de Ronce a de la chance d'avoir eu trois chatons tels que vous, ajouta Plume de Faucon.

— Nous t'avons observé, tout à l'heure, pendant la bataille, ronronna Étoile du Tigre. Je me félicite que tu aies hérité des talents de ton père.

— Et des tiens, Étoile du Tigre », ajouta Plume de Faucon.

Nuage de Geai plissa les yeux, méfiant. Pourquoi le complimentaient-ils alors qu'ils se doutaient probablement qu'il ne se battait pas aussi bien qu'il l'aurait souhaité ?

Comme s'il lisait dans ses pensées, Étoile du Tigre continua d'une voix mielleuse :

« Nous pouvons t'aider à devenir plus fort, si tu le souhaites. »

Nuage de Geai scruta le regard du matou, à la recherche de ses motivations réelles. À sa grande surprise, il ne détecta que des ténèbres brumeuses là où il aurait dû trouver des émotions et des pensées. Il se dandina d'une patte sur l'autre, mal à l'aise.

« Je... je ne suis pas certain de vouloir devenir guerrier, confessa-t-il.

— Comment un de mes descendants peut-il prétendre une chose pareille ? renifla Étoile du Tigre. Je dois déjà supporter de voir Papillon gaspiller ses talents en jouant les guérisseuses ! » Ses moustaches frémirent un instant. « Au moins, Nuage de Houx commence enfin à comprendre que sa destinée n'est pas de se coltiner les faibles et les malades.

« — Nuage de Houx ? » répéta l'apprenti.

Que savait-il de la destinée de sa sœur ?

« Et si tu nous laissais t'enseigner quelques mouvements offensifs ? insista Plume de Faucon. Tu verras à quel point il t'est facile de les reproduire et tu comprendras que tu es né pour mener tes camarades au combat, non pour perdre ton temps au camp avec des herbes et des emplâtres. »

Nuage de Geai agita la queue. Cœur Blanc ne lui avait proposé aucun entraînement martial, pensant sans doute que ce serait une perte de temps. Pourtant, si elle lui avait inculqué les bases du combat, il se serait peut-être mieux débrouillé contre son adversaire du Clan de l'Ombre. Ces deux-là pourraient peut-être vraiment l'aider.

Les fougères frémirent derrière lui. Il tourna la tête.

« Qui est là ? lança Étoile du Tigre.

— Je suis venue chercher Nuage de Geai pour le ramener à sa place. »

Nuage de Geai reconnut aussi ce miaulement. Une jolie chatte écaille sortit de la brume.

« Petite Feuille ! »

L'ancienne guérisseuse hocha la tête sans quitter des yeux un instant Étoile du Tigre et Plume de Faucon.

« Tu la connais ? demanda Étoile du Tigre à Nuage de Geai.

— Oui, elle m'est venue en aide lorsque je suis tombé dans la combe.

— Tu n'aurais pas dû t'aventurer si loin, Nuage de Geai, le mit en garde Petite Feuille.

— Toi non plus, rétorqua Étoile du Tigre en la toisant durement. Comment as-tu réussi à franchir la frontière ?

— Je suis venue avec la permission du Clan des Étoiles, répondit-elle en soutenant sans fléchir son regard, comme pour le défier.

— Nuage de Geai a-t-il lui aussi reçu leur permission ? » s'enquit-il, la tête penchée sur le côté.

La chatte ne répondit pas. Elle posa enfin les yeux sur Nuage de Geai.

« Viens avec moi, lui ordonna-t-elle.

— Et Étoile du Tigre et Plume de Faucon ? Est-ce qu'ils peuvent venir aussi ?

— Non. Ils ont choisi de suivre leur propre voie. »

Elle fit demi-tour et attendit qu'il la rejoigne.

Nuage de Geai hésita. Étoile du Tigre et Plume de Faucon venaient de lui promettre tout ce dont il avait toujours rêvé.

« Nuage de Geai ! » le rappela Petite Feuille d'un ton plus impérieux.

Il devait choisir entre la chatte qu'il connaissait – et à qui il faisait instinctivement confiance – et les deux matous à la réputation sanguinaire. Il se tourna pour suivre Petite Feuille.

Tandis qu'elle l'entraînait dans la brume, il jeta un ultime coup d'œil derrière lui. Le regard d'Étoile du Tigre, brûlant comme la braise, ne le quittait pas.

Quand Petite Feuille se mit à courir, il cavala après elle. Peu à peu, les arbres autour de lui retrouvèrent leur feuillage, leurs branches pendaient de nouveau pour frôler les taillis. La pointe des frondes des fougères lui caressèrent l'échine et, de nouveau, il éprouva un sentiment de liberté et de sécurité infinies.

Petite Feuille s'arrêta enfin.

« Tu ne dois plus jamais retourner là-bas, décréta-t-elle.

— Pourquoi ?

— Dis-moi, pourquoi es-tu venu consulter le Clan des Étoiles ? »

La rancœur noua le ventre du novice. Si elle refusait de répondre à ses questions, il ne répondrait pas aux siennes.

« Parce que je le pouvais, rétorqua-t-il avec humeur.

— Tu es venu pour découvrir quelle est ta destinée, n'est-ce pas ?

— Comment le sais-tu ?

— Comment as-tu trouvé le chemin de la Source de Lune alors que tu es aveugle ?

— Tu comptes répondre à toutes mes questions par d'autres questions ?

— Excuse-moi, soupira-t-elle. Mais je ne peux pas t'en révéler plus que ce que tu es prêt à entendre.

— Je suis prêt à tout entendre ! s'emporta-t-il. Pourquoi le Clan des Étoiles fait-il tant de difficultés pour me fournir des réponses ?

— Parce qu'il a peur pour toi », avoua-t-elle, la mine sombre.

Nuage de Geai renifla. Le Clan des Étoiles lui-même le traitait comme un chaton sans défense !

« Étoile du Tigre et Plume de Faucon ne semblent pas s'inquiéter pour moi, répliqua-t-il. Ils pensent que mon destin est de devenir un guerrier !

— Et tu leur fais confiance ? »

Nuage de Geai se remémora la brume impénérable qui avait voilé les intentions véritables des deux guerriers.

« Non, je ne crois pas…

— Et moi, tu me fais confiance ?

— Oui. »

Il percevait un autre sentiment en elle, une tendresse mêlée de peine. En se concentrant de toutes ses forces, il remonta le long de cette émotion comme s'il s'agissait d'un torrent étincelant et trouva… un félin au pelage couleur de flamme, aux yeux verts voilés par la tristesse… Étoile de Feu ! Cette ancienne guérisseuse, membre du Clan des Étoiles, était amoureuse d'Étoile de Feu ! Comment était-ce possible ? Petite Feuille était morte depuis longtemps, et Étoile de Feu avait une autre compagne. Nuage de Geai creusa plus profond encore. Il y avait autre chose, il le sentait, une vérité dissimulée au cœur de l'ombre, qu'il ne pouvait identifier…

« Tu possèdes un don remarquable », miaula-t-elle. Elle semblait songeuse, comme si elle avait perçu son intrusion dans son esprit. « Tu peux voir ce qu'aucun autre chat ne peut voir. Tu peux aller là où même le Clan des Étoiles ne peut se rendre. Tu dois utiliser ton don pour le bien de ton clan.

— Comment ?

— Tu dois devenir guérisseur. »

Non !

Plus que jamais, il voulait croire Étoile du Tigre et Plume de Faucon.

« Je veux devenir guerrier !

— Mais tu as un don !

— Quel don ? Voir dans mes rêves ? Les autres guerriers voient tout le temps !

— Ils ne voient pas ce que toi, tu vois. Et ne peuvent aller où toi, tu t'aventures.

— Je peux rendre visite au Clan des Étoiles : tu parles d'un exploit !

— *C'est* un exploit ! cracha-t-elle.

— Et qu'est-ce que j'y gagne ? Le reste du clan pense que je suis inutile.

— Ils ne connaissent pas ton pouvoir.

— Mon pouvoir ? »

Petite Feuille tremblait, à présent.

« Nuage de Geai, tu as tant de pouvoir que tu peux façonner le destin de ton clan tout entier.

— Mais moi, je veux être un guerrier !

— Accepte ta destinée !

— Ce n'est pas juste !

— Je sais. »

La voix de la guérisseuse se radoucit tout à coup. Pour le faire taire, elle lui caressa le museau du bout de la queue et il sentit aussitôt une terrible fatigue lui alourdir les pattes et l'entraîner inexorablement vers le sommeil.

« Ton don n'est pas un fardeau, souffla-t-elle. Tu dois te montrer courageux, car tu as plus de pouvoir que la plus acérée des griffes… »

Nuage de Geai tenta de lutter contre la torpeur. Il avait encore des questions à poser.

« Non… » gémit-il lorsque ses pattes se dérobèrent sous lui.

Il rouvrit les yeux. Le monde lui apparaissait de nouveau noir et son corps transi était perclus de douleurs. Doucement, il se releva et s'étira près de la source. L'image du terrain de chasse du Clan des Étoiles était encore vive dans son esprit lorsqu'il prit le chemin du retour.

Plus de pouvoir que la plus acérée des griffes…

Lorsqu'il atteignit le sommet du sentier tortueux, il jeta un regard en arrière.

La petite combe était baignée par la lumière des étoiles – il le savait aussi sûrement que s'il la voyait vraiment. La Source de Lune étincelait, et chaque rocher, chaque pierre brillait comme du cristal. Les murmures qui l'avaient suivi jusqu'en bas à son arrivée reprirent de plus belle et l'encerclèrent comme un vent incessant.

Accepte ta destinée, Nuage de Geai.

À cet instant, il comprit que, où qu'il aille, quoi qu'il fasse, il n'échapperait pas à la vérité qu'il avait toujours refusé d'accepter.

CHAPITRE 17

Nuage de Houx se réveilla bien avant l'aube. Le givre sur les parois de la tanière de Feuille de Lune scintillait. Après avoir passé la nuit à se tourner dans tous les sens, elle savait qu'elle ne retrouverait pas le sommeil. Elle était obsédée par la bataille contre le Clan de l'Ombre, si palpitante, et par l'horreur qu'elle avait ressentie ensuite en pansant les nombreux blessés. Elle ne supportait pas de devoir infliger d'autres souffrances à ses camarades pour les soigner.

Elle s'étira puis sortit de son nid. Si elle avait mal partout, ses bleus et ses égratignures n'avaient été qu'un maigre tribut à payer pour voir les guerriers du Clan de l'Ombre détaler vers leur territoire comme des rats apeurés. Elle jeta un coup d'œil à Feuille de Lune, qui dormait toujours. Le souffle de la guérisseuse sortait de ses narines en panaches blancs. L'apprentie se glissa hors de la tanière en prenant soin de ne pas la déranger. Les ronces à l'entrée, raidies par le gel, frémirent sur son passage.

La clairière était déserte. La forêt elle-même semblait silencieuse comme si le froid avait pétrifié

261

la moindre feuille. Derrière les branches déployées au-dessus de la combe, blanchies par le givre, le ciel commençait à rosir. La novice jeta un regard plein d'espoir vers la réserve de gibier… qui était vide. Le froid soudain avait chassé la plupart des proies au fond de leurs terriers, et les félins devraient attendre que la faim les en fasse ressortir. L'apprentie se dit qu'elle trouverait peut-être quelque chose en dehors du camp. Fleur de Bruyère et ses petits auraient besoin de manger au lever du soleil. Elle traversa la clairière et s'engagea dans le tunnel de ronces.

Source, dont le pelage scintillait de givre, faisait les cent pas devant l'entrée. Elle tourna vivement la tête à l'approche de la jeune chatte.

« Tu es réveillée de bonne heure.

— Je n'arrivais pas à dormir, bâilla la novice. La patrouille de l'aube est déjà partie ?

— Non, pas encore.

— J'ai envie d'aller chasser pour Fleur de Bruyère. »

Source la regarda d'un air perplexe.

« C'est gentil de ta part, mais Feuille de Lune aura besoin de toi, ce matin, non ? »

Nuage de Houx soupira.

« Tu es bien jeune pour soupirer ainsi, miaula la chasse-proie, dont le regard gris s'était adouci.

— Feuille de Lune se débrouillerait sans doute mieux sans moi, marmonna l'apprentie.

— Certainement pas. Sans ton aide, elle n'aurait pas pu traiter tous les blessés, hier. »

— Tu parles… Elle a presque tout fait toute seule. Après la bataille, j'étais tellement excitée que j'ai complètement oublié mon devoir d'apprentie guérisseuse. Et quand j'ai essayé de l'aider, j'ai dû me retenir de vomir. J'ai forcé mes camarades à avaler des feuilles puantes. Et les cataplasmes semblaient ne faire qu'aggraver les blessures. Je n'avais pas du tout l'impression de les soulager. » Elle s'assit, accablée. « Je pensais que devenir guérisseuse était la meilleure façon de servir mon clan. Voilà pourquoi j'ai demandé à Feuille de Lune de devenir son apprentie. Elle est tellement importante pour nous tous.

— Tu veux devenir quelqu'un d'important, c'est ça ? »

Nuage de Houx réfléchit un instant. C'était un peu plus compliqué que cela.

« Tout le monde respecte Feuille de Lune et écoute son avis.

— Crois-tu que, pour servir le clan, il faut nécessairement "être respectée et écoutée" ? »

Nuage de Houx leva les yeux vers la chatte des montagnes. Le regard de Source ne reflétait que de la sympathie.

« Non, j'imagine… J'en étais pourtant persuadée.

— Et à présent, tu as changé d'avis ?

— Je pense surtout que, en tant que guérisseuse, je ne serai d'aucune utilité. Je n'arrive pas à mémoriser les noms des plantes. Je suis bien plus emballée à l'idée de vaincre le Clan de l'Ombre que de vaincre des maladies. Et dans la forêt, je préfère chasser des souris que de la bourrache ou de la tanaisie. » La frustration lui nouait le ventre. « Tout est allé de travers ! Personne ne me respectera jamais, maintenant ! »

263

Source fit glisser le bout de sa queue sur le dos de Nuage de Houx.

« Les guerriers gagnent le respect de leurs camarades en se montrant loyaux et courageux, et non parce qu'ils ont un rôle important au sein du clan, miaula-t-elle. Lorsque tu as combattu à son côté, hier, pensais-tu que Plume Grise était moins important que Griffe de Ronce ? Ou Nuage de Lion que Feuille de Lune, lorsqu'il t'a aidée à repousser le guerrier du Clan de l'Ombre ? »

Nuage de Houx fit non de la tête.

« À ton âge, prendre une décision de cet acabit est très difficile. Au sein de la Tribu de l'Eau Vive, je n'ai jamais eu un tel choix à faire. Toutes les tâches sont divisées entre la chasse et la garde. Les chasse-proies, comme moi, sont minces et agiles, et les garde-cavernes forts et massifs. Dès la naissance, on attribue à chacun la tâche qu'il sera le mieux à même d'accomplir.

— Vous n'avez pas du tout votre mot à dire ? s'offusqua l'apprentie.

— Il n'est pas impossible pour un chasse-proie de devenir garde-caverne et inversement. Mais notre organisation permet à chaque membre de la Tribu de mettre à profit ses qualités innées.

— Moi, je n'ai aucun don pour retenir le nom des plantes, soupira Nuage de Houx.

— Pense à tes qualités, et non à tes faiblesses, l'encouragea Source. En tant que chatte née dans un clan, tu es libre de façonner ton propre destin, chance qu'un chat de la Tribu ne connaîtra jamais. Sers-toi de cette liberté avec discernement. »

Nuage de Houx repensa à son entraînement avec Nuage de Cendre. Chaque mouvement lui était venu naturellement. Même Flocon de Neige l'avait complimentée. Ensuite, au cours de la bataille, elle avait su d'instinct comment faucher le guerrier du Clan de l'Ombre.

« Je sais me battre, miaula-t-elle en sortant les griffes.

— Tu as toutes les qualités d'une guerrière, c'est vrai, reconnut Source. Quel meilleur moyen de servir ton clan que de t'entraîner pour devenir la meilleure combattante possible ? »

Pour la première fois depuis des jours, Nuage de Houx se sentit le cœur léger.

« Tu devras évidemment en informer Feuille de Lune. »

La novice déchanta un peu.

« Bien sûr, soupira-t-elle, tête basse. Elle va croire que je la laisse tomber.

— Feuille de Lune est suffisamment sage pour approuver ta décision. Elle te trouvera très courageuse de changer de voie dès à présent, plutôt que de persister dans l'erreur par fierté ou entêtement.

— Vraiment ?

— Tu feras ce qui est le mieux pour ton clan. Feuille de Lune le comprendra. »

Des bruits de pas dans la barrière d'épines l'avertirent que la patrouille de l'aube se préparait à partir. Nuage de Houx lança un regard plein de gratitude à Source.

« Merci beaucoup. »

Source lui répondit par un hochement de tête puis se tourna pour surveiller la forêt. Nuage de

Houx s'écarta juste à temps pour éviter de se faire renverser par Plume Grise, Tempête de Sable et Nuage de Miel qui fonçaient droit devant eux. Elle savait ce qu'il lui restait à faire. Elle deviendrait une apprentie tout court, comme Nuage de Lion et Nuage de Geai, et travaillerait dur pour servir son clan en tant que guerrière.

Avant tout, elle devait avertir Feuille de Lune. La tête haute, elle s'en fut vers la tanière de la guérisseuse.

À l'intérieur, la chatte tigrée étalait du miel sur une feuille.

« Espérons que ce froid ne durera pas, marmonna-t-elle. Longue Plume et Petit Givre toussent tous les deux. »

Nuage de Houx eut tout à coup l'impression qu'une épine se plantait en travers de sa gorge. Elle se détournait de la voie qu'elle avait choisie parce qu'elle n'était pas assez douée. Devait-elle renoncer si vite ?

« Qu'est-ce qui ne va pas, Nuage de Houx ? s'inquiéta Feuille de Lune en levant la tête. À te voir, on croirait que tu viens de renverser nos réserves de graines de pavot ! » Puis elle prit un air grave et ajouta : « Rassure-moi, ce n'est pas le cas, n'est-ce pas ?

— Non. J'ai quelque chose de très important à te dire. » Elle se força à regarder son mentor dans les yeux. « Je ne peux plus être apprentie guérisseuse.

— Ah bon ? Et pourquoi ?

— Je dois décider de mon avenir en misant sur mes qualités. Et je ne suis pas douée du tout pour être guérisseuse.

— Tu es intelligente et travailleuse. Tu peux apprendre.

— J'ai le sentiment que ce n'est pas fait pour moi, essaya d'expliquer la novice.

— Si je comprends bien, tu veux devenir guerrière ?

— Oui, je pense que ce sera mieux pour le clan. »

Un voile de tristesse embruma le regard de la guérisseuse.

« J'ai l'impression de ne pas avoir été à la hauteur.

— Non ! protesta Nuage de Houx, qui se sentait coupable à présent. Tu as fait preuve de patience et de gentillesse. Mais ce rôle n'est pas fait pour moi.

— Tu aurais pu devenir une bonne guérisseuse, soupira Feuille de Lune. Cela ne te suffirait pas, n'est-ce pas ? Tu tiens à être la meilleure dans tout ce que tu entreprends.

— Je me dois de l'être, pour le bien de mon clan. »

Feuille de Lune vint frotter son museau contre la joue de son apprentie.

« Tu deviendras une combattante redoutable, ronronna-t-elle. Tu as l'esprit d'une vraie guerrière : je t'ai vue agir avec noblesse, bravoure et courage. Et aujourd'hui, je te vois sacrifier tes ambitions pour le bien de ton clan, ajouta-t-elle, l'œil brillant. Je ne pourrais être plus fière de toi. »

Ces paroles agirent tel un baume sur le cœur à vif de la jeune chatte.

« Je dois aller prévenir Étoile de Feu, pour qu'il ne trouve un nouveau mentor.

— Je vais t'accompagner, si tu le souhaites.

— Je veux bien, merci. »

L'idée d'affronter seule Étoile de Feu lui donnait des frissons. Et s'il lui reprochait son inconstance ?

Elles traversèrent ensemble la clairière couverte de gel. En haut de l'éboulis, Nuage de Houx s'annonça en poussant un miaulement nerveux.

« Entre. »

La novice avança dans la caverne où filtrait la lumière de l'aube. Tempête de Sable était en train de nettoyer les oreilles d'Étoile de Feu. Elle s'interrompit à l'arrivée des deux chattes.

Le meneur s'assit aussitôt.

« Comment va la gorge de Longue Plume ? s'enquit-il.

— Ce n'est pas le mal blanc, le rassura la guérisseuse. D'après Poil de Souris, il ronfle si fort qu'il s'est irrité les muqueuses.

— Qu'y a-t-il, Nuage de Houx ? demanda ensuite le chef à l'apprentie. Tu sembles préoccupée.

— Je veux devenir apprentie guerrière, annonça-t-elle sans détour. Je suis une trop piètre guérisseuse.

— Et crois-tu que tu ferais une meilleure guerrière ?

— J'en suis certaine !

— Qu'en penses-tu, Feuille de Lune ?

— C'est là son plus grand désir, confirma la guérisseuse en caressant du bout de sa queue le flanc de la jeune chatte. Elle a travaillé dur, et la former a été pour moi un plaisir, mais son instinct lui souffle que sa place est ailleurs. Je lui fais confiance.

— Je me souviendrai de tout ce que Feuille de Lune m'a enseigné, promit Nuage de Houx. Cela nous servira peut-être un jour.

— Très bien, déclara le meneur. Puisque notre guérisseuse est d'accord, tu peux t'entraîner pour devenir guerrière. Je vais me dépêcher de te choisir un mentor. »

Comme il n'ajoutait rien, Nuage de Houx fit mine de partir.

« Il t'a fallu beaucoup de courage pour prendre une telle décision, lui lança Étoile de Feu. Je suis très fier de toi.

— Merci », murmura-t-elle, avant de se retirer.

En quelques bonds, elle regagna la clairière le cœur léger, comme si on venait de la débarrasser d'un lourd fardeau. Elle se rappela soudain qu'elle comptait partir à la chasse. Elle jeta un coup d'œil vers la tanière des apprentis en se demandant si Nuage de Lion accepterait de l'accompagner. Au même instant, Nuage de Geai émergea du tunnel de ronces. Source le suivit peu après, visiblement soulagée d'avoir fini son tour de garde.

À voir la démarche chancelante de son frère, la novice devina qu'il avait passé la nuit dehors. Elle se précipita vers lui, tandis que Source se dirigeait vers le gîte des guerriers pour prendre un repos bien mérité.

« Tu sembles épuisé ! miaula-t-elle. Où étais-tu ? »

Les yeux de l'apprenti étaient vitreux, et sa fourrure ébouriffée.

« Je t'expliquerai plus tard. Je dois d'abord m'entretenir avec Étoile de Feu.

« — Tu devrais aller dormir un peu avant, lui conseilla-t-elle. Sans compter qu'il est avec Feuille de Lune.

— Tant mieux. Je dois lui parler, à elle aussi. »

Que lui arrivait-il ? Avait-il vu quelque chose dans la forêt ?

Nuage de Geai trébucha lorsqu'il s'engagea dans l'éboulis.

« Laisse-moi t'aider, lui souffla sa sœur. Tu es trop fatigué pour y parvenir tout seul. »

Pour une fois, il ne protesta pas. Ce qui inquiéta Nuage de Houx plus encore. Pourtant, elle n'osa pas l'interroger tant il semblait déterminé. Elle se glissa tout contre le flanc de son frère et le guida jusqu'à la caverne.

Sur la Corniche, Nuage de Houx s'annonça une nouvelle fois.

« Déjà de retour ? » lança Étoile de Feu depuis l'intérieur.

Il paraissait surpris de voir que Nuage de Geai l'accompagnait. Le novice le fixait de son regard aveugle, si intensément qu'il semblait le contempler pour de bon.

« Je dois devenir guérisseur », annonça-t-il.

CHAPITRE 18

NUAGE DE HOUX DÉVISAGEA SON FRÈRE, muette de stupéfaction. Nuage de Geai avait toujours affirmé qu'il voulait devenir un guerrier, depuis qu'il avait été en âge de bondir sur des plaques de mousse.

Étoile de Feu se tourna vers elle.

« Tu étais au courant ? lui demanda-t-il.

— Non ! » s'écria-t-elle, indignée qu'il les soupçonnât de s'être mis d'accord.

Nuage de Geai tourna la tête vers sa sœur, ses yeux bleus écarquillés.

« Je suis désolé, Nuage de Houx.

— Ce n'est rien, le rassura Feuille de Lune en venant effleurer ses oreilles du bout de son museau. Nuage de Houx vient justement d'avertir Étoile de Feu qu'elle avait changé d'avis et voulait devenir apprentie guerrière.

— Vraiment ?

— Oui », confirma sa sœur.

Ce serait une solution parfaite ! se dit la novice, pleine d'espoir. Après tout, Nuage de Geai avait toujours su reconnaître les herbes mieux qu'elle. Mais Étoile de Feu accepterait-il qu'il en soit ainsi ?

Le meneur s'adressa à Feuille de Lune :

« Serais-tu déjà prête à prendre un nouvel apprenti ? »

La guérisseuse s'assit, la queue enroulée autour des pattes.

« Je serais honorée d'être le mentor de Nuage de Geai. Ce serait une bénédiction pour nous tous s'il devenait un jour le guérisseur du clan. »

Nuage de Houx dévisagea son ancien mentor. *Pourquoi semble-t-elle nous dissimuler quelque chose ?* se demanda-t-elle.

« Qu'en est-il de sa cécité ? » s'enquit Étoile de Feu.

Les poils de Nuage de Houx se dressèrent sur sa nuque. Nuage de Geai ne le laisserait jamais poser une question pareille sans réagir.

« Il connaît les plantes bien mieux que moi, miaula-t-elle d'un ton hésitant.

— Son odorat est prodigieux, renchérit Feuille de Lune. Par son seul flair, il est capable de distinguer une blessure infectée d'une blessure propre, même à une longueur de queue de lui. »

Nuage de Houx fut surprise lorsque son frère, au lieu de s'emporter, se contenta de murmurer :

« Je ferai de mon mieux. Feuille de Lune se rendra vite compte si je peux y arriver ou pas.

— Très bien, conclut Étoile de Feu, un peu étonné. Feuille de Lune sera donc ton nouveau mentor. »

Nuage de Geai s'inclina.

« Cependant, nous devons d'abord avertir Cœur Blanc.

— Elle en sera peinée », miaula Nuage de Geai.

Nuage de Houx devina que, même s'il ne s'était jamais très bien entendu avec la borgne, il ne voulait pas la froisser pour autant.

« Elle pourrait peut-être devenir mon mentor ? suggéra la petite chatte noire.

— Non, répondit le chef. Si elle possédait les qualités idéales pour entraîner Nuage de Geai, elle ne te conviendrait pas. Ne t'inquiète pas, je lui trouverai bientôt un autre apprenti.

— Et si elle ne comprenait pas ma décision ? s'inquiéta le novice.

— À toi de lui faire entendre tes motivations. En tant que meneur, je peux dicter aux membres du clan ce qu'ils doivent faire, non ce qu'ils doivent ressentir.

— Je lui expliquerai que tout cela n'a rien à voir avec elle, promit-il. Que telle est ma voie. »

Son ton était bizarrement égal, comme si son revirement n'était pas son choix, mais quelque chose qu'on lui avait imposé.

Feuille de Lune jeta un coup d'œil à Étoile de Feu et Tempête de Sable – un regard lourd de sens qui fit comprendre à la novice qu'ils voulaient parler seuls.

« Voulez-vous que j'aille chercher Cœur Blanc ? proposa-t-elle.

— Oui, s'il te plaît, lui répondit le meneur.

— Elle est dans la tanière des guerriers », lui apprit son frère.

Les moustaches de la jeune chatte frémirent. Comme il était étrange que Nuage de Geai sache toujours où se trouvaient ses camarades ! Elle dévala l'éboulis vers le buisson d'aubépine et glissa la tête à l'intérieur pour appeler Cœur Blanc.

La guerrière faisait sa toilette sur sa litière.

« Étoile de Feu aimerait te parler dans son repaire », lui annonça-t-elle.

Cœur Blanc s'immobilisa, la langue à demi sortie, et la dévisagea un instant.

Ne souhaitant pas être interrogée, Nuage de Houx se hâta de s'éclipser et se glissa dans le gîte des apprentis. L'occasion lui semblait idéale pour visiter sa nouvelle tanière. Tous les nids étaient vides. Elle prendrait sans doute celui de son frère. Grâce à son flair, elle le retrouva sans peine, puis parcourut la tanière du regard, heureuse à l'idée de dormir parmi ses camarades. Après six lunes passées dans la pouponnière, son nid dans la tanière de Feuille de Lune lui avait semblé froid et solitaire. Elle regretta qu'il n'y ait aucun autre apprenti pour lui souhaiter la bienvenue. *Tout le monde doit être parti à l'entraînement,* se dit-elle. Bientôt, elle les rejoindrait dans la combe mousseuse !

Lorsque Nuage de Houx regagna la clairière, elle vit que Cœur Blanc escaladait l'éboulis. Près du demi-roc, Cœur d'Épines faisait sa toilette en compagnie d'Aile Blanche. Patte d'Araignée somnolait dans une flaque de soleil matinal, sous la Corniche.

Tout à coup, Petit Renard et Petit Givre jaillirent de la pouponnière.

« Ne vous éloignez pas, leur ordonna Fleur de Bruyère depuis le roncier. Et ne traînez pas dans les pattes des guerriers !

— Promis ! » répondit Petit Givre.

Du bout de la queue, elle donna une pichenette sur le museau roux de son frère. Pour se venger, Petit Renard la poussa si fort qu'elle trébucha vers Nuage de Houx.

L'apprentie rattrapa la petite chatte au pelage blanc comme la neige.

« Bonjour, Nuage de Houx ! » lança cette dernière avant de faire demi-tour pour bondir sur son frère.

Elle le fit tomber, le cloua au sol et se mit à lui marteler joyeusement le ventre avec ses pattes arrière.

« Rentre la tête, Petit Renard, et donne-lui un bon coup de crocs ! » conseilla la novice au chaton.

Petit Givre gémit en relâchant son frère.

« C'est pas juste ! Tu l'as aidé.

— Toi, tu n'as pas du tout l'air d'avoir besoin d'aide ! »

Petit Renard se rua sur sa sœur.

« Esquive-le ! » indiqua Nuage de Houx au chaton blanc.

D'une roulade sur le côté, la petite chatte évita juste à temps l'attaque de son frère, qui dérapa sur le sol glissant jusqu'à l'entrée du gîte des apprentis. Il fit volte-face et, le ventre frôlant le sol, il revint vers sa sœur.

« Pas si vite ! » lui conseilla la novice. Petit Givre attendait son frère, prête à bondir. « Laisse-la venir à toi. »

Petit Renard ne quittait pas sa sœur des yeux.

« Elle n'osera pas s'approcher ! » rétorqua-t-il, l'œil malicieux.

Petit Givre se tortilla vers lui, incapable de résister au défi que son frère lui lançait. Petit

Renard la laissa s'approcher jusqu'à ce qu'il sente l'haleine de sa sœur sur son propre museau.

« Passe derrière elle, tout de suite ! » l'encouragea Nuage de Houx.

Le chaton partit comme une flèche. Le temps que sa sœur se retourne, il lui avait déjà sauté sur le dos et s'apprêtait à la faire tomber.

« Vous deviendrez de redoutables guerriers, tous les deux ! » ronronna Nuage de Houx.

Du coin de l'œil, elle aperçut la silhouette de Cœur Blanc qui redescendait l'éboulis. Elle eut de la peine pour la borgne. Nuage de Geai avait été son premier apprenti. Elle devait avoir hâte de prouver qu'elle pouvait être un aussi bon mentor que les autres. *Pourvu qu'elle ne l'ait pas pris comme un échec personnel !* pria-t-elle en silence.

« Montre-nous un mouvement offensif ! » lança Petit Renard, qui grattait l'épaule de Petit Houx de ses deux pattes avant.

L'apprentie s'aplatit contre le sol, rampa en se tortillant comme un serpent puis roula sur le dos.

« Waouh ! s'écria Petit Givre. Tu es très rapide. » La petite chatte releva soudain la tête. « Étoile de Feu arrive, chuchota-t-elle.

— Je t'ai trouvé un nouveau mentor, annonça le meneur en s'arrêtant devant la novice.

— Tu as un nouveau mentor ? s'étonna Petit Renard.

— Oui, Nuage de Houx va s'entraîner pour devenir guerrière, lui expliqua Étoile de Feu.

— Je pensais qu'elle voulait être guérisseuse... » piailla Petit Givre.

Nuage de Houx se sentit de nouveau mal à l'aise. Avait-elle enfreint le code du guerrier en changeant d'avis ?

« Nuage de Houx est la mieux placée pour savoir ce qu'elle désire », répondit Étoile de Feu.

C'est vrai, se dit l'apprentie.

Flocon de Neige déboula de la barrière de ronces.

« Je l'ai prévenu, dit-il à Étoile de Feu. Il arrive.

— Nous organiserons une nouvelle cérémonie tout à l'heure, annonça Étoile de Feu. J'ai fait rappeler ton mentor de la patrouille de chasse. S'il accepte de te former, tu pourras commencer tout de suite. »

Nuage de Houx hocha la tête, la gorge nouée par l'émotion. La barrière de ronces frémit de nouveau.

« Étoile de Feu ? haleta Poil de Fougère en accourant auprès du chef du Clan du Tonnerre. Que se passe-t-il ? »

L'apprentie agita joyeusement la queue. Non content d'être un fameux combattant, le matou doré était aussi intelligent et prévenant. Elle avait confiance en son bon sens autant qu'en sa force.

« Accepterais-tu que Nuage de Houx devienne ta nouvelle apprentie ? lui demanda le rouquin.

— Pourquoi ? Que s'est-il passé ? voulut savoir le guerrier en regardant la jeune chatte.

— Je... je crois que je ne suis pas faite pour être guérisseuse », répéta-t-elle encore une fois.

Le matou l'observa un instant avant de répondre :

« Je serai ravi de l'entraîner.

— Parfait. Je te la confie donc, répondit le chef avant de rebrousser chemin.

— Pour que tu rattrapes ton retard, nous nous entraînerons au combat tous les jours, prévint le guerrier.

— Super !

— Es-tu prête à commencer tout de suite ? Oui ? Dans ce cas, tu peux rejoindre notre patrouille. »

Sans préavis, il repartit en courant vers la barrière de ronces. Elle se lança à sa poursuite, la queue gonflée de plaisir. Sa première partie de chasse !

Comme Poil de Fougère ne ralentit pas pour ménager les pattes plus courtes de la jeune chatte, elle devait cavaler à toute allure. Il grimpa la montée à la vitesse de l'éclair et se dirigea vers le cœur de la forêt. L'apprentie avait déjà mal aux pattes. Le temps passé auprès de Feuille de Lune à trier des herbes avait exercé l'esprit de la novice, mais pas son corps. Elle comprit subitement que les autres apprentis devaient être bien plus endurants qu'elle.

Poil de Fougère lui jeta un coup d'œil.

« Allez, nous y sommes presque », l'encouragea-t-il.

Tout en plantant les griffes dans le sol à chaque foulée pour se donner plus d'élan, elle puisa dans ses dernières ressources afin de le rattraper. Un arbre tombé bloquait la voie. Le guerrier le franchit d'un bond gracieux, tandis que la novice dû se faufiler dessous.

Son mentor l'attendait de l'autre côté, où se trouvaient déjà Plume Grise et Millie. Près de là, Pelage de Granit et Patte d'Araignée s'entretenaient à voix basse pendant que leurs apprentis, Nuage de Lion et Nuage de Mulot, faisaient un concours de dérapage sur les feuilles mortes.

Nuage de Lion décocha un regard surpris à sa sœur.

« Qu'est-ce que tu fais là ? s'enquit-il.

— Je vous présente ma nouvelle apprentie, annonça Poil de Fougère.

— C'est génial !

— Félicitations, miaula Plume Grise en venant effleurer le museau de la nouvelle venue.

— Est-ce que vous avez attrapé quelque chose pendant mon absence ? voulut savoir le guerrier doré.

— Les proies se cachent pour se protéger du froid, gémit Pelage de Granit.

— Et si on allait voir sous le grand hêtre, près de l'ancien Chemin du Tonnerre ? proposa Patte d'Araignée. Il y a toujours des faines sur le sol, même à la fin de la mauvaise saison.

— Bonne idée, répondit Poil de Fougère. Le gibier y sera plus abondant qu'ailleurs. »

Il repartit au pas de course, aussitôt imité par la patrouille. Nuage de Houx inspira profondément avant de les suivre. Son mentor ne prévenait-il donc jamais avant de détaler ? Et comment les autres savaient-ils qu'ils devaient le suivre ? Malgré ses muscles endoloris, elle les imita sans mot dire. Il était hors de question de leur montrer qu'elle peinait à se maintenir à leur niveau.

Elle poussa un soupir de soulagement en reconnaissant l'arbre, droit devant. Ses branches dénudées se dressaient vers le ciel. La patrouille ralentit et finit son approche en silence dans les fougères rabougries. Nuage de Houx imita leurs mouvements.

Personne ne parlait lorsque Poil de Fougère s'avança à l'orée du massif végétal. Voyant que les autres s'alignaient de chaque côté de lui, elle se plaça tout près de son mentor.

« Empêche ta queue de remuer, souffla-t-il.

— Désolée », murmura-t-elle en constatant que le bout de sa queue frétillait d'excitation.

Tous les membres de la patrouille braquèrent leur regard sur le sol jonché de feuilles et de graines.

« Je vois quelque chose ! » chuchota Nuage de Lion.

Nuage de Houx scruta l'humus, en vain. Elle se tourna vers son frère et suivit son regard. Il fixait une petite feuille qui tremblotait près d'une racine. Y avait-il vraiment une proie dessous ? Elle renifla et ne perçut tout d'abord que l'odeur âcre des feuilles mortes. Puis elle flaira la souris.

Sa queue s'agita et les fougères frémirent de plus belle. La feuille au pied de l'arbre se retourna – Nuage de Lion bondit.

« Trop tard ! pesta-t-il lorsque ses pattes retombèrent sur du vide. C'est toi qui lui as fait peur ! »

Il foudroyait sa sœur du regard.

« Désolée, murmura cette dernière, tête basse.

— Taisez-vous, sinon aucune proie ne sortira de son trou avant ce soir ! » les rabroua Poil de Fougère.

Nuage de Lion regagna bien vite le couvert, et l'attente reprit.

Nuage de Houx avait mal au dos à force de rester tapie dans la même position. Nuage de Lion avait fini par attraper la souris, Pelage de Granit avait tué un merle et Nuage de Mulot avait repéré un moineau qui voletait de branche en branche, et il avait disparu dans les taillis pour le retrouver.

« À ton tour, murmura Poil de Fougère à l'oreille de la jeune chatte.

— Tu es sûr ? »

Elle était si crispée qu'elle craignait de faire fuir le gibier plus que de le capturer.

« On apprend davantage en essayant qu'en observant. »

Elle se concentra sur le hêtre droit devant elle. L'odeur du sang flottait encore dans la clairière autour de l'arbre. Aucune proie ne serait assez bête pour sortir, si ?

« On devrait peut-être essayer ailleurs… suggéra-t-elle.

— Ici, il y a plein de graines. Poussé par la faim, un animal est prêt à risquer sa vie pour se nourrir. »

Nuage de Houx examina les racines de l'arbre. Presque aussitôt, elle repéra une feuille qui frémissait sur le sol. Elle bondit hors des fougères. Son cœur se serra lorsqu'elle se rendit compte qu'il n'y avait rien en dessous. Elle avait attaqué une feuille morte agitée par le vent !

Elle coula un regard honteux vers ses camarades et vit les moustaches frémissantes de Plume Grise et la lueur amusée dans son regard.

Millie décocha une œillade courroucée à son compagnon.

« C'est toujours pareil, quand on apprend à chasser, la rassura la chatte domestique. Essaie encore. »

Nuage de Houx ferma les yeux et inspira profondément. Puis elle scruta de nouveau la clairière. *Je ne suis pas assez rapide pour chasser depuis les fougères*, comprit-elle. Elle étudia l'arbre lui-même. Son écorce claire devenait plus sombre au-dessus de ses racines, qui se recourbaient avant de plonger dans le sol. La fourrure noire de la petite chatte s'y fondrait parfaitement. Elle grimpa avec agilité sur la plus grosse racine et s'y tapit, à l'affût. Elle jeta un coup d'œil vers son mentor en se demandant si elle avait pris la bonne décision. Il hocha la tête.

Soulagée, elle reporta son attention sur le sol. Elle resta parfaitement immobile et parvint même à ignorer les démangeaisons qui auraient dû faire frémir son oreille. Au loin, un moineau poussa un cri de détresse, puis se tut. Là encore, elle ne broncha pas.

C'est alors qu'un petit mouvement dans les feuilles attira son attention, juste sous elle. Elle attendit, prête à bondir. Lorsque la feuille bougea de nouveau, un petit nez rose pointa à la surface. Un mulot ! Nuage de Houx retint son souffle, telle une vipère sur le point d'attaquer. Le mulot sortit d'abord le museau, puis il se risqua à découvert pour se diriger vers une faine.

Dans un saut, la novice attrapa le rongeur entre ses deux pattes.

« Bravo ! » lança Poil de Fougère.

Nuage de Houx releva la tête, le corps chaud de sa proie dans la gueule. Sa première prise ! Elle ferma les yeux en se remémorant la façon dont Nuage de Lion et Pelage de Granit avaient prié le Clan des Étoiles.

Soyez remerciés pour la vie de cette proie, donnée afin de nourrir mon clan, pensa-t-elle. *Je n'en prendrai pas plus que je n'en ai envie… euh, besoin, et j'en donnerai autant que je le pourrai.*

Enfin, elle était sur la bonne voie : elle allait devenir une guerrière !

— Pour ce soir... Je veux que je dise... que je n'ai présumé de rien, maître Lu...

Longue Plume.

— Je prétends même avec notre réserve, malgré les toutes pires possibilités peut-être...

— Mangé de ses frayeurs. Dans le commun, il croque... dira-t-il... le grec de bonne comme des diables. Sa mort est quelque chose de douceur ? Il se tiendront pourtant à l'évidence... ses mouvements de flamme clairs... et souffrante se souprit de... son image dans la glace.

— Se mit à rire d'un... goguenard. Pris à cette réponse qui l'eut... Assure-t-on sur les gaietés se faufiler... prit, et quand l'aurait... fidèle, cette chose qui ne se repint...

— Je n'ai pas besoin de vous des gracieuses l'occasion...

— Prends-les quand même, maître Longue Plume. Au moins tu sauras quelque chose dans ta vie... T'a-t-il seul murmuré qui n'a pas dit.

CHAPITRE 19

✿

« **P**OIL DE SOURIS A TELLEMENT TOUSSÉ cette nuit que je n'ai presque pas pu fermer l'œil, se plaignait Longue Plume.

— Je m'étonne que tu aies réussi à m'entendre malgré tes ronflements ! » répliqua l'ancienne.

Nuage de Geai soupira. Dans la tanière des anciens, il écoutait ces deux-là se chamailler comme des chatons. Pourquoi se disputaient-ils si souvent ? Ils s'entendaient pourtant bien puisque, à l'évidence, les lamentations de Longue Plume n'étaient que l'expression de son inquiétude pour sa camarade.

« Je ne sens aucun gonflement dans sa gorge, répondit Nuage de Geai. Assure-toi qu'elle mange bien les feuilles de pas-d'âne. D'après Feuille de Lune, cette plante l'aidera à respirer.

— Je n'ai pas besoin de remèdes, grommela l'ancienne.

— Prends-les quand même, insista Longue Plume. Au moins, tu auras quelque chose dans le ventre. Tu n'as rien mangé depuis hier midi.

— Je n'aime pas me servir dans la réserve alors que le gibier se fait rare, répondit-elle. Il y a des estomacs plus jeunes que le mien à nourrir.

— Le pas-d'âne ne manquera à personne, répliqua Longue Plume. Mange-le, au moins pour que j'aie la paix. »

Tout en grommelant avec humeur, Poil de Souris se servit de sa queue pour faire glisser les feuilles vers son museau.

Nuage de Geai soupira de nouveau. À écouter les anciens se quereller, il avait l'impression que rien n'avait changé. Il était apprenti guérisseur depuis un quart de lune à peine, et il en avait déjà ras les moustaches de distribuer des plantes. Ensuite, il devait rendre visite à Pelage d'Orage dans la tanière des guerriers pour appliquer encore une fois sur sa blessure à l'épaule un cataplasme de miel et de prêles. Le matou refusait de rester en place, si bien que l'onguent disparaissait aussi vite que Nuage de Geai l'appliquait.

Feuille de Lune apparut à l'entrée du noisetier en apportant avec elle les senteurs de sa propre tanière.

« Comment va la gorge de Poil de Souris ? s'enquit-elle.

— Tout me semble normal, répondit-il d'un ton sec. Enfin, il serait plus facile de l'examiner si elle arrêtait un peu de râler.

— Puisque tu es incapable de te montrer poli avec tes camarades, tu ferais aussi bien de retourner à ma tanière pour éplucher la tanaisie que Nuage de Houx a eu la gentillesse d'aller chercher pour toi hier ! » feula-t-elle.

Nuage de Geai leva les yeux au ciel. Un instant de plus passé dans la tanière de son mentor, et il perdrait la tête ! Tant pis pour lui et son formidable destin de guérisseur ! Petite Feuille ne l'avait pas prévenu que sa vie ne serait qu'une série de corvées plus ennuyeuses les unes que les autres...

Feuille de Lune l'entraîna vers son antre, contrariée. Nuage de Geai la suivit sans enthousiasme. Il sentait qu'elle ruminait un sermon et ce fut à contrecœur qu'il se faufila derrière le rideau de ronces.

« Tu passes ton temps à traîner dans le camp tel un petit nuage noir qui cherche sur qui il va lâcher sa pluie ! le rabroua-t-elle.

— Je m'ennuie !

— On croirait que je t'ai forcé à devenir mon apprenti !

— Tu ne m'as pas forcé. Cependant, tu le voulais depuis le début, pas vrai ? Tu es contente, maintenant ?

— Est-ce que j'ai l'air contente ? » feula-t-elle.

Nuage de Geai percevait la colère qui brûlait dans le cœur de son mentor. Pourquoi lui en voulait-elle ? Ne pouvait-elle pas comprendre qu'il attendait davantage de la vie ?

« Pour toi, c'est facile, marmonna-t-il. Tu as toujours voulu devenir guérisseuse !

— Et toi, tu ne le veux pas ?

— C'est ma destinée, marmotta-t-il. Je n'ai pas le choix.

— Alors accepte-la ! »

Malheureux comme une pierre, le novice se dirigea vers le bouquet de tanaisie rapporté par sa sœur et entreprit de l'éplucher. Il arrachait sans soin les feuilles, auxquelles pendaient encore de grands bouts de tiges. Feuille de Lune soupira et s'installa près de lui. Sans un mot, elle ôta avec les dents les morceaux inutiles. Chacun de ses gestes silencieux exprimait sa déception. Nuage de Geai se sentit coupable. Il aurait aimé trouver les mots pour lui expliquer sa frustration mais, quoi qu'il dise, il ne ferait qu'empirer les choses. Que penserait-elle si elle savait à quel point il était triste d'avoir dû renoncer à son rêve de devenir guerrier ? Et pour quoi ? Pour ça ! Une vie perdue à ranger des herbes et à soigner des maux de ventre et des égratignures…

« Feuille de Lune ? » lança Pelage d'Orage en entrant dans la tanière.

Nuage de Geai flaira aussitôt l'odeur aigre des coupures qui suppuraient sur son épaule. Il n'avait pas appliqué le nouveau cataplasme !

« Tu n'as pas soigné Pelage d'Orage ? lui demanda Feuille de Lune.

— Tu m'as ordonné de revenir ici, lui rappela-t-il.

— C'est vrai… Bon, je vais m'en occuper. Repose-toi. Ce soir, c'est la demi-lune. Nous nous rendrons à la Source de Lune avec les autres guérisseurs. »

Allongée près de Flocon de Neige à côté du demi-roc, Cœur Blanc faisait sa toilette. Pour Nuage de Geai, qui attendait Feuille de Lune près du tunnel de ronces, la souffrance de la guerrière borgne était palpable. Étoile de Feu lui avait promis que, le temps venu, elle deviendrait le mentor de Petit Givre ou de Petit Renard, mais elle ne s'était pas encore remise de la perte de son premier apprenti.

« La dévisager ne l'aidera pas à te pardonner. »

Le miaulement de Feuille de Lune le surprit. Plongé dans ses pensées, il ne l'avait pas entendue approcher.

« Elle ne veut pas m'écouter quand j'essaie de lui parler, miaula-t-il. Elle change de sujet ou bien trouve une excuse pour s'en aller.

— Elle t'écoutera quand elle sera prête. Elle a dû lutter pour prouver à ses camarades qu'elle valait autant qu'eux. Elle a sans doute l'impression d'avoir perdu une bataille.

— Je ne voulais pas lui faire de peine.

— Certains mettent plus de temps que d'autres avant d'accepter leurs faiblesses et de reconnaître leurs qualités. Jusqu'à ce jour, ils ont le cœur à vif. »

Nuage de Geai comprit qu'elle n'évoquait pas seulement le chagrin de son ancien mentor. Pourtant, il ne voulut pas réfléchir tout de suite à ses sous-entendus. Il avait hâte de quitter le camp. Voilà des jours qu'il n'avait pas été plus loin que le Vieux Chêne et ses pattes le démangeaient à l'idée de courir jusqu'à la Source de Lune.

Feuille de Lune dut percevoir son impatience.

« Viens », miaula-t-elle en l'entraînant dans le tunnel.

Cette nuit-là, le froid était mordant. Nuage de Geai et Feuille de Lune étaient les seuls êtres vivants à fouler la terre gelée. Lorsqu'ils arrivèrent près de la frontière du Clan du Vent, Nuage de Geai sentit son ventre se nouer. Et si les autres déclaraient qu'un chaton aveugle n'était pas digne de devenir guérisseur ?

Il huma l'air. Qui portait les odeurs des Clans de l'Ombre et de la Rivière.

« Ils doivent nous attendre », estima Feuille de Lune, qui avait elle aussi levé la truffe.

Il la suivit jusqu'à l'orée de la forêt et s'engagea à sa suite dans la lande. Il distinguait les senteurs des ajoncs et de la bruyère, mêlées à des fragrances félines. Il reconnut Nuage de Saule et Papillon, car elles étaient venues au camp, une lune plus tôt. Mais la puanteur du Clan de l'Ombre lui remémora son premier combat.

« Bonsoir, Papillon. »

Feuille de Lune semblait heureuse de revoir son amie du Clan de la Rivière.

« Bonsoir, Feuille de Lune, ronronna l'autre.

— Est-ce que le froid est aussi terrible sur votre territoire ?

— Nous sommes davantage abrités. Pourtant, les anciens ne sortent pas de leur tanière et se plaignent de leurs articulations.

— Tu as suffisamment de graines de pavot ?

— Oui, merci.

— Bonsoir, Petit Orage, miaula Feuille de Lune pour saluer le guérisseur du Clan de l'Ombre. Tout va bien chez toi ? »

La fourrure de Nuage de Geai se hérissa. Il n'y avait pas longtemps que le Clan de l'Ombre avait tenté d'envahir le territoire du Clan du Tonnerre. Comment son mentor pouvait-elle se montrer si polie avec l'ennemi ?

« Oui, tout va bien, merci, répondit Petit Orage. Est-ce que tes camarades sont rétablis ? »

Il parlait évidemment des blessures infligées par les guerriers de son clan. Méfiant, Nuage de Geai guetta dans son ton la moindre trace de triomphe. Il n'y trouva que de la sollicitude.

« Il me reste un blessé, répondit Feuille de Lune. Et chez toi ?

— Bois de Chêne boite toujours.

— Essaie de lui envelopper la patte avec de la consoude tous les soirs, lui conseilla la guérisseuse.

— Malheureusement, je n'en ai plus.

— Tu aurais dû venir m'en demander !

— Étoile de Jais ne m'y aurait jamais autorisé.

— Dans ce cas, j'en laisserai un tas près de la frontière, demain matin », promit-elle.

Nuage de Geai n'en croyait pas ses oreilles. Étoile de Feu savait-il que Feuille de Lune aidait les ennemis du Clan du Tonnerre ?

Il sentit la caresse d'une douce fourrure contre lui. C'était Nuage de Saule.

« Où est Nuage de Houx ? » s'enquit-elle à voix basse.

Elle semble déçue, songea-t-il.

« Tu n'es pas au courant ? cracha-t-il. Nuage de Houx trouvait ça tellement barbant d'être apprentie guérisseuse qu'elle a laissé sa place à son pauvre frère inutile. »

La petite chatte eut un mouvement de recul.

« Je vois que tu fais connaissance avec mon nouvel apprenti », miaula Feuille de Lune.

291

Nuage de Geai sentit le poids du regard des quatre félins sur sa fourrure.

« Je vous présente Nuage de Geai. »

Ce dernier releva la tête, prêt à répondre au moindre commentaire désobligeant.

« Bonsoir, Nuage de Geai.

— Es-tu content de ton apprentissage ? » voulut savoir Petit Orage.

Il perçut l'inquiétude de son mentor.

« Oui, très, mentit-il.

— Nuage de Geai apprend vite, ajouta Feuille de Lune, soulagée. Il connaît déjà les noms de toutes les plantes.

— Vraiment ? » fit Petit Orage, très impressionné.

Une nouvelle odeur surprit Nuage de Geai. Un autre chat se pressait de les rejoindre depuis le territoire du Clan du Vent.

« Écorce de Chêne ! lança Petit Orage. Où est Nuage de Crécerelle ?

— Il a attrapé le mal blanc.

— Il n'est pas trop affecté, j'espère ?

— Il est jeune et résistant. Il s'en remettra. Je l'ai isolé pour qu'il ne contamine pas les autres. Avec la pénurie de gibier et les estomacs vides, les clans sont plus vulnérables aux maladies.

— C'est vrai, miaula Papillon.

— La lune se lève, annonça Petit Orage.

— Nous ferions mieux de nous dépêcher si nous voulons voir son reflet dans la source », les pressa Feuille de Lune.

Nuage de Geai suivit les félins qui s'engageaient dans la montée.

« Nuage de Saule ! lança Papillon. Marche près de Nuage de Geai. Je suis certaine qu'il doit avoir plein de questions à propos de la Source de Lune. »

Je l'ai déjà vue, figure-toi ! eut-il envie de répondre lorsque l'apprentie vint à son côté. Elle gardait ses distances pour s'assurer que leurs fourrures ne se touchaient pas.

« Est-ce que Feuille de Lune t'y a déjà conduit ? » demanda-t-elle par politesse.

Il allait répondre qu'il s'y était rendu seul par deux fois, lorsque Nuage de Saule l'attrapa soudain par la peau du cou pour le tirer sur le côté. Il se libéra aussitôt et l'attaqua, toutes griffes dehors.

« Nuage de Geai ! Qu'est-ce que tu fais ! hurla Feuille de Lune.

— Il a failli tomber dans un terrier de lapin ! gémit Nuage de Saule. Je voulais juste l'aider. »

Nuage de Geai la relâcha, mortifié.

« Je ne savais pas ! se défendit-il.

— Excuse-toi tout de suite ! lui ordonna son mentor.

— Mais je l'avais flairé, ce terrier ! rétorqua-t-il. Je n'avais pas besoin d'aide !

— Ce n'est pas une raison. Excuse-toi !

— Pardon, grommela-t-il.

— Ce n'est pas grave, gronda Nuage de Saule. La prochaine fois, j'espère que tu tomberas dedans ! »

Elle passa devant lui en lui fouettant la truffe du bout de la queue.

« Dépêche-toi, Nuage de Geai ! » lança son mentor, furieuse.

Il emboîta le pas de l'apprentie en s'efforçant d'ignorer la vague de rancœur qu'elle laissait dans son sillage. Pour oublier l'injustice dont il avait été victime, il écouta la conversation de leurs aînés, qui évoquaient les meilleurs endroits où trouver des remèdes en cette saison.

Il était si concentré sur leurs paroles qu'il ne remarqua pas le gazouillis du torrent ni le sol de plus en plus rocailleux. L'air glacial avait couvert la pierre de givre et, tout à coup, il glissa.

Nuage de Saule se précipita vers lui, avant de s'immobiliser comme si quelqu'un l'avait retenue par la queue. Elle regarda Nuage de Geai glisser sur le flanc et attendit sans un mot qu'il se relève, honteux. Puis elle reprit son chemin, sans même ralentir, tandis qu'il boitillait derrière elle.

Même si elle ne lui proposa pas non plus de l'assister pour escalader la crête escarpée, il sentit qu'elle l'observait avec inquiétude tandis qu'il grimpait seul les rochers périlleux. Heureusement qu'il connaissait déjà bien l'itinéraire !

Il marqua une pause au sommet, à l'affût des voix qui l'avaient guidé lors de ses deux premières visites. Cependant, il n'entendit que le vent qui s'engouffrait dans la combe et le murmure de la source qui se jetait dans le bassin. Il emprunta le sentier sinueux couvert d'empreintes ancestrales et s'arrêta en sentant l'eau lécher le bout de ses pattes.

Les félins s'alignèrent au bord du bassin.

« Guerriers du Clan des Étoiles ! déclara Feuille de Lune, la tête levée vers le ciel. Je vous amène cet apprenti. Il a choisi de suivre la voie des guérisseurs. Accordez-lui votre sagesse et votre perspicacité pour qu'il comprenne vos mystères et qu'il soigne son clan selon votre volonté. »

Nuage de Geai s'installa près de Feuille de Lune en repliant ses pattes sous lui. Il ne but pas immédiatement l'eau de la source et préféra attendre que tous se soient endormis. Alors seulement, il ferma les yeux et goûta l'onde glacée.

Aussitôt, il se retrouva sur le territoire du Clan des Étoiles. Il cilla plusieurs fois pour s'habituer à la lumière et aux couleurs qui tourbillonnèrent un instant devant ses yeux avant de former des images reconnaissables. Des arbres se dressaient devant lui, leur feuilles vertes frémissaient dans l'azur du ciel.

Est-ce que Nuage de Saule voit la même chose ? se demanda-t-il. *Est-ce que nous rêvons tous de la même forêt ?* Il chercha le parfum de l'apprentie et finit par le repérer dans la brise, comme s'il l'avait attiré à lui. Il remonta sa piste discrètement, à croire qu'il savait qu'il enfreignait une règle tacite.

« Patte de Pierre ? » appelait-elle.

Nuage de Geai jeta un coup d'œil par-dessus une racine de chêne et l'aperçut qui scrutait une clairière. Elle était plus petite qu'il ne l'imaginait. Sur son corps souple et agile, ses rayures grises étaient à peine visibles.

« Oui, chère petite ? » répondit un matou brun clair qui sortit des fougères et vint lui effleurer le museau.

Nuage de Geai baissa la tête de crainte d'être vu.

« Il est bon de te revoir, Patte de Pierre.

— Tu t'es bien débrouillée pour traiter les crampes de Nuage Pommelé.

— Ai-je eu raison de la rassurer plutôt que de lui donner des herbes ?

— Oui. Ses douleurs au ventre sont passées d'elles-mêmes et tu as pu garder tes remèdes pour un cas plus grave. »

De nouveau, Nuage de Geai osa un coup d'œil. La queue de Nuage de Saule remuait joyeusement.

« As-tu un message pour le Clan de la Rivière ?

— Oui. Méfiez-vous des Bipèdes, en amont de la rivière. Leurs petits risquent de vous faire du tort.

— Je préviendrai Papillon », promit l'apprentie.

Les moustaches de Nuage de Geai frémirent. Pourquoi Patte de Pierre ne pouvait-il avertir lui-même la guérisseuse du Clan de la Rivière ? S'étaient-ils disputés ?

Il recula dans les taillis. Si Nuage de Saule rêvait de Patte de Pierre, alors de quoi rêvait Papillon ? Il entrouvrit la gueule pour mieux humer l'air, à la recherche de l'odeur de Papillon.

Il ne trouva rien. Et l'odeur de Nuage de Saule disparut soudain, comme si le rêve de l'apprentie lui avait glissé entre les pattes. Il voulut retrouver le parfum de Papillon, de la même façon qu'il avait débusqué celui de Nuage de Saule, sans succès. Les paupières closes, il laissa son esprit quitter la forêt pour revenir dans la petite combe. Lorsqu'il rouvrit les yeux, la Source de Lune brillait loin, en contrebas. Il voyait les autres félins endormis – et il se voyait lui-même. La respiration de Papillon semblait plus profonde que les autres. Son corps était parfois agité de soubresauts, quand ses condisciples restaient immobiles.

En se concentrant sur l'esprit de la guérisseuse, il se projeta dans ses pensées. Il flaira une odeur de gibier, puis d'eau, et se retrouva parmi les roseaux au bord du lac. À quelques longueurs de queue de lui, Papillon traquait une grenouille. Elle attaqua au moment même où le batracien sautait, puis le relâcha pour le regarder bondir à nouveau. Les moustaches frétillantes, elle l'observait d'un air amusé tandis qu'il se déplaçait péniblement dans les roseaux. Un papillon voleta au-dessus de sa tête. Elle l'attrapa au vol et le porta à son museau pour que ses ailes lui chatouillent la truffe.

Nuage de Geai comprit soudain qu'ils ne se trouvaient pas sur les terres du Clan des Étoiles, mais sur la rive du lac qui s'étendait entre le Clan du Vent et le Clan de la Rivière. La guérisseuse faisait des rêves ordinaires, comme n'importe quel guerrier !

CHAPITRE 20

Est-ce que d'autres guérisseurs faisaient des rêves ordinaires ? Nuage de Geai laissa sa vision le ramener au territoire du Clan des Étoiles. Il voulait découvrir qui communiait vraiment avec les guerriers de jadis. De nouveau, le soleil filtra à travers les frondaisons et réchauffa sa fourrure.

« Petite Feuille avait donc raison. »

Un ronronnement rauque lui parvint depuis les herbes hautes près de lui. Les tiges s'écartèrent sur le passage d'une chatte au poil négligé. Sa longue fourrure gris foncé était collée par endroits et son pas était lourd. Nuage de Geai reconnut aussitôt son large museau aplati. C'était elle qui l'avait regardé droit dans les yeux lors de sa première visite à la Source de Lune.

« Et qu'a-t-elle dit ? demanda-t-il.

— Elle m'a conseillé de ne pas te laisser trop longtemps sans surveillance.

— Je n'ai rien fait de mal, se défendit-il.

— J'ai vécu suffisamment longtemps pour reconnaître un chaton espiègle quand j'en vois un.

— Je ne suis plus un chaton !

— Pour moi, qui suis si vieille, vous ressemblez tous à des chatons, rétorqua-t-elle, amusée.

— Qui es-tu ?

— Croc Jaune. J'étais la guérisseuse du Clan du Tonnerre avant Museau Cendré. Tu as entendu parler d'elle, j'imagine.

— Bien sûr, répondit-il en relevant la tête. Feuille de Lune la cherche toujours dans les rangs des guerriers de jadis, et ne la trouve jamais. Et toi, tu l'as vue ?

— Oui, je l'ai *vue*. Mais je ne suis pas venue pour parler de Museau Cendré. » Elle se racla la gorge avant de poursuivre : « Tu essaies d'entrer dans les rêves des autres guérisseurs, n'est-ce pas ?

— Oui, et alors ?

— Tu devrais prendre garde, le prévint-elle. Un chat avec de trop grandes oreilles pourrait entendre plus qu'il ne devrait.

— Et qui décide de ce que je devrais entendre ou pas ?

— Toi. » Le regard de la vieille chatte était brûlant. « Mais tu es jeune, et la curiosité peut être dangereuse. Attention où tu mets les pattes. »

Les poils de Nuage de Geai se hérissèrent. Pourquoi ce vieux sac à puces lui disait-elle ce qu'il devait faire ?

« Feuille de Lune sait que je peux me glisser dans les rêves des autres, répliqua-t-il. Elle m'a dit que c'était un don extraordinaire.

— C'est vrai.

— Alors pourquoi n'aurais-je pas le droit de m'en servir ?

« — Tu possèdes des griffes ? lui demanda-t-elle, l'œil brillant.

— Bien sûr !

— Alors pourquoi ne pas me faire taire en me griffant le museau ? »

Quelle question stupide...

« Tu appartiens au Clan des Étoiles ! Je n'oserais jamais t'attaquer.

— Et pourquoi ?

— Parce que ce serait mal ! » Pour qui le prenait-elle ? Une belette ? « Tu es mon ancêtre, mon aînée...

— Et je suis trois fois plus grosse que toi », ajouta-t-elle avec humour.

Nuage de Geai la dévisagea. Qu'insinuait-elle, exactement ?

« Les raisons de ne pas utiliser toutes nos capacités sont multiples. Parfois, le code du guerrier nous guide, parfois c'est notre instinct, parfois, notre bon sens. » Elle se pencha vers lui et il dut s'obliger à ne pas reculer devant son haleine fétide. « Tu as un don remarquable, Nuage de Geai. Tu dois bien réfléchir avant de t'en servir. »

Le prenait-elle donc pour une cervelle de souris ? L'apprenti remua la queue, agacé.

Les yeux plissés, Croc Jaune soupira.

« Ah ces chatons ! marmonna-t-elle. Je gaspille ma salive. »

Elle lui tourna le dos, prête à partir.

« Attends ! » Nuage de Geai n'allait pas perdre une occasion de communiquer avec le Clan des Étoiles. Il voulait comprendre le mystère qui entourait Papillon. « Est-ce qu'il t'arrive de rendre visite aux guérisseurs ? »

La vieille chatte se retourna, méfiante.

« Oui, pourquoi ?

— As-tu déjà parlé à Papillon ?

— Tu veux que je perde davantage de temps à te donner des réponses que tu ne comprends pas ? »

Ses oreilles frétillantes trahissaient son agacement.

« Je veux simplement savoir si tu lui as parlé.

— Ta question n'est motivée que par la curiosité. Ce n'est pas une raison suffisante.

— Pourquoi refuses-tu de me répondre ? s'emporta Nuage de Geai en griffant le sol.

— Parce que si les réponses existent, tu les trouveras toi-même. »

Avant qu'il ait pu ajouter quoi que ce fût, la chatte s'éloigna. Les herbes frémirent, puis s'immobilisèrent, et son odeur disparut comme la brume dans le vent.

Contrarié, Nuage de Geai trépigna sur place. Il y avait tant de choses qu'il brûlait de savoir. Pourquoi le Clan des Étoiles ne voulait-il pas être franc avec lui ? *Puisque c'est comme ça, je découvrirai moi-même la vérité !*

Il partit à la recherche de l'odeur d'un autre guérisseur. Une senteur du Clan du Vent lui parvint, chargée des parfums de la terre et de la lande.

Écorce de Chêne.

Nuage de Geai remonta sa piste d'un pas impatient. Il rampa parmi les fougères, se faisant le plus discret possible. Il jeta un coup d'œil de l'autre côté. Le guérisseur du Clan du Vent semblait tourmenté.

Un autre mâle était avec lui – lui aussi du Clan du Vent. Son pelage était noir et blanc.

« Combien de chiens viendront, Étoile Filante ? s'enquit Écorce de Chêne d'une voix tremblante.

— Je ne sais pas.

— Quand arriveront-ils jusqu'à nous ?

— Les Bipèdes les amèneront en même temps que les moutons, qui viennent manger l'herbe de la nouvelle saison. Vous devez être prêts.

— Je préviendrai Étoile Solitaire. »

Tandis que Nuage de Geai regardait Écorce de Chêne s'incliner devant son ancien chef, il sentit qu'une douce fourrure le frôlait. Surpris, il tourna la tête.

Petite Feuille se tenait près de lui.

« Ce n'est pas ton rêve », le rabroua-t-elle.

Nuage de Geai fulmina. Où qu'il aille, il n'était jamais tranquille !

« Je ne fais que regarder, objecta-t-il.

— Tu n'as pas reçu ce don pour espionner les autres clans.

— Alors dis-moi à quoi il pourrait me servir ! » rétorqua-t-il.

Avant que Petite Feuille ait pu lui répondre, une autre voix l'appela.

« Nuage de Geai ? »

On lui donnait un coup de museau dans l'épaule.

« Il est temps de te réveiller. »

Le souffle chaud de son mentor glissa sur son pelage.

Ses yeux s'ouvrirent sur les ténèbres habituelles. La forêt avait disparu et la Source de Lune lui léchait le bout des pattes. Il entendait les autres félins remuer autour de lui. Petit Orage et Écorce de Chêne contournaient le bassin, tandis que Feuille de Lune se tenait près de lui.

« As-tu fait un rêve ? lui demanda-t-il.

— Oui. »

Les pensées de la guérisseuse lui semblaient bien sombres.

« Et qu'as-tu vu ? insista-t-il, curieux.

— Un guérisseur ne révèle pas ce que le Clan des Étoiles lui a dit sans avoir une bonne raison de le faire. »

Cela signifiait-il qu'il ne devait pas lui parler de la mise en garde d'Étoile Filante à Écorce de Chêne ? Alors il en informerait directement Étoile de Feu dès qu'ils rejoindraient le camp. C'était son devoir. Il tremblait d'impatience. Étoile de Feu serait impressionné.

Papillon bâillait de l'autre côté du bassin, comme après une bonne nuit de sommeil. Nuage de Geai se pencha en avant, concentré sur ses pensées, mais ne perçut qu'un écran blanc de prudence.

L'excitation de Nuage de Saule lui parvint depuis la berge opposée. *Je parie qu'elle meurt d'impatience de rapporter le message de Patte de Pierre.* Il devina que l'apprentie l'observait et se demanda si elle l'avait remarqué pendant qu'il espionnait son rêve. Il se détourna aussitôt.

« Viens, Nuage de Saule ! lança Papillon. Il fait trop froid pour traîner.

— Nous devrions rentrer nous aussi, miaula Feuille de Lune.

— As-tu quelque chose d'important à annoncer à Étoile de Feu ? s'enquit Papillon.

— Je veux être rentrée avant le départ de la patrouille de l'aube. Sinon ils perdront du temps à nous attendre au lieu de gagner directement les frontières. »

Sur ces paroles, elle alla rejoindre Écorce de Chêne et Petit Orage au sommet de la crête. Nuage de Geai la suivit. Arrivé à la barrière végétale, il tourna la tête : le sanctuaire était désert et silencieux.

« Passe en premier », lui dit Papillon. Elle attendit qu'il ait descendu les rochers derrière les autres et le rattrapa sur la rive du torrent.

« Comment se passe ta formation ? demanda-t-elle.

— Bien, j'imagine. » Il réfléchit un instant avant de demander : « Le plus intéressant, c'est de communier avec le Clan des Étoiles, non ? »

Il retint son souffle, impatient d'entendre sa réponse.

« Évidemment, miaula-t-elle, ce qui ne le satisfit pas. Avez-vous des cas difficiles ? »

Elle s'était empressée de changer de sujet. Il pensa aussitôt à Pelage d'Orage.

« La blessure à l'épaule de l'un de nos guerriers ne guérit pas.

— Avec quoi le traitez-vous ?

— Des cataplasmes de miel et de prêle. Mais le remède n'a jamais le temps d'agir… Le blessé ne veut pas rester tranquille. Son nid est tout collant et il y a des traînées de miel partout dans le camp.

— Avez-vous essayé de couvrir le cataplasme de grateron ? »

Nuage de Geai se rappelait cette plante à longues tiges, aux fruits verts et ronds qui s'accrochaient à la fourrure. Ces boules s'agripperaient aux poils de Pelage d'Orage sans lui faire mal et maintiendraient l'emplâtre en place.

« Non. C'est une bonne idée, merci. J'essaierai.

— Il est toujours utile de partager son savoir-faire.

— Est-ce que le Clan des Étoiles aussi te donne de bons conseils ? » lui demanda-t-il innocemment.

Papillon feignit de ne pas entendre. Elle pressa le pas pour rejoindre Nuage de Saule.

Tandis qu'ils se dirigeaient vers la frontière du Clan du Vent, mille questions tourbillonnaient dans la tête du novice. Papillon se maintint à quelques pas de lui, jusqu'à ce que les guérisseurs s'arrêtent à la croisée des chemins.

« Au revoir, miaula Petit Orage en obliquant vers le lac.

— On se reverra à l'Assemblée, ajouta Papillon en s'inclinant devant Feuille de Lune.

— Gare, en chemin, lança Feuille de Lune tandis que Petit Orage, Papillon et Nuage de Saule s'éloignaient ensemble. Je penserai aux herbes, Petit Orage !

— Merci ! »

Écorce de Chêne franchit la frontière pour entrer sur son territoire.

« Soyez prudents », miaula-t-il.

Et toi plus encore, songea Nuage de Geai, lorsqu'il entendit la bruyère se refermer sur le guérisseur du Clan du Vent.

Une fois seul avec son mentor, il prit conscience du froid mordant et gonfla son pelage. Du givre se déposait partout et raidissait les brins d'herbe sous ses pattes. L'aube ne tarderait plus.

Il suivit Feuille de Lune dans la forêt.

« T'arrive-t-il de connaître les visions des autres ? l'interrogea-t-il d'un ton qu'il espérait détaché.

— Je te l'ai déjà dit. Nous n'en parlons pas.

— Tous les guérisseurs partagent les rêves des guerriers de jadis, pas vrai ? insista-t-il en se demandant si elle était au courant pour Papillon.

— Chaque guérisseur a une relation différente avec le Clan des Étoiles, répondit-elle prudemment.

— Pourtant, quand on est guérisseur, le plus important est de communier avec nos ancêtres, non ? N'importe qui pourrait apprendre à soigner ses camarades, mais un vrai guérisseur doit pouvoir interpréter les signes du Clan des Étoiles.

— Être guérisseur, c'est bien plus que cela. Viens, conclut-elle en se mettant à courir. La patrouille de l'aube va bientôt partir. »

Elle parcourut le reste du trajet à toute allure. Elle maintenait entre eux une distance telle qu'ils ne pouvaient parler.

Elle en sait plus qu'elle ne veut bien me dire, comprit-il tandis qu'il suivait sa trace dans les sous-bois.

Ils arrivèrent au camp au moment même où la patrouille allait partir. Griffe de Ronce faisait les cent pas. Pelage de Granit griffait le sol et Poil de Fougère se lavait les pattes à coups de langue vigoureux qui trahissaient son impatience. Griffe de Ronce s'immobilisa en voyant arriver Feuille de Lune et son apprenti. Nuage de Geai perçut le soulagement de son père.

« Tout va bien ? demanda-t-il à la guérisseuse.

— Oui », répondit-elle en se dirigeant vers sa tanière.

C'était l'occasion où jamais pour Nuage de Geai de révéler ce qu'il avait appris. Il escalada tant bien que mal l'éboulis menant à la Corniche.

« Étoile de Feu ! appela-t-il en se précipitant dans l'antre du chef.

— Nuage de Geai ? miaula le meneur dans un sursaut.

— Que se passe-t-il ? voulut savoir Tempête de Sable, qui s'était réveillée, près de son compagnon.

— J'ai rêvé du Clan des Étoiles... Le Clan du Vent va se faire attaquer par des chiens. » Il sentit aussitôt l'inquiétude de son chef. « Ce serait le moment où jamais de les attaquer pour leur prendre une partie de leur territoire ! Ils seront trop occupés de l'autre côté de la crête, et il n'y aura aucune patrouille pour nous arrêter. Nous pourrions annexer la bande d'arbres, le torrent... et devenir plus forts que les autres clans. Le Clan de l'Ombre n'osera plus jamais nous envahir.

— Est-ce que le Clan des Étoiles t'a dit tout cela ? »

Pourquoi Étoile de Feu semblait-il si perplexe ? Nuage de Geai hocha vigoureusement la tête.

« Il m'a averti de l'attaque des chiens, oui. »

Tempête de Sable posa sur lui son regard vert bienveillant.

« Es-tu certain d'avoir bien interprété ce rêve ? Le Clan des Étoiles veut-il vraiment que nous profitions de la faiblesse des clans voisins ?

— Pour quelle autre raison nos ancêtres m'auraient-ils averti ?

— Nous ne retournerons pas à notre avantage les malheurs du Clan du Vent, annonça le meneur.

— Mais le Clan des Étoiles voulait sans doute le contraire !

— Ne crois-tu pas plutôt qu'il voulait nous prévenir que des chiens rôderaient dans les environs ?

— Tu n'y étais pas ! rétorqua le novice, indigné. Comment peux-tu savoir ce que le Clan des Étoiles voulait dire ? »

Outré, il sortit du gîte en trombe et dévala l'éboulis pour rejoindre la tanière de son mentor. *Pourquoi refusent-ils de me croire ?* pesta-t-il. *C'est moi qui ai communié avec le Clan des Étoiles ! Quel est l'intérêt d'être guérisseur s'ils ne m'écoutent pas ?*

CHAPITRE 21

« **D**ES CHIENS NOUS ATTAQUENT ! Des chiens nous attaquent ! »

Le cri d'Aile Blanche réveilla Nuage de Lion en sursaut. Il se précipita aussitôt à l'entrée de la tanière des apprentis. Nuage de Sureau et Nuage de Mulot étaient déjà dans la clairière. Nuage de Houx le poussait pour aller défendre son clan, la queue gonflée et les oreilles rabattues.

« Tu les vois ? demanda-t-elle.

— Ils sont près de la pouponnière ? » voulut savoir Nuage de Noisette.

Une bruine incessante se déversait sur le camp. Nuage de Lion cilla pour chasser les gouttes de pluie de ses yeux. Il ne vit pas le moindre chien.

Dans la clairière, les guerriers alertés regardaient partout, toutes griffes dehors. Patte d'Araignée et Bois de Frêne surgirent du repaire des combattants. Plume Grise et Millie les imitèrent aussitôt, tandis qu'Aile Blanche allait et venait sous la Corniche.

« Où sont-ils ? »

Le miaulement terrifié de Fleur de Bruyère résonna dans la pouponnière. Les yeux ronds de terreur, elle était tapie à l'entrée pour protéger ses petits.

« C'est comme l'attaque des blaireaux ! » se lamenta Chipie, recroquevillée contre elle.

De la Corniche, Étoile de Feu sauta d'un bond dans la clairière, suivi de Tempête de Sable.

« Où sont les chiens ? demanda le meneur.

— Sur le territoire du Clan du Vent, répondit Aile Blanche, haletante. Je patrouillais avec Cœur d'Épines et Flocon de Neige près de la frontière, et nous avons entendu des aboiements et des feulements dans la lande.

— Où sont nos deux camarades ?

— Partis voir de quoi il retourne.

— Que le Clan des Étoiles les protège ! gémit Fleur de Bruyère.

— J'espère que Nuage de Myosotis va bien », murmura Nuage de Lion.

Son cœur martelait sa poitrine comme un pic-vert l'écorce d'un chêne.

« Est-ce qu'Étoile de Feu va leur envoyer de l'aide ? s'interrogea Nuage de Noisette à voix haute.

— Il le faut ! s'indigna Nuage de Houx. Le Clan du Vent pourrait se faire massacrer !

— Y a-t-il des blessés ? s'enquit Feuille de Lune en sortant de son antre.

— Je ne sais pas, répondit Aile Blanche. Nous n'avons pas vu le Clan du Vent, nous avons juste entendu leurs miaulements, et les chiens... » Ses oreilles frémirent. « Ces brutes poussaient des cris de monstres sanguinaires.

— Tu me crois, à présent ? » lança Nuage de Geai à Étoile de Feu, une lueur triomphante dans le regard.

Nuage de Lion se tourna vers son frère, abasourdi. Savait-il que cela allait se produire ?

Le meneur toisa durement le novice aveugle.

« Ce n'est pas le moment de faire le malin ! Des guerriers pourraient mourir aujourd'hui ! »

Nuage de Lion interrogea sa sœur du regard, mais elle semblait elle aussi stupéfaite.

« Nous devons envoyer une patrouille à la rescousse du Clan du Vent, décida Étoile de Feu.

— As-tu oublié ce qui est arrivé la dernière fois que le clan a dû affronter des chiens ?

— Nous avons perdu Étoile Bleue et Nuage Agile, rappela Tempête de Sable.

— Le Clan du Vent doit se défendre seul », feula Nuage de Geai.

Étoile de Feu jeta un coup d'œil vers Cœur Blanc. Elle avait perdu un œil et la moitié de son visage lorsqu'une meute les avait attaqués, bien des lunes plus tôt, dans leur ancienne forêt.

« Qu'en penses-tu ? lui demanda-t-il avec douceur.

— Nous avons failli tout perdre, face à la meute », répondit-elle. Elle tenait sa tête bien droite, pourtant Nuage de Lion voyait que ses pattes tremblaient. « Nous ne pouvons pas laisser le Clan du Vent courir le même risque.

— Si nous intervenons, nous risquons de les conduire jusqu'ici, fit remarquer Pelage de Poussière.

— Ils trouveront le chemin de toute façon, rétorqua Étoile de Feu.

— Le territoire du Clan du Vent est bien trop proche du nôtre pour qu'on ignore le problème, ajouta Griffe de Ronce.

— Exactement », miaula Étoile de Feu en passant ses guerriers en revue. « Vous allez risquer vos vies pour protéger le Clan du Vent, mais aussi pour défendre le Clan du Tonnerre face à un ennemi mortel.

— Oui, nous devons les aider ! lança Bois de Frêne.

— Il faut chasser les chiens ! » ajouta Patte d'Araignée en tournant en rond.

J'espère que je pourrai y aller ! songea Nuage de Lion, qui labourait le sol d'impatience.

« Pelage de Granit ! Plume Grise ! appela Griffe de Ronce. Vous avez déjà affronté des chiens. J'ai besoin de votre expérience. Bois de Frêne et Patte d'Araignée, vous venez aussi.

— Et moi ? demanda Nuage de Lion.

— Est-ce qu'il est prêt ? s'enquit le lieutenant auprès de Pelage de Granit, qui opina. Parfait. Millie ! Toi qui as vécu parmi les Bipèdes, tu es habituée aux chiens, non ?

— Oui, ils ne me font pas peur. Et il n'est pas difficile de les berner.

— Bien. Alors viens avec nous. Toi aussi, Nuage de Sureau », ajouta-t-il en se tournant vers son apprenti.

Ce dernier sortit les griffes, l'œil brillant.

« Je vous accompagne ? s'enquit Aile Blanche.

— Oui. Tu nous montreras de quel côté sont partis Cœur d'Épines et Flocon de Neige.

— Est-ce que je peux venir ? demanda Nuage de Houx, qui regardait son père avec espoir.

— Non. Tu dois rester ici pour aider Poil de Fougère à garder le camp. Quelqu'un devra surveiller la barrière pour empêcher les chiens d'entrer si nous n'arrivons pas à les contenir de l'autre côté de la frontière.

« — D'accord, Griffe de Ronce », répondit la petite chatte, qui ne put dissimuler sa déception.

Le lieutenant s'adressa alors à son chef :

« Est-ce qu'Étoile Solitaire acceptera notre aide ?

— Je le pense. Il est fier, pas stupide.

— Pelage de Granit ? » appela Fleur de Bruyère en sortant de la pouponnière pour se diriger vers son frère.

Nuage de Lion savait que leur mère, Plume Blanche, avait été assassinée par Étoile du Tigre pour donner aux chiens un avant-goût du sang de chat. La reine devait craindre le pire.

« Prends garde à toi », lui dit-elle en se frottant contre lui.

Griffe de Ronce courait déjà vers la sortie. Pelage de Granit se lança aussitôt à sa suite, ainsi que tous les autres membres de la patrouille. Les deux apprentis, Nuage de Lion et Nuage de Sureau, fermaient la marche.

Ils gagnèrent la frontière à toute allure, malgré la pluie qui plaquait leur fourrure contre leurs flancs et formait des flaques sur le sol. Lorsqu'ils entrèrent sur le territoire du clan voisin, un cri retentit au loin.

Un miaulement chargé d'angoisse lui répondit :

« Nous devons les éloigner du camp !

— Par là ! » lança Aile Blanche en prenant la tête du groupe.

Lorsqu'ils chargèrent dans la bruyère, un animal hirsute au poil noir et blanc surgit droit devant eux.

Grognant et aboyant, il pourchassait deux chats qui détalaient à quelques longueurs de queue de ses mâchoires claquantes. Nuage de Lion reconnut le pelage sombre de Plume de Jais et, avec un pincement au cœur, la robe brun pâle de Nuage de Myosotis.

Griffe de Ronce s'arrêta, aussitôt imité par la patrouille.

Un autre chien courait vers eux, venant de la direction opposée. Deux autres guerriers du Clan du Vent jaillirent de la bruyère, juste devant lui. Le molosse les repéra et les prit en chasse dans la descente semée de rocs. Ses yeux brillaient avec malice et ses jappements se faisaient plus aigus à mesure qu'il gagnait du terrain.

Soudain, Cœur d'Épines et Pelage de Poussière bondirent des rochers au pied de la pente. Ils fonçaient droit sur le chien !

Le regard de la bête s'embrasa. Puis les deux guerriers se séparèrent tel un torrent divisé par un rocher. Le chien pivota pour suivre Cœur d'Épines. Nuage de Lion entendit le hoquet d'Aile Blanche lorsque les mâchoires de la bête claquèrent tout près du guerrier doré. Heureusement, celui-ci se glissa dans une fissure entre les rochers. Confus, le cabot se mit à tourner en rond devant son refuge, tandis que les membres du Clan du Vent et Aile Blanche s'éloignaient de lui.

« Je vous avais bien dit que les chiens étaient des cervelles de souris, gronda Millie. Ils sont incapables de penser à deux choses en même temps.

— Parfait ! fit Griffe de Ronce. Nous allons les embrouiller encore plus ! Pelage de Granit, prends

Bois de Frêne et Nuage de Lion, rattrapez Plume de Jais et Nuage de Myosotis. Ensemble, vous pourrez vaincre leur poursuivant. Patte d'Araignée, Nuage de Sureau et moi, nous allons aider Belle-de-Nuit et Plume de Hibou. »

Nuage de Lion devina qu'il s'agissait des deux autres félins qu'il avait vus près des rochers.

« Plume Grise, Millie ! Allez voir s'il y a d'autres chiens. Trouvez le camp et rendez-vous utiles. »

Plume Grise hocha la tête et détala dans l'herbe avec sa compagne.

Nuage de Lion s'élança à la suite de son mentor vers Plume de Jais et Nuage de Myosotis. Les deux membres du Clan du Vent s'efforçaient toujours d'éloigner le chien. Ils viraient d'un côté, puis de l'autre, pour le déstabiliser, ce qui l'empêchait de les rattraper.

Ils doivent être épuisés, songea Nuage de Lion en redoublant son allure. Il n'arrivait pas à détacher son regard de l'apprentie du Clan du Vent. Malgré la pluie, elle cavalait courageusement près de son mentor et le suivait dans ses moindres mouvements.

« Plume de Jais ! » lança Pelage de Granit lorsqu'ils vinrent courir à leur côté.

Le matou gris sombre le dévisagea avec surprise.

« Nous sommes venus vous aider ! » ajouta Nuage de Lion à l'intention de la novice.

Cette dernière tourna la tête vers lui et trébucha dans un terrier de lapin. Le chien se rua aussitôt sur elle. Sans réfléchir, Nuage de Lion fit demi-tour et se précipita vers l'ennemi. Plume de Jais avait lui aussi fait volte-face pour aller secourir son apprentie. Bois de Frêne imita Nuage de Lion, tout comme Pelage de Granit, qui poussa un cri guerrier.

Lorsque Nuage de Myosotis libéra enfin sa patte et se remit à courir, le chien était presque sur elle. Feulant de rage, Nuage de Lion sauta sur le flanc du molosse et s'agrippa à son épaisse fourrure. Son adversaire jappa et tourna sur lui-même, essayant en vain de mordre le jeune chat. L'apprenti parvint à se hisser sur le dos de la bête et s'y cramponna de toutes ses forces. L'animal s'ébroua pour le déloger, sans succès. Plume de Jais attaqua le museau du chien et le griffa sauvagement avant de changer de direction. Pelage de Granit se glissa entre ses pattes et le mordit si fort que du sang jaillit de la blessure. Sentant que le chien trébuchait, Nuage de Lion planta ses griffes un peu plus profondément, ce qui le fit hurler de douleur. Il s'ébroua de plus belle pour se débarrasser du félin. Ce dernier tint bon et chercha désespérément Nuage de Myosotis du regard. Son cœur se serra lorsqu'il reconnut sa silhouette brun pâle lancée à ses trousses.

« Qu'est-ce que tu fais ? hurla-t-il.

— Je t'aide ! »

Elle bondit et griffa les pattes arrière du chien, qui gémit et roula au sol, écrasant Nuage de Lion au passage. L'apprenti poussa un cri de surprise, mais la terre moussue amortit l'impact. Le molosse se releva aussitôt, la gueule baveuse et sanglante, et fondit sur lui. D'une roulade sur le côté, le novice se remit sur ses pattes et esquiva l'attaque. Un nouveau claquement de mâchoires retentit derrière lui, suivi d'un jappement de douleur. Un coup d'œil en arrière lui fit voir Pelage de Granit, qui, dressé sur ses pattes arrière, assenait une pluie de coups de griffes au museau de la bête. Plume de Jais et Bois de Frêne l'imitèrent pendant que Nuage de Myosotis lui mordait la queue. Nuage de Lion accourut à son tour et, à coups de griffes et de crocs, ils harcelèrent l'ennemi jusqu'à ce que celui-ci s'enfuie la queue entre les pattes.

Lorsque Nuage de Lion voulut le prendre en chasse, Pelage de Granit le rappela aussitôt.

« Je crois qu'il a eu son compte ! »

L'apprenti regarda le molosse disparaître en gémissant. Où était passé son comparse ? Il balaya la lande du regard et constata avec joie que ce dernier détalait lui aussi au loin en laissant des traînées de sang sur les buissons.

Plume Grise sortit des ajoncs, la fourrure en bataille et une oreille ensanglantée, mais l'œil brillant. Millie le rejoignit bientôt, suivie par Oreille Balafrée et Nuage de Lièvre.

« Où est Griffe de Ronce ? demanda Pelage de Granit.

— Là ! » répondit le lieutenant depuis le rocher couvert de bruyère qui les surplombait.

Il jaillit des feuilles, aussitôt imité par Patte d'Araignée, Belle-de-Nuit et Plume de Hibou.

« Le Clan du Vent vous est reconnaissant, miaula Plume de Jais d'un ton formel.

— Peut-on vous accompagner jusqu'au camp ? demanda Griffe de Ronce. Je voudrais m'assurer que tout va bien, là-bas aussi. »

Plume de Jais plissa les yeux, puis hocha la tête.

« Suivez-nous. »

Nuage de Lion se retrouva au côté de Nuage de Myosotis tandis qu'ils suivaient leurs mentors. La pluie faiblissait peu à peu, mais l'apprenti sentait toujours ses moustaches couvertes de gouttes.

« Tout va bien ? lui demanda-t-il.

— Oui, merci », répondit-elle en le couvant d'un regard doux.

La peau du jeune félin, griffée par les ajoncs, le picotait ici et là, et il avait mal partout depuis que le chien lui était tombé dessus. Pourtant, comme il était fier de ses cicatrices !

« Tu as été très courageux en attaquant le chien, miaula-t-elle. Regarde, nous sommes presque arrivés. »

Des buissons d'ajonc et de bruyère se mêlaient à des ronciers pour former un enclos autour d'une petite dépression au creux des collines. Nuage de Lion suivit la jeune chatte à travers un dédale végétal qui les mena à une clairière dégagée.

Lorsque la patrouille entra dans le camp, des museaux pointèrent ici et là. Le fourré touffu abritait sans doute les tanières. Peu à peu, des guerriers vinrent à leur rencontre. Quelque part dans les feuillages, un chaton gémissait de peur.

« Chut, Petite Buse », le consolait une reine.

Étoile Solitaire émergea d'un tunnel, d'où s'échappait toujours les pleurs du chaton.

« Nous les avons chassés, rapporta Oreille Balafrée.

— Bien.

— Comment vont les petits ? s'enquit Plume de Jais.

— Plus de peur que de mal.

— Le Clan du Tonnerre nous a envoyé une patrouille pour nous aider, annonça alors le

320

guerrier gris sombre, tandis que d'autres curieux s'approchaient de la troupe.

— Le Clan du Vent vous en remercie, répondit le chef en regardant les visiteurs.

— Nous avons entendu les aboiements des chiens depuis la frontière, expliqua Griffe de Ronce. J'espère que tu nous excuseras d'être entrés sur ton territoire. Nous ignorions le nombre de ces cabots.

— Heureusement, grâce à Écorce de Chêne, nous savions qu'ils allaient attaquer, répondit Étoile Solitaire en désignant son guérisseur d'un signe de tête. Le Clan des Étoiles l'avait prévenu. Nous avions préparé un plan pour qu'ils n'approchent pas le camp. »

Nuage de Lion se tourna vers le guérisseur, surpris. Nuage de Geai n'était donc pas le seul que le Clan des Étoiles avait averti.

« Ton plan a fonctionné, le rassura Griffe de Ronce.

— Oui, mais nous n'aurions pas pu les chasser sans vous, le coupa Nuage de Myosotis. Les chiens étaient plus rapides que je l'avais imaginé. Nuage de Lion m'a sauvée de l'un d'eux », ajouta-t-elle en regardant l'apprenti du Clan du Tonnerre.

Plume de Jais s'interposa aussitôt entre les deux novices.

« C'était très courageux, Nuage de Lion. Cependant, le Clan du Vent est parfaitement capable de protéger ses membres. »

Le jeune félin au poil doré vit rouge. Lui seul avait été suffisamment près du chien pour l'attaquer à temps.

« Mais… » commença-t-il, avant que Pelage de Granit le fasse taire d'un mouvement de la queue.

Nuage de Lion regarda ses pattes.

La haie frémit et Nuage de Brume déboula dans le camp.

« La barrière est intacte, annonça le novice.

— Tu l'as examinée jusqu'au bout ? » voulut savoir Plume de Jais.

L'apprenti décocha un regard noir à son père.

« Évidemment ! J'ai suivi les ordres d'Aile Rousse. »

Belle-de-Nuit s'approcha.

« Tu devrais faire davantage confiance à ton fils, Plume de Jais, le rabroua-t-elle.

— C'est Aile Rousse, mon mentor, pas toi, renchérit le jeune mâle.

— Nous ferions mieux de rentrer », annonça Griffe de Ronce avant de s'incliner devant Étoile Solitaire. « Ces chiens n'oseront plus s'aventurer de ce côté de votre territoire.

— Et s'ils reviennent, nous pourrons nous débrouiller tout seuls, marmonna Nuage de Brume.

— Dis donc, toi ! le réprimanda sa mère. Nuage de Myosotis aurait pu être blessée sans l'intervention de ce brave apprenti. »

D'un battement de cils, elle remercia Nuage de Lion. Ce dernier préféra se détourner, bien conscient que Nuage de Myosotis n'aurait pas trébuché s'il ne l'avait pas distraite.

« As-tu besoin d'herbes pour tes blessures ? lui demanda cette dernière.

— Non, merci. Feuille de Lune me soignera à notre retour. »

Griffe de Ronce se dirigea vers la haie, aussitôt imité par le reste de la patrouille. Tout en suivant les autres dans le tunnel sinueux, Nuage de Lion repensait à son frère. Est-ce que leur chef avait délibérément ignoré la mise en garde de Nuage de Geai ? En ce cas, il ne commettrait pas la même erreur, la prochaine fois, puisque l'apprenti guérisseur avait vu juste. Cependant, il oublia bien vite ces questions, bercé par le souvenir d'un regard couleur myosotis et d'une voix douce et prévenante.

CHAPITRE 22

NUAGE DE GEAI FRISSONNA. Sa fourrure était trempée de pluie.

« Je vais me coucher, annonça-t-il à son frère et à sa sœur tandis qu'ils finissaient leur repas près du demi-roc.

— Déjà ? s'étonna Nuage de Houx.

— Je suis fatigué.

— Tu veux surtout te mettre à l'abri, avoue-le », le taquina Nuage de Lion.

Nuage de Geai grommela. Ce n'était pas l'humidité qui le poussait à partir. Il y avait des jours et des jours que Nuage de Lion ne parlait que de la bataille contre les chiens, et Nuage de Geai n'avait aucune envie de l'entendre de nouveau ce soir-là. Il avait déjà deviné que son frère avait retiré trop tôt les toiles d'araignée de ses blessures pour montrer ses cicatrices à ses camarades.

D'un coup d'épaule furieux, Nuage de Geai se fraya un passage dans le rideau de ronces. Les seules cicatrices qu'il aurait jamais à montrer à ses camarades viendraient de ses chutes répétées dans des terriers de lapin. Pourquoi ne pouvait-il rien faire d'utile pour son clan, comme Nuage de Lion ? Il avait soigné les guerriers à leur retour, mais ce n'était pas la même chose que de combattre pour son clan.

« On dirait qu'il pleut toujours, lui dit Feuille de Lune lorsqu'il entra dans la tanière.

— Oui. Un peu moins fort.

— Au moins, nous aurons de nouvelles herbes à cueillir d'ici la pleine lune », miaula-t-elle avec optimisme.

Nuage de Geai n'en était pas si sûr. Tout la journée, il avait senti dans l'air les parfums bruts descendus des montagnes. Son instinct lui soufflait que la glace refermerait de nouveau ses griffes sur la forêt avant la saison des feuilles nouvelles.

« Nous devrions peut-être aller à la cueillette dès demain matin », suggéra-t-il en se roulant en boule dans son nid.

Avant que le gel ne détruise tout, ajouta-t-il mentalement.

« Il ne faudrait pas les cueillir trop tôt non plus », répondit son mentor.

Nuage de Geai faillit évoquer le changement de temps perceptible dans le vent. Cependant, depuis qu'Étoile de Feu avait ignoré sa mise en garde concernant l'attaque des chiens, l'amertume le dévorait. *Quel intérêt de les prévenir s'ils refusent de m'écouter ?*

Cette nuit-là, il ne rêva pas. Lorsqu'il releva le museau, à l'aube, le froid mordant lui saisit la truffe. Il sut aussitôt qu'une épaisse couche de givre s'était déposée sur la forêt. En s'étirant, il s'aperçut que Feuille de Lune, déjà réveillée, faisait l'inventaire de ses réserves.

« On aurait dû aller à la cueillette hier », se lamenta-t-elle.

Nuage de Geai la rejoignit d'une démarche encore somnolente et remarqua que certaines des fragrances qu'il avait l'habitude de sentir dans le fond de la tanière manquaient à l'appel.

« C'est la pire période de l'année, soupira la guérisseuse. Il y a très peu d'herbes fraîches et, à la fin de la mauvaise saison, le clan est affaibli.

— Au moins, le gibier est revenu depuis la dernière gelée.

— Oui, mais toutes les proies ont dû replonger dans leurs terriers. Certains guerriers se coucheront le ventre vide, ce soir. »

Les ronces crissèrent à l'entrée. Nuage de Geai identifia Longue Plume à son odeur et se braqua aussitôt. Pas étonnant que leurs réserves baissent ! Ces derniers jours, le guerrier aveugle avait passé son temps à faire des allers-retours entre la tanière de Feuille de Lune et celle des anciens pour porter des remèdes à Poil de Souris. L'ancienne prétendait aller bien, pourtant Longue Plume ne cessait de se faire du souci, telle une reine morte d'inquiétude pour son chaton nouveau-né.

« La respiration de Poil de Souris est sifflante », annonça Longue Plume.

Sans blague, songea Nuage de Geai, agacé. *Elle est plus âgée que le Vieux Chêne et il gèle à pierre fendre !*

« Nous avons déjà essayé toutes les plantes, rétorqua-t-il.

— On peut tenter les baies de genièvre, cette fois-ci », suggéra la guérisseuse.

Ou une bonne dose de graines de pavot. Ça la ferait dormir un moment, et moi, j'aurais la paix...

« Tiens, dit Feuille de Lune en faisant rouler vers lui des petites baies. Donne-lui ça. »

Leur arôme flatta la truffe de l'apprenti. Il se pencha pour les prendre délicatement entre ses mâchoires, puis se tourna pour suivre Longue Plume dans la clairière.

Le noisetier noueux avait perdu son feuillage, et des courants d'air glacé pénétraient jusqu'au tronc.

« Bonjour, Nuage de Geai, le salua Poil de Souris d'une voix éraillée. Ne me dis pas que tu viens encore me voir ! » Ses paroles semblaient lui meurtrir la gorge tels des chardons secs. « Tu devrais passer plus de temps avec des félins de ton âge plutôt que de traîner toujours ici. »

Si ça ne tenait qu'à moi... rouspéta-t-il intérieurement.

« S'il vient si souvent, c'est qu'il s'inquiète pour toi, répliqua Longue Plume.

— C'est toi qui t'inquiètes pour moi, la corrigea sa camarade. Tu ne devrais vraiment pas te faire tant de mouron. À mon âge, on est plus sensible.

— Mais tes yeux et ta truffe coulent sans arrêt.

— C'est à cause de l'air froid.

— Je peux demander à Griffe de Ronce de désigner quelques guerriers pour calfeutrer votre tanière, si tu veux, proposa Nuage de Geai.

— Ce serait bien gentil, admit Poil de Souris. Ce matin, je suis transie jusqu'aux os. »

D'un petit coup de museau, Nuage de Geai poussa les baies vers elle. Il percevait ses tremblements, pourtant des vagues de chaleur émanaient de sa fourrure. C'était étrange. Cependant, il était venu l'examiner si souvent qu'il avait fini par conclure que Longue Plume s'en faisait pour rien.

« Je vais aller voir Griffe de Ronce », promit-il.

Peut-être que si on leur arrangeait leur tanière, les deux anciens le laisseraient un peu tranquille.

Il sortit dans la clairière et leva la truffe, à l'affût de l'odeur de son père. Soudain, il s'immobilisa. Un léger doute s'insinua en lui. Poil de Souris avait accepté son aide trop facilement. Et la respiration de l'ancienne était irrégulière.

Il tourna la tête pour pointer son museau vers l'entrée du noisetier. Les baies de genièvre odoriférantes masquaient une autre odeur – celle de la maladie.

Poil de Souris était bel et bien souffrante.

Il fila ventre à terre vers la tanière de Feuille de Lune et fonça à travers le rideau de ronces.

Affolée, Feuille de Lune fit le gros dos.

« Nuage de Geai, que se passe-t-il ?

— C'est Poil de Souris ! Elle a le mal vert !

— Tu en es certain ?

— Souffle irrégulier, truffe et yeux coulants, respiration sifflante, fièvre… énuméra-t-il.

— Il nous faut de l'herbe à chat », annonça la guérisseuse en se précipitant dans la clairière.

Nuage de Geai savait que l'herbe à chat manquait dans la réserve. Il suivit son mentor et fit les cent pas tandis qu'elle appelait Flocon de Neige.

« Tu dois me trouver de l'herbe à chat, dit-elle au guerrier. Tout de suite !

— De l'herbe à chat ? Mais pourquoi ? » demanda le matou blanc, étonné.

Feuille de Lune hésita à répondre. Elle ne voulait sans doute pas semer la panique dans le clan.

« Poil de Souris est malade, chuchota-t-elle à l'oreille du matou blanc.

— Où est-ce que j'en trouverai ?

— Près du nid de Bipèdes abandonné.

— Je connais son odeur, coupa Nuage de Geai. Je vais t'accompagner. Les guérisseurs savent courir, tu sais, ajouta-t-il en sentant la perplexité de Flocon de Neige. Et je la repérerai plus vite que toi.

— Il a raison, reconnut la guérisseuse.

— Entendu. Nuage de Cendre nous accompagnera. Elle nous aidera à en rapporter le plus possible. »

Une fois sortis du camp, les trois félins se dirigèrent droit vers l'ancien Chemin du Tonnerre. Nuage de Geai sentait le regard du guerrier revenir sans cesse sur lui pour s'assurer qu'il suivait. Ce qui était inutile : poussé par l'urgence, l'apprenti n'avait aucun mal à se maintenir au niveau de Nuage de Cendre. La chaude fourrure de la novice ondulait près de la sienne

« Attention à l'arbre ! » le prévint-elle tout à coup.

Il l'avait déjà flairé et obliqua pour l'éviter.

La maladie de Poil de Souris l'obsédait. Pourquoi avait-il tant tardé à reconnaître les symptômes ? Longue Plume tentait de lui faire comprendre la gravité de l'état de la vieille chatte depuis des jours.

Il se sentit si coupable que son ventre se noua. Une fois qu'ils auraient trouvé le remède, il le lui administrerait lui-même jusqu'à ce qu'elle soit complètement guérie. Ignorant les petits cailloux qui blessaient ses coussinets, il pressa le pas et dépassa Nuage de Cendre.

Flocon de Neige s'était arrêté près du mur en ruine qui entourait le nid. Nuage de Geai frémit. Même s'il savait l'endroit désert, il lui déplaisait de s'aventurer en territoire bipède.

Le guerrier sauta le premier sur le mur.

« Ce n'est pas haut », le rassura Nuage de Cendre.

Dressé sur ses pattes arrière, Nuage de Geai tendit les pattes avant pour évaluer la hauteur, puis il bondit. Il se stabilisa au sommet, après quoi Flocon de Neige le saisit par la peau du cou pour l'aider à descendre de l'autre côté.

Dès que l'aveugle atterrit dans l'herbe haute et gelée, il leva la truffe à la recherche du remède. Il en trouva aussitôt une trace et remonta la piste à travers la pelouse.

« Attends-moi ! lança Nuage de Cendre, qui courait derrière lui. Flocon de Neige monte la garde.

— C'est par là », lui indiqua-t-il.

Aussitôt, il l'entendit gratter la végétation qui longeait le mur.

« Il n'y a que des feuilles mortes ! gémit-elle. Le gel a tout détruit. »

L'apprenti eut l'impression que le sol se dérobait sous ses pattes. Il y avait forcément de l'herbe à chat quelque part !

« Laisse-moi chercher... » miaula-t-il.

Il s'approcha pour renifler les plantes autour de la petite chatte. Il y avait bien de l'herbe à chat, mais l'odeur était amère, brûlée par le froid.

« Les feuilles sont noires », soupira Nuage de Cendre.

Nuage de Geai les toucha du bout de la langue. Les feuilles étaient molles et humides. Pourtant, une saveur délicieuse lui parvenait d'un peu plus bas. Avec l'énergie du désespoir, il creusa tout autour en essayant de ne pas abîmer les racines qui survivraient peut-être. Près de la base de la plante, juste sous la terre, il huma des bourgeons. Du bout des pattes, il les toucha doucement. Il n'y avait pas grand-chose, mais c'était mieux que rien. Il gratta la terre qui les couvrait et coupa les petites tiges vertes à coups de crocs. Puis il les plaça sur sa langue et, en prenant soin de ne pas avaler la moindre goutte du suc si précieux, il fit un signe de tête à sa camarade.

« Est-ce que ça suffira ? » s'inquiéta-t-elle.

Comme il ne pouvait répondre, il haussa les épaules.

« C'est tout ce que le gel a épargné, expliqua-t-il à Feuille de Lune en déposant la bouchée de bourgeons devant la guérisseuse.

— Il faudra s'en contenter », miaula-t-elle sans parvenir à dissimuler sa déception.

Elle prit les tiges entre ses dents et fila hors de la tanière. Nuage de Geai la suivit. Est-ce que l'état de Poil de Souris avait empiré ?

La respiration difficile de la vieille chatte résonnait dans sa tanière. Une odeur âcre flottait dans l'air, mêlée aux relents de peur de Longue Plume.

« C'est de l'herbe à chat ? demanda ce dernier.

— Oui, répondit la guérisseuse en déposant les tiges près de la malade.

— Il n'y a pas grand-chose...

— Le gel a tué le reste. » Elle se coucha près de l'ancienne et murmura à son oreille : « Je veux que tu mâches ce remède et que tu en avales le plus possible. »

Poil de Souris gémit. Nuage de Geai vint se placer contre la vieille chatte. Elle était brûlante de fièvre. Lorsqu'elle toussa, sa toux grasse le fit sursauter.

Il redressa la tête et se tourna, désespéré, vers son mentor.

« Elle est peut-être vieille, mais elle est forte, le rassura-t-elle. Allez, Poil de Souris, manges-en un peu. »

L'ancienne prit quelques tiges et s'efforça de les mâcher. Nuage de Geai perçut sa douleur lorsqu'elle avala. Elle dut le voir grimacer, car elle leva le museau et souffla son haleine nauséabonde vers lui :

« Vous vous donnez bien trop de mal pour moi, miaula-t-elle d'une voix rauque. À voir vos têtes, on croirait que je m'apprête à rejoindre le Clan des Étoiles. » Elle se força à ronronner, ce qui lui fit si mal qu'elle trembla de tous ses membres. « Je ne crois pas que nos ancêtres soient prêts à m'accueillir. Et puis, si je m'en vais, qui rappellera à Longue Plume qu'il doit se débarrasser de ses puces ?

— Tu seras bientôt sur pattes », lui dit Nuage de Geai, priant pour que ce soit vrai.

Des pas résonnèrent devant la tanière, et le noisetier frémit. Le parfum de Chipie effleura la truffe de Nuage de Geai.

« Feuille de Lune ? appela-t-elle.

— Oui ?

— Fleur de Bruyère ne va pas bien.

— Qu'est-ce qu'elle a ?

— Sa respiration est sifflante, ses yeux et sa truffe coulent sans arrêt.

— Oh non… gémit Poil de Souris. Je me suis rendue à la pouponnière, hier, pour voir les petits.

— Petit Renard et Petit Givre semblent en pleine forme, la rassura aussitôt la chatte du territoire des chevaux.

— Je vais examiner Fleur de Bruyère, annonça la guérisseuse.

— Je reste avec Poil de Souris ? suggéra Nuage de Geai.

— Non, répondit l'ancienne, prise d'une nouvelle quinte. Va t'occuper des chatons ! » Elle repoussa le reste de l'herbe à chat. « Ne perdez pas votre temps à vous occuper d'une vieille carcasse comme moi.

— Tu dois prendre ces herbes, insista Feuille de Lune en les glissant de nouveau sous la truffe de la malade. Tu n'es pas aussi résistante que Fleur de Bruyère.

— Allez d'abord voir les chatons, s'entêta l'ancienne.

— Très bien. »

Feuille de Lune s'éclipsa aussitôt, suivie par Nuage de Geai. Il se faufila dans la pouponnière derrière elle. L'odeur familière de son ancienne tanière était souillée par les relents de la maladie. Fleur de Bruyère avait du mal à respirer et Nuage de Geai n'eut pas besoin de la toucher pour percevoir les vagues de chaleur qui émanaient d'elle.

« C'est bien le mal vert, annonça Feuille de Lune. Cependant, les chatons n'ont rien.

— Nous devons éloigner leur mère, répondit Nuage de Geai.

— Je m'occuperai d'eux à sa place, proposa aussitôt Chipie, qui les avait rejoints. Ils sont déjà presque sevrés.

— Merci, miaula Feuille de Lune tout en encourageant Fleur de Bruyère à se lever.

— Je serai bientôt de retour », gémit la reine avec tristesse lorsque ses petits se mirent à geindre.

Chipie se coucha tout près des deux petites boules de poils pour les rassurer.

« Nous allons bien nous amuser, puisque nous aurons la pouponnière rien que pour nous, leur expliqua-t-elle. Fleur de Bruyère sera juste de l'autre côté de la clairière. Elle ne va pas quitter le camp.

— Pourquoi elle peut pas rester ? couina Petit Givre.

— Parce qu'il ne faut pas qu'elle vous transmette sa maladie.

— Soyez sages, murmura Fleur de Bruyère entre deux inspirations sifflantes.

— Ne t'inquiète pas, nous nous débrouillerons ! » lança Petit Givre.

Malgré les paroles courageuses de la petite chatte, Nuage de Geai devina son anxiété. Du bout de la queue, il lui caressa le dos.

« Je vais demander à Nuage de Houx de venir vous montrer tous les nouveaux mouvements qu'elle a appris, annonça-t-il.

— C'est vrai ?

— Va chercher Poil de Souris, ordonna la guérisseuse à son apprenti depuis l'extérieur. Nous installerons les deux malades dans ma tanière pour les avoir toujours à l'œil. »

Le novice sortit de la pouponnière le cœur battant. Il avait toujours voulu qu'on lui donne une chance de protéger ses camarades. Or, là où un guerrier possédait des crocs et des griffes, lui n'avait qu'un petit tas de tiges ramollies pour y parvenir. Comment croire que telle était sa destinée ?

L'aube leur amena un nouveau malade. Nuage de Geai fut réveillé par Aile Blanche, qui entra dans la tanière de Feuille de Lune en boitant, le souffle rauque. Le novice, qui avait reconnu l'odeur du mal vert, bondit aussitôt hors de son nid. Feuille de Lune l'avait devancé et écoutait déjà la respiration de la guerrière blanche.

« Fais-lui un nid près de Fleur de Bruyère et Poil de Souris », ordonna-t-elle à Nuage de Geai.

Il se précipita vers le tas de mousse fraîche qu'ils conservaient près de l'entrée. De ça, au moins, ils ne manquaient pas. Il façonna en vitesse une litière près de l'ancienne, qui avait enfin réussi à s'endormir. Et l'état de Fleur de Bruyère semblait stable, même si sa fièvre montait à mesure que son corps luttait contre la maladie.

Aile Blanche s'effondra sur la mousse avec reconnaissance.

« Il nous faut davantage d'herbe à chat », chuchota Feuille de Lune pour que seul son apprenti l'entende.

La guérisseuse était terrifiée, il le sentait. Qu'attendait-elle de lui, qu'il en fasse pousser ?

« Va examiner tous les autres membres du clan », miaula-t-elle un ton au-dessus.

Il hocha la tête et s'éclipsa aussitôt. Pourquoi le Clan des Étoiles ne l'avait-il pas prévenu de l'épidémie ? Au lieu de lui faire la morale, Petite Feuille ou Croc Jaune auraient pu lui dire que le mal vert les frapperait. Ils auraient pu faire des réserves d'herbe à chat avant l'arrivée du gel.

Affolé, Pelage de Poussière faisait les cent pas devant la pouponnière.

« Comment va Fleur de Bruyère ? lui demanda-t-il.

— Son état n'a pas empiré, le rassura le novice.

— Est-ce que je peux la voir ?

— Il ne vaudrait mieux pas. Nous voulons empêcher la maladie de se répandre.

— Tes petits vont bien, annonça Chipie en se faufilant hors du roncier. Mais si tu t'entêtes à traîner devant l'entrée, tu vas finir par les inquiéter. » Nuage de Geai ne l'avait jamais entendue parler d'un ton si sec. « Ta place est dans la forêt, à chasser. C'est la meilleure façon de les aider.

— Très bien, répondit le guerrier, surpris lui aussi. Nuage de Geai, je veux qu'on m'avertisse si l'état de Fleur de Bruyère s'aggrave. »

Sur ces mots, il s'éloigna vers la barrière de ronces et croisa la patrouille de l'aube qui revenait dans la clairière, emmenée par Plume Grise. Nuage de Houx était avec eux. Son odeur était teintée des senteurs fraîches de la forêt.

« Comment vont les malades ? demanda-t-elle à son frère.

— Ils dorment. La chasse a été bonne ? »

Si le reste du clan pouvait se nourrir correctement, ils parviendraient peut-être à éviter la maladie.

« Tu parles. Toutes les proies restent terrées dans leurs terriers. Même les écureuils. »

Nuage de Geai ferma les yeux.

Guerriers de jadis, où êtes-vous ? D'habitude, vous vous invitez sans cesse dans mes songes ! Pourquoi ne venez-vous pas m'aider, à présent ?

« Va examiner les apprentis, lui ordonna de nouveau Feuille de Lune, qui venait de le rejoindre. Le Clan des Étoiles veille sur nous, mais il y a certaines batailles que nous devons livrer seuls », ajouta-t-elle, comme si elle lisait dans ses pensées.

CHAPITRE 23

❧

« C'EST BIENTÔT L'AUBE, souffla Feuille de Lune à Nuage de Geai. Tu devrais aller te reposer.

— Hors de question. Il y a trop de malades à veiller. »

Il renifla Nuage de Pavot. Prise de fièvre dans la nuit, l'apprentie les avait rejoints dans la tanière de la guérisseuse. Elle dormait à présent près de Fleur de Bruyère, les yeux collés par le pus, la respiration sifflante. La chaleur qui se dégageait d'elle épouvantait l'apprenti.

Il tendit l'oreille, le poil dressé. La tanière était pleine, le bruit de ces respirations difficiles lui résonnait douloureusement dans les tympans et la puanteur de la maladie lui rappelait sans cesse son impuissance. Il avait fait tout son possible pour aider ses camarades, mais aucun ne montrait le moindre signe d'amélioration.

« Est-ce qu'on ne devrait pas les déplacer dans la tanière des anciens ? suggéra-t-il à Feuille de Lune, qui massait le flanc de Poil de Souris pour essayer de lui dégager les bronches. Il y a plus de place qu'ici.

— Poil de Souris et Fleur de Bruyère sont trop faibles pour être déplacées. Et puis, ici, nous avons de l'eau. »

La flaque alimentée par un filet d'eau coulant le long de la paroi permettait d'abreuver facilement les malades. Nuage de Geai alla justement chercher une boule de mousse imbibée d'eau pour Nuage de Pavot. Lorsqu'il lui donna un léger coup de museau pour l'encourager à boire, la petite chatte écaille se contenta de le repousser sans même essayer d'ouvrir les yeux.

« Si tu ne veux pas te reposer, va au moins prendre l'air », l'encouragea son mentor.

Nuage de Geai hocha la tête. D'un pas las, il gagna la clairière. L'air y était pur et glacial, comparé à l'atmosphère poisseuse et pestilentielle de la tanière. Même si l'aube n'était pas encore levée, Étoile de Feu était déjà debout. Il conversait sous la Corniche avec Griffe de Ronce pour organiser les patrouilles. Pelage de Granit et Bois de Frêne faisaient les cent pas autour d'eux.

« Nous devons limiter les patrouilles, miaulait le lieutenant à son chef.

— Oui, mais nous devons nous assurer que la frontière du Clan de l'Ombre reste bien gardée, lui rappela Pelage de Granit. Nous ne voulons pas qu'ils profitent de notre faiblesse.

— Plusieurs petites patrouilles seraient plus efficaces, suggéra Bois de Frêne.

— Oui, reconnut Étoile de Feu. Je ne veux pas que nos guerriers se fatiguent pendant que la maladie rôde. Ils doivent rester en forme. »

Lorsque Nuage de Houx et Nuage de Lion sortirent du repaire des apprentis, Nuage de Geai leva la truffe, inquiet. Il fut aussitôt soulagé : leur odeur était propre et saine.

Tandis que son frère et sa sœur partaient en patrouille avec les autres, Nuage de Geai sentit une vague de peur bleue balayer le camp et le frapper comme une bourrasque glaciale. Le novice tourna la tête vers son chef. *Il est terrifié pour son clan*, comprit-il.

La barrière de ronces frémit et Nuage de Geai flaira Poil d'Écureuil et Tempête de Sable, qui rapportaient du gibier.

« C'est tout ce que vous avez trouvé ? » s'étrangla le meneur.

Une souris et un moineau. Nuage de Geai entendit les deux petits corps tomber sur le sol, là où la réserve se trouvait naguère.

« Veux-tu que nous repartions ? proposa la rouquine.

— Reposez-vous d'abord. »

La fourrure du meneur crissa contre celle de Tempête de Sable lorsqu'il se frotta à sa compagne. Nuage de Geai sentit que la chaleur de la chatte apaisait un peu le chef anxieux. L'odeur du gibier fit monter l'eau à la bouche de l'apprenti. Il n'avait rien mangé depuis la veille et son estomac miaulait famine. Cependant, Petit Givre et Petit Renard passaient avant lui.

« Et si j'emportais la souris à la pouponnière ? suggéra-t-il.

— Bonne id... » La réponse d'Étoile de Feu resta en suspens au moment où la barrière frémissait de nouveau.

Nuage de Geai se crispa. Il avait reconnu l'odeur du Clan du Vent. Étoile de Feu s'approcha du tunnel.

« Ils ne sont que deux », précisa l'aveugle.

Les deux individus, un jeune et un vétéran dont il n'avait jamais senti l'odeur, pénétrèrent dans la clairière d'un pas lourd qui trahissait leur désarroi.

L'aîné parla le premier.

« Pardonnez-nous d'être entrés sur votre territoire.

— Poil de Belette ! s'étonna Étoile de Feu. Que veux-tu ? »

Nuage de Geai s'avança. L'autre, le plus jeune, sentait les herbes.

« J'ai escorté Nuage de Crécerelle, qui doit parler à Feuille de Lune. »

Nuage de Crécerelle ! Écorce de Chêne l'avait mentionné lorsqu'ils s'étaient rendus tous ensemble à la Source de Lune.

« Bonjour, miaula-t-il.

— C'est toi, Nuage de Geai ? répondit l'apprenti du Clan du Vent en labourant le sol. Je dois parler à ton mentor. »

Feuille de Lune était déjà en route vers eux.

« Que se passe-t-il ?

— Le mal vert s'est déclaré dans notre camp. Écorce de Chêne espère que vous accepterez de partager votre herbe à chat avec nous.

— Hélas, nous n'en avons plus. Le gel a détruit les derniers plants. Chez nous aussi, nous avons des malades, et nous sommes incapables de les soigner. »

Poil d'Écureuil s'approcha de sa sœur.

« Hé, le Clan de la Rivière en a, de l'herbe à chat ! Papillon nous en donnerait, non ?

— Je me le demandais, justement. »

La queue de Nuage de Geai doubla de volume, signe de son exaspération. Pourquoi ne l'avait-elle pas dit plus tôt !

« Allons le lui demander, suggéra Nuage de Crécerelle.

— Elle pourrait en avoir besoin pour ses propres malades… protesta la guérisseuse.

— Elle ne laisserait pas nos camarades mourir si elle savait dans quel état ils sont, rétorqua la rouquine.

— Elle le sait peut-être déjà, si le Clan des Étoiles l'a prévenue », fit remarquer Nuage de Crécerelle.

Ça, j'en doute, se dit Nuage de Geai.

« J'irai lui demander, moi, si tu as trop peur ! coupa-t-il.

— Je n'ai pas peur ! feula son mentor. Je ne veux pas mettre Papillon dans une position difficile, c'est tout. Très bien, j'irai.

— Je m'occuperai des malades, proposa-t-il, sachant qu'elle serait plus rapide sans lui.

— Merci, Nuage de Geai. Tu peux te fier à ton instinct. »

Il hocha la tête, la gorge nouée. Il serait seul pour soigner tout le monde. *Je connais toutes les plantes médicinales,* se rappela-t-il. *Et c'est l'occasion ou jamais de prouver que je peux vraiment aider mon clan.*

« Cœur Blanc t'assistera en cas de besoin, ajouta Feuille de Lune. Elle m'a déjà secondée, par le passé. »

Nuage de Geai réprima un frisson. Il n'avait guère envie que son ancien mentor assiste à ses vaines tentatives de soulager leurs camarades.

« On ferait mieux d'y aller », miaula Feuille de Lune à l'intention des deux visiteurs.

Étoile de Feu désigna Cœur d'Épines et Griffe de Ronce pour les accompagner, et la patrouille disparut aussitôt dans le tunnel.

Tempête de Sable s'approcha de Nuage de Geai.

« Est-ce que je peux t'être utile ? » demanda-t-elle.

L'apprenti ne savait pas par où commencer. La tanière de Feuille de Lune était pleine de malades, leur réserve de chasse-fièvre allait bientôt être épuisée et il avait si faim qu'il n'arrivait plus à réfléchir.

« La souris ! se souvint-il soudain. J'allais l'apporter à la pouponnière...

— Je peux m'en charger. Retourne à tes malades.

— Merci », murmura-t-il, un peu apaisé par le ronronnement doux de la chatte.

De retour dans la tanière, il découvrit que la fièvre de Nuage de Pavot était encore montée. Et la respiration de Poil de Souris était si faible qu'il dut plaquer le museau sur son flanc pour la percevoir. Quant à Fleur de Bruyère, elle réclamait à boire. Et toutes les litières empestaient !

Clan des Étoiles, à l'aide ! Il ferma les yeux un instant. Rassemblant tout son courage, il alla chercher une boule de mousse imbibée d'eau pour Fleur de Bruyère.

« Tempête de Sable m'a dit que tu avais besoin d'aide, miaula Cœur Blanc, depuis le seuil.

— Oui », admit-il. Malgré son appréhension, pour la première fois, il ne perçut aucun ressentiment chez la guerrière. « Est-ce que tu peux m'aider à changer les litières sales ?

— Je vais m'en charger toute seule. Occupe-toi plutôt des malades. » Une petite chose au parfum délicieux roula à ses pattes. « Tempête de Sable dit que tu devrais manger cela. »

Elle lui avait lancé un morceau de souris. Il secoua la tête.

« Tu dois garder des forces, insista la guerrière borgne. Pendant l'absence de Feuille de Lune, la santé de tout le clan repose sur tes épaules. »

Ce qui signifiait que, jusqu'au retour de son mentor, il était condamné à regarder ses camarades mourir les uns après les autres… Il se sentit aussi impuissant que le jour où il avait donné des coups de griffes dans le vide en espérant atteindre Nuage de Chouette, sans savoir d'où l'adversaire allait l'attaquer.

« Mange, insista Cœur Blanc.

— D'accord. »

Il n'allait pas gémir comme un chaton. Voulait-il que tous ses camarades sachent qu'il n'était pas à la hauteur ? Ils le croyaient déjà inutile, il ne tenait pas à ce qu'ils le croient en plus faible et peureux !

Nuage de Geai avala le morceau de viande puis, tandis que son ancien mentor changeait les litières, il mâcha des feuilles de chasse-fièvre et tenta de persuader Nuage de Pavot d'en avaler un peu.

« Allez, l'encouragea-t-il. Juste un peu.

— Je… ne peux pas avaler, articula avec peine l'apprentie en le repoussant d'une patte brûlante.

— Tu dois essayer. »

Il sentit soudain une autre fourrure contre lui et flaira Poil de Châtaigne, la mère de Nuage de Pavot.

« Elle est au plus mal, n'est-ce pas ?

— Feuille de Lune est partie demander de l'herbe à chat au Clan de la Rivière.

— Est-ce que ma fille survivra jusqu'à son retour ? demanda la guerrière d'une voix brisée par le chagrin.

— Je m'en assurerai. »

Il s'efforça de contrôler le tremblement de ses pattes tandis qu'il poussait de nouveau le chasse-fièvre sous la truffe de la jeune chatte. Il était apprenti depuis une lune à peine. Pouvait-il tenir une telle promesse ?

« Viens, miaula Cœur Blanc en poussant Poil de Châtaigne vers la sortie. Nuage de Geai fera de son mieux. Tu devrais aller chasser avec Poil de Fougère. Plus nous aurons de gibier, plus le clan sera fort. »

Tandis que la borgne entraînait sa camarade vers la clairière, Nuage de Geai étala la pulpe de feuilles de chasse-fièvre sur le museau de la malade en espérant qu'elle en avalerait un peu.

Pour l'amour du Clan des Étoiles, mange ça et rétablis-toi !

Nuage de Geai se réveilla en sursaut. Il s'était assoupi malgré lui. Le silence de la nuit pesait lourdement sur la forêt. Une chouette hulula au loin tandis que l'apprenti se relevait péniblement. Malgré la faim et la fatigue qui lui tournaient la tête, il devait examiner ses malades. Cœur Blanc dormait devant l'entrée de la tanière. Sa respiration

346

régulière lui mit du baume au cœur tandis qu'il passait d'un malade à l'autre. Comme Poil de Souris tremblait, il la couvrit de mousse fraîche pour la réchauffer. Fleur de Bruyère murmurait les noms de ses petits et Aile Blanche s'agitait sans cesse dans son sommeil. Nuage de Geai s'assit, attentif au moindre bruit. Quelque chose n'allait pas. Il se pencha vers Nuage de Pavot. Sa respiration s'était encore affaiblie.

L'apprenti guérisseur fut saisi de panique. Il se glissa près d'elle et remarqua qu'elle était anormalement immobile. La peur le saisit à la gorge. Il avait promis à sa mère qu'il ne la laisserait pas mourir. Il se concentra sur le souffle de la malade et força ses muscles à se détendre. Il cala sa respiration sur la sienne, ferma les yeux et le monde s'ouvrit devant lui, dans un dégradé d'ombres noires, blanches et argentées, projetées par les rayons lunaires. Il voyait la silhouette de Nuage de Pavot cheminer devant lui dans une forêt. Il reconnut aussitôt les arbres, les taillis et la caresse, sous ses pattes, de la terre couverte de feuilles mortes. Sa camarade ne devait pas s'aventurer par ici !

« Nuage de Pavot ! »

Il se dépêcha de la rattraper et elle se tourna à son approche.

« Je ne connaissais pas ce coin de la forêt, miaula-t-elle, la truffe levée. L'odeur n'est pas celle de chez nous. Tu sais où nous sommes ?

— Oui, souffla-t-il.

— C'est étrange. Je ne sais pas ce que tu m'as donné comme remède, mais il a fonctionné. Je ne me sens plus malade. »

Nuage de Geai s'abstint de répondre. Comment allait-il ramener Nuage de Pavot ? Sans un mot, il s'approcha d'elle, terrifié à l'idée de la perdre de vue.

« Les arbres sont si hauts et feuillus, et les sous-bois si denses... » L'apprentie n'avait pas l'air de se rendre compte que, dans cet endroit, Nuage de Geai voyait aussi bien qu'elle. « Est-ce que tu sens toutes ces odeurs de gibier ? On dirait que la saison des feuilles nouvelles est arrivée, ici !

— Nous devons rentrer.

— C'est tellement beau !

— Tu ne devrais pas être là ! »

Et je l'ai promis à Poil de Châtaigne !

Les arbres s'espacèrent devant eux.

« Stop ! hoqueta la novice. Il y a un ravin droit devant. »

Le jeune matou l'avait vu lui aussi. La Source de Lune brillait tout au fond comme une étoile gigantesque. En ce lieu, tout était connecté, et la forêt remontait jusqu'au sommet des montagnes. Le cœur de Nuage de Geai se serra lorsqu'il reconnut les fourrures scintillantes des membres du Clan des Étoiles, rassemblés autour de la source.

« Il y a de l'eau, tout en bas, murmura Nuage de Pavot. Et tous ces chats... Ce sont les guerriers de jadis, n'est-ce pas ? Est-ce que je suis morte ? »

La gorge de l'apprenti s'assécha.

« Est-ce que je suis morte ? répéta-t-elle avec insistance.

— Pas encore. »

Une autre voix avait retenti derrière eux. En se tournant, Nuage de Geai découvrit Petite Feuille.

« Tu es très courageux de l'avoir accompagnée jusqu'ici, chuchota la chatte écaille.

— J'ai promis à sa mère que je veillerais sur elle.

— Qui es-tu ? demanda la novice à Petite Feuille. Es-tu venue pour me conduire jusqu'au Clan des Étoiles ?

— Non ! feula Nuage de Geai. Reviens au camp avec moi, Nuage de Pavot. Je te ramènerai.

— Ne t'inquiète pas, chère petite, la rassura la guérisseuse. Tu peux suivre Nuage de Geai. Tu auras ta place parmi nous… un autre jour. » Elle tendit le cou pour effleurer le museau des deux jeunes félins. « Ramène-la, Nuage de Geai. »

Merci ! songea-t-il.

« Suis-moi », ordonna-t-il à sa camarade en l'entraînant dans la forêt.

La voix de Cœur Blanc le réveilla en sursaut.

« Nuage de Geai !

— Que se passe-t-il ?

— J'ai bien cru que tu étais tombé malade, expliqua-t-elle. Tu respirais si doucement… »

Nuage de Pavot !

Il bondit sur ses pattes et plaqua l'oreille contre le flanc de la malade. Si elle dormait encore, sa respiration était régulière et plus profonde.

« Comment va-t-elle ? s'enquit la guerrière.

— Mieux. »

L'apprenti ferma les yeux en soupirant.

« Je suis soulagée que vous alliez bien, tous les deux. Le jour ne va pas tarder à poindre. Je vais annoncer la bonne nouvelle à Poil de Châtaigne. »

Tandis que la chatte s'éloignait, Nuage de Geai sentit une énergie nouvelle lui irriguer les pattes.

« J'avais promis de te sauver, souffla-t-il à l'oreille de l'apprentie.

— Nuage de Geai, c'est toi ? murmura-t-elle d'une voix à peine audible. J'ai fait un rêve très étrange… »

Le novice se raidit. Il ne fallait pas que les autres apprennent ce qu'il s'était passé.

« C'est sans doute la fièvre… répondit-il.

— Peut-être… Je marchais dans une forêt que je n'avais jamais vue, mais j'avais l'impression d'y être chez moi. Il y avait plein d'autres chats… et toi, Nuage de Geai ! Tu as dit que je ne devais pas y rester…

— Ce n'était qu'un rêve, répéta-t-il en se détournant. Tu vas mieux, à présent. C'est tout ce qui compte. »

Le cri de Poil de Fougère résonna dans la combe : « Feuille de Lune est revenue ! »

Nuage de Geai jaillit aussitôt de la tanière. L'odeur de l'herbe à chat parvenait déjà à ses narines : son mentor en avait rapporté des quantités !

Elle accourait vers lui, la gueule pleine de feuilles parfumées. Cœur d'Épines et Griffe de Ronce la suivaient, tout aussi chargés. Ils déposèrent leur butin à l'entrée de la tanière.

« Poil de Belette et Nuage de Crécerelle nous ont suivis jusqu'au lac, lui expliqua-t-elle. Papillon avait d'importantes réserves. Elle nous en a donné suffisamment pour soigner tous nos camarades. Et m'a dit qu'elle nous en aurait apporté plus tôt si elle avait su… »

Et qui le lui aurait dit ? songea Nuage de Geai. *Pas le Clan des Étoiles.* Il aida Feuille de Lune à traiter les malades.

Poil de Châtaigne se fraya un passage à l'intérieur. L'apprenti perçut aussitôt son soulagement et sa gratitude.

« J'ignore comment tu as fait, mais je sais que c'est grâce à toi que Nuage de Pavot a survécu, cette nuit. » L'émotion déformait son miaulement. « Merci. »

Du bout de la queue, Feuille de Lune caressa le dos de son apprenti.

« Je savais que tu te débrouillerais très bien sans moi », déclara-t-elle.

Lorsqu'ils eurent soigné tous les malades, elle sortit dans la clairière. La guérisseuse était restée silencieuse depuis son retour. Et pas seulement parce qu'elle était trop occupée – Nuage de Geai sentait que quelque chose la troublait. Il leva le museau, intrigué, lorsque les ronces retombèrent en place après son passage.

« Mange-les doucement, dit-il à Aile Blanche en lui présentant d'autres feuilles. Je reviens tout de suite. »

Il sortit de la tanière et leva la truffe. Feuille de Lune avait retrouvé Étoile de Feu sous la Corniche. L'apprenti alla se dissimuler derrière le demi-roc pour épier les murmures inquiets des deux félins.

« La maladie a touché tous les clans, disait la guérisseuse à son chef. Le mal vert et le mal blanc. Sur tous les territoires, le gibier s'est raréfié à cause des gelées et la faim a affaibli tous les guerriers.

— Même ceux du Clan de l'Ombre ?

— Petit Orage nous a rejoints pour aller chercher de l'herbe à chat. Il m'a appris qu'ils avaient perdu un ancien.

— La mauvaise saison s'est montrée cruelle envers tous les clans », soupira Étoile de Feu avec tristesse.

Nuage de Geai dressa l'oreille. Il devinait que son mentor n'avait pas tout dit. Lorsqu'elle poursuivit enfin, Nuage de Geai dut se pencher pour entendre son faible murmure.

« La rancœur ronge le cœur des clans, chuchota-t-elle. Ils ont le sentiment que cette vague de froid, de maladie et de famine est bien plus que de la malchance. »

Le cœur de Nuage de Geai se mit à palpiter et le miaulement de son mentor fut tout à coup englouti par un bourdonnement lointain, un chœur de voix venues des quatre clans, tout autour du lac…

Le Clan des Étoiles ne veut pas que nous restions ici ! Les nouveaux territoires ne sont pas adaptés à notre survie. Et si l'épidémie touchait tous les guerriers ?

Ces murmures inquiets l'oppressèrent. Il posa la tête contre le sol et ferma les yeux. Est-ce que le Clan des Étoiles cherchait à punir les clans ? Et pour quelle raison ?

CHAPITRE 24

Nuage de Houx remua la truffe. Le temps avait changé, l'air était humide et doux.

Elle s'étira gaiement dans son nid et donna au passage un petit coup de patte à Nuage de Noisette.

« Hé ! protesta cette dernière.

— Tu sens ça ?

— Quoi ? bâilla l'apprentie au pelage gris et blanc.

— Il fait bon ! » répondit Nuage de Houx en jaillissant de son nid.

Lorsqu'elle sortit dans la clairière, la lumière l'aveugla. Avec le dégel, des flaques jonchaient le sol, des gouttes d'eau perlaient sur la moindre branche et les rayons jaune pâle du soleil matinal illuminaient la combe.

Étoile de Feu et Tempête de Sable faisaient leur toilette sous la Corniche. Si les os du meneur saillirent sous son pelage lorsqu'il se pencha pour nettoyer les oreilles de sa compagne, sa queue s'agitait joyeusement. Petit Givre et Petit Renard piaillaient de bonheur pendant que Bois de Frêne et Nuage de Sureau les pourchassaient devant la pouponnière. Fleur de Bruyère, qui se reposait près de Chipie, appréciait visiblement cette matinée ensoleillée. Son regard était clair et seule une petite croûte autour de sa truffe rappelait qu'elle était convalescente. Nuage de Pavot, qui se remettait dans la tanière des anciens au côté de Poil de Souris, semblait elle aussi sur la voie de la guérison. Malheureusement, elle n'était pas encore assez forte pour se rendre à l'Assemblée prévue ce soir-là.

Cœur d'Épines débaula soudain dans le camp à la tête d'une patrouille. Une souris pendait dans sa gueule. Aile Blanche le suivait, chargée d'un petit pinson, puis Pelage de Granit et Nuage de Lion, qui rapportaient chacun un campagnol.

Nuage de Houx écarquilla les yeux. Elle n'avait pas vu tant de gibier depuis longtemps.

Cœur d'Épines déposa sa prise sur le coin de terre battue qui était resté vide trop longtemps. Étoile de Feu alla accueillir la patrouille.

« On dirait que le gibier est revenu !

— Oui ! répondit Nuage de Lion, qui gambadait autour de son mentor. On a vu des primevères sur la frontière du Clan de l'Ombre, et des bourgeons sur le Vieux Chêne !

— Et les proies s'agitent dans leurs terriers, ajouta Aile Blanche.

— Griffe de Ronce ! » appela le rouquin en balayant la clairière du regard.

Le lieutenant émergea du gîte des guerriers, suivi de Poil d'Écureuil.

« Le gibier est de retour, annonça le chef en montrant la réserve du bout de la queue. Emmène une autre patrouille vers la frontière du Clan du Vent.

— Nuage de Sureau, nous allons chasser ! »
annonça le guerrier tacheté.

Nuage de Houx s'avança à grands pas.

« Et moi, est-ce que je peux y aller ? demanda-t-elle à son père.

— Non. Toi, tu vas à l'Assemblée, ce soir. Tu as besoin de garder des forces.

— Mais j'ai dormi presque toute la matinée !

— Et tu es à moitié affamée, comme tout le monde. Aujourd'hui, mange et repose-toi. Tu pourras chasser demain.

— Nuage de Lion est allé chasser, lui ! C'est injuste !

— La vie est injuste. Tu restes au camp, un point c'est tout. »

Le lieutenant fit un signe de tête à Poil d'Écureuil et, ensemble, ils partirent avec Nuage de Sureau dans la forêt.

La nuit venue, la pleine lune baignait la combe d'une lumière argentée.

Nuage de Houx huma l'air. *Le ciel est dégagé. C'est bon signe.*

Plume Grise et Millie attendaient dans la clairière avec Pelage de Granit et Pelage d'Orage. Poil de Fougère, assis près d'eux, se mordillait les griffes d'impatience. Poil d'Écureuil se nettoyait les oreilles pendant que Griffe de Ronce, près d'elle, levait la tête vers la Corniche. Ils partiraient pour l'Assemblée dès qu'Étoile de Feu se montrerait.

Les apprentis trépignaient devant la barrière végétale.

« Tu penses qu'Étoile de Jais parlera de la bataille ? demanda Nuage de Cendre.

— Je parie que le Clan de l'Ombre n'évoque jamais ses défaites, répondit Nuage de Miel.

— Qu'est-ce que tu en penses, Nuage de Houx ? » voulut savoir Nuage de Lion.

La novice au pelage noir n'écoutait pas. Elle pensait à son frère, Nuage de Geai, qui semblait la regarder, elle et le reste de la patrouille. Ses yeux bleu clair ne reflétaient nulle émotion, mais elle savait à quel point il devait être déçu. Elle s'approcha de lui.

« Je te raconterai tout dès notre retour », promit-elle.

Il ne répondit pas. Elle se pressa contre lui en ajoutant :

« Tu iras à l'Assemblée suivante, j'en suis certaine. Nuage de Pavot et Poil de Souris seront remises, d'ici là.

— Je sais. »

Seul un léger frétillement de la queue trahit sa frustration.

« Nuage de Houx ! »

L'appel de Poil de Fougère la fit sursauter. Étoile de Feu était descendu de la Corniche, Tempête de Sable sur les talons.

« Je dois y aller, annonça-t-elle.

— Dépêche-toi ! » la pressa encore Nuage de Lion tandis qu'elle accourait vers eux.

Elle jeta un coup d'œil vers Nuage de Geai, qui s'était levé et se dirigeait d'un pas lent vers la tanière des anciens.

« Tout ira bien pour lui », le rassura Nuage de Cendre.

Nuage de Houx redressa la tête. Ce n'était pas le moment de s'inquiéter pour lui. Elle avait hâte de vivre sa première Assemblée en tant qu'apprentie guerrière.

Étoile de Feu donna le signal du départ et disparut dans le tunnel. Griffe de Ronce et les autres guerriers l'imitèrent aussitôt. Les apprentis firent la course pour savoir qui sortirait du tunnel le premier. Nuage de Lion et sa sœur cavalaient côte à côte.

« Tu crois que tous les autres clans savent que je suis une apprentie guerrière, à présent ? haleta-t-elle tout en passant sous une branche de fougère.

— Si ce n'est pas le cas, tu seras ravie de le leur dire, non ? » la taquina-t-il.

En représailles, elle lui donna un petit coup d'épaule qui l'envoya frôler un roncier.

La patrouille dévala la pente vers la rive du lac. Plume Grise courait en tête, visiblement impatient d'assister de nouveau à une Assemblée.

Sous leurs pattes, les feuilles mortes firent place à l'herbe tendre puis aux marécages, qui contraignirent les félins à ralentir leur allure.

Bientôt, Nuage de Houx repéra la silhouette de l'arbre-pont. Elle sortit les griffes pour le traverser à la suite de ses camarades et fut soulagée d'atteindre l'autre rive sans encombre. Le clair de lune scintillait à la surface du lac, derrière les arbres. En levant la truffe, elle apprit que les autres clans étaient déjà arrivés. Son cœur s'emballa lorsque, après un signe de tête, Étoile de Feu s'engagea dans les taillis.

Nuage de Houx avait hâte de discuter avec des apprentis guerriers des autres clans. À présent qu'elle était l'une des leurs, elle comprenait à quel point elle s'était sentie à l'écart en étant apprentie guérisseuse.

« J'espère que… » commença-t-elle.

Mais Nuage de Lion s'était arrêté devant elle et contemplait la clairière.

« Quelque chose ne va pas, souffla-t-il.

— Quoi donc ? »

Elle jeta un regard craintif alentour. L'atmosphère lui semblait différente de la première fois. Les guerriers étaient rassemblés par clan, sans se mêler aux autres. Ils paraissaient maigres et furieux. Leurs yeux luisaient comme ceux d'un renard.

« Qu'est-ce qui leur arrive ? s'étonna-t-elle.

— La mauvaise saison a été très rude, expliqua Étoile de Feu. Tout le monde est plus faible et affamé. Ils seront sans doute plus méfiants. Soyez prudents. »

Nuage de Houx ne quitta pas son frère. Les regards courroucés que s'échangeaient les guerriers ne lui disaient rien qui vaille.

« Ne t'inquiète pas, murmura Nuage de Lion. Ils vont bientôt se calmer. »

Un feulement suivi d'un grognement la firent sursauter. Derrière elle, Nuage de Sureau venait de sauter sur Nuage de Chouette. Le novice du Clan de l'Ombre le renversa pour le clouer au sol, mais Nuage de Sureau parvint à s'échapper et à le faire tomber à son tour.

« Arrêtez ! »

Le miaulement féroce de Griffe de Ronce résonna dans la clairière. Il courut vers son apprenti et le prit par la peau du cou alors que ses pattes battaient toujours l'air.

« Et la trêve, vous l'oubliez ? » le sermonna-t-il.

Nuage de Houx leva la tête. De fins nuages défilaient devant la lune. Est-ce que la rixe des deux jeunes félins avait froissé le Clan des Étoiles ?

Nuage de Sureau s'ébroua lorsque Griffe de Ronce le laissa brusquement tomber au sol.

« C'est Nuage de Chouette qui a commencé ! Il m'a traité de chat domestique ! »

Nuage de Houx sentit sa fourrure se hérisser devant tant d'injustice. Il y avait des lunes que Nuage de Sureau s'entraînait pour devenir un guerrier du Clan du Tonnerre.

Un appel retentit depuis le Grand Chêne.

« Que l'Assemblée commence ! » annonça Étoile de Feu.

Nuage de Houx se fraya un passage parmi ses camarades pour venir s'asseoir entre Feuille de Lune et Griffe de Ronce.

« Vous avez vu comme Étoile de Jais nous foudroie du regard ? » s'étrangla-t-elle.

Les yeux plissés, le meneur du Clan de l'Ombre toisait les guerriers du Clan du Tonnerre et ses lèvres tremblotaient comme s'il se retenait de montrer les crocs.

Étoile du Léopard s'exprima le premier :

« Le Clan de la Rivière a beaucoup souffert au cours de la dernière lune. » La chatte au poil doré tacheté de noir balaya l'assistance d'un air solennel. « Alors que nous comptions sur la saison des feuilles nouvelles pour mettre un terme à nos malheurs, de nouvelles gelées ont aggravé la famine et apporté la maladie. »

Les guerriers des quatre clans murmurèrent leur accord.

« Lors de la dernière saison des feuilles vertes, des Bipèdes avaient envahi notre territoire. Viendront-ils plus nombreux encore, cette fois ? Est-ce qu'ils détruiront nos camps, comme dans la forêt ?

— Pourquoi le feraient-ils ? lança Patte Cendrée, depuis les rangs du Clan du Vent.

— Et pourquoi cette mauvaise saison nous a-t-elle apporté tant de tragédies ? rétorqua Étoile du Léopard. Est-ce que le Clan des Étoiles tente de nous envoyer un message ? Est-ce qu'il veut nous faire comprendre que notre place n'est pas ici ?

— Le Clan des Étoiles ne m'a envoyé aucun signe en ce sens ! la coupa aussitôt Feuille de Lune.

— À moi non plus ! renchérit Écorce de Chêne.

— Nous avons toujours connu des périodes de famine et de maladie, lui rappela Poil d'Écureuil. Même dans notre ancienne forêt !

— Poil d'Écureuil a raison ! » reconnut Étoile Solitaire.

Étoile du Léopard coula un regard oblique vers Étoile de Jais et remua la queue comme pour l'encourager à prendre la parole.

Le regard du meneur du Clan de l'Ombre se fit plus noir encore.

« Petit Orage a reçu un signe, lui ! » annonça-t-il.

Toutes les têtes se tournèrent vers le guérisseur. Ce dernier arborait un pelage hirsute et une expression inquiète.

« J'ai rêvé qu'un guerrier rapportait une nouvelle sorte de proie au camp, un oiseau étrange que je n'avais jamais vu. En y mordant, j'ai découvert que son ventre grouillait d'asticots. »

Une vague de miaulements inquiets parcourut les clans. Aussitôt, Étoile de Jais les fit taire.

« Le Clan des Étoiles veut nous faire comprendre que les étrangers empoisonnent les clans !

— Il pourrait tout aussi bien nous mettre en garde contre le gibier inconnu ! » répliqua Feuille de Lune.

Une ombre glissa sur la clairière. Nuage de Houx constata avec horreur que les nuages s'épaississaient devant la lune. Le Clan des Étoiles était bel et bien courroucé.

Étoile de Jais décocha un regard noir à Étoile de Feu.

« À force d'accueillir des chats nés hors de la forêt, tu affaiblis le sang des guerriers des clans, l'accusa-t-il. Pour quelle autre raison le Clan des Étoiles nous laisserait-il souffrir ? »

Il se tourna d'un air accusateur vers Pelage d'Orage, Source, Nuage de Sureau et Millie.

« Des chats domestiques et des étrangers ! feula Bois de Chêne.

— Tu piétines le code du guerrier ! » hurla Nuage de Chouette.

Griffe de Ronce fit le gros dos et Pelage d'Orage bondit sur ses pattes en montrant les crocs. Mais le regard farouche d'Étoile de Feu dissuada les siens de répondre.

« Vous pensez vraiment que nous sommes responsables du mauvais temps ? lança le chef du

Clan du Tonnerre. Nous avons connu bien pire, dans notre ancienne forêt. Le Clan des Étoiles nous a guidés jusqu'ici. Qui pensait que nous y trouverions une vie facile ? » Les clans l'écoutèrent en silence puis, ici et là, on entendit des miaulements d'approbation. « C'est notre lutte constante contre l'adversité qui fait de nous de véritables guerriers. Étoile de Jais, tu penses que le métissage va nous affaiblir. Pourtant, une vie sans épreuves nous affaiblirait davantage.

— C'est vrai, ajouta Étoile Solitaire. À entendre Étoile de Jais, le Clan des Étoiles ne devrait nous accorder que des bienfaits. Veut-il donc que nous adoptions les vies mornes et faciles des chats domestiques ? »

Étoile de Jais lui envoya un regard assassin.

Patte Cendrée se leva aussi sec.

« Un sang pur n'est jamais synonyme de vertu !

— M'accordez-vous la permission de parler ? »

En tournant la tête, Nuage de Houx vit sa mère se faufiler vers le premier rang. Étoile de Feu acquiesça.

La rouquine balaya la foule d'un regard serein. Nuage de Houx l'observa avec fierté. *Vas-y Poil d'Écureuil !*

« Nous avons tous souffert, reconnut-elle. Cependant, nous devons penser à l'avenir, non au passé. La saison des feuilles nouvelles est arrivée. Nos territoires se réchauffent et redeviennent giboyeux. Grâce à Papillon, nous avons tous de bonnes réserves d'herbe à chat. »

Comme en réponse à ses paroles, une douce brise balaya l'île et emporta les nuages loin de la lune.

« Le Clan des Étoiles est d'accord avec elle !

— C'est un signe ! »

L'assemblée apaisée écouta de nouveau la guerrière.

« Nous nous apprêtons à vivre notre deuxième saison des feuilles nouvelles près du lac. Nous devrions fêter cet événement avec une Assemblée spéciale... pendant que la lune est encore pleine, nous devrions nous réunir en plein jour.

— Et pour quelle raison ? la coupa Étoile de Jais.

— Nous devrions nous retrouver pour partager nos techniques de chasse et d'entraînement. Pour montrer que nous n'avons pas oublié le Grand Périple qui nous a conduits jusqu'ici, pendant lequel nous ne formions plus qu'un seul clan.

— Nous pourrions organiser des concours ! »

Nuage de Graviers, un apprenti du Clan de la Rivière, s'exprimait pour la première fois. Son enthousiasme se lisait dans ses yeux brillants.

« Les apprentis de chaque clan pourraient s'affronter, les meilleurs l'emporteront ! lança Nuage de Myosotis.

— Je parie que je peux battre n'importe quel chat du Clan du Tonnerre à la chasse ! fanfaronna Nuage de Chouette.

— Personne ne pourrait pêcher plus vite que Nuage de Grenouille ! rétorqua Patte de Brume.

— C'est de la triche, grommela Nuage de Lion. Le Clan de la Rivière est le seul à aimer se mouiller les pattes... »

Nuage de Houx se rendit compte que la peur et la colère des clans s'étaient muées en excitation et en défis amicaux. Poil d'Écureuil leur avait fait oublier leurs idées sur le « sang impur » du Clan du Tonnerre en leur remémorant le temps où ils s'étaient unis pour le Grand Périple, en leur rappelant qu'ils avaient encore beaucoup à apprendre les uns des autres. La novice au pelage noir leva la tête vers Étoile de Feu. Le chef du Clan du Tonnerre contemplait Poil d'Écureuil, sa fille, en silence, le regard brillant de fierté.

Même Étoile Solitaire semblait enthousiasmé par cette idée.

« Et où organiserions-nous cette rencontre ? s'enquit le meneur du Clan du Vent.

— Pourquoi pas là où nous nous sommes abrités le soir de notre arrivée sur les rives du lac ? suggéra Pelage de Granit.

— Non, c'est trop marécageux, répondit Étoile du Léopard en secouant la tête.

— Chez nous, la bande de territoire entre la forêt et le lac pourrait faire l'affaire, proposa Étoile de Feu. La terre, couverte d'herbe, n'y est pas trop humide. Tout le monde serait à l'aise. Du moment que chaque clan apporte son propre gibier, nous pourrions nous y retrouver.

— Dans deux jours, cela vous conviendrait-il ? » demanda le chef du Clan de la Rivière en balayant du regard les quatre clans.

Dans la clairière, les têtes opinèrent et les queues s'agitèrent gaiement.

« Très bien, reprit Étoile du Léopard avant de se tourner vers Étoile de Feu. Nous nous retrouverons donc à midi. »

Le rouquin acquiesça.

Nuage de Houx trépignait. Si cette Assemblée de jour était une bonne idée, cela n'empêcherait pas les autres clans d'accuser le Clan du Tonnerre de tous les maux à la première occasion.

« Dans ce cas, c'est entendu », miaula Étoile Solitaire, qui sauta de l'arbre, aussitôt imité par Étoile de Feu et Étoile du Léopard.

Seul Étoile de Jais s'attarda un instant, le regard embrasé de colère, pendant que les félins commençaient à se disperser en piaillant comme des étourneaux.

« Tu te rends compte ? demanda Nuage de Lion à sa sœur. J'ai hâte d'avertir Nuage de Geai. Tu crois que l'idée lui plaira ? »

Le ventre de l'apprentie se noua. Comment un aveugle pourrait-il prendre part aux rencontres ?

« Les guérisseurs ne participerons sans doute pas, répondit-elle. Contrairement aux guerriers, ils ont l'habitude de s'entraider, pas de se mesurer les uns aux autres. »

Nuage de Cendre les rattrapa alors qu'ils approchaient de l'arbre-pont.

« Je parie que Nuage de Lion va gagner le concours de chasse, haleta-t-elle.

— Tu crois ? ronronna-t-il de plaisir. Eh bien, Nuage de Houx sera la meilleure combattante ! »

La douce voix de Source retentit derrière eux.

« Tant que vous faites de votre mieux, le clan sera fier de vous. »

Nuage de Houx faisait toujours de son mieux, c'était dans sa nature. Cette Assemblée d'un genre nouveau pourrait peut-être étouffer le conflit dans l'œuf. Le Clan du Tonnerre aurait l'occasion de prouver aux autres clans – et surtout au Clan de l'Ombre – que *tous* ses membres étaient des guerriers et qu'être né ou non dans un clan n'avait rien à voir avec la valeur de chacun.

CHAPITRE 25

MIDI APPROCHAIT – Nuage de Geai sentait déjà les rayons du soleil réchauffer son dos. Il entra dans le camp, un paquet de feuilles d'oseille dans la gueule. La saveur aigre-douce lui avait asséché la bouche et masquait toutes les autres odeurs.

Lorsqu'il traversa la clairière, il entendit les pas de ses camarades qui s'agitaient tout autour de lui. Tout le clan se préparait depuis l'aube à l'Assemblée spéciale. *Ils vont passer la journée à chasser et à se battre,* songea-t-il avec irritation. *Il n'y a vraiment pas de quoi s'exciter, ils font cela tous les jours…*

« Poil d'Écureuil ! appela Étoile de Feu depuis la Corniche.

— Oui ? fit-elle, hors de souffle.

— As-tu trouvé un bon parcours pour la chasse à l'écureuil ?

— J'ai envoyé Griffe de Ronce avec une patrouille, répondit-elle. À mon avis, la frontière du Clan de l'Ombre serait le meilleur choix. Les écureuils y sont occupés à déterrer leurs noix.

— Et le concours d'escalade ? insista Étoile de Feu.

— Patte d'Araignée m'a dit que le Vieux Chêne arbore déjà de nouvelles pousses. D'après lui, les apprentis ne risquent pas de l'abîmer en y grimpant.

— Parfait. Nuage de Geai ! » Le meneur descendit l'éboulis pour rejoindre l'apprenti guérisseur. « Feuille de Lune aura besoin de ton aide aujourd'hui, en cas d'accident. Tu ne pourras pas participer aux rencontres, j'en ai bien peur. »

Depuis qu'ils étaient rentrés de l'Assemblée sur l'île, ses camarades l'avaient évité, trop effrayés de lui annoncer ce qu'il savait déjà : il serait incapable de participer à la moindre rencontre. Sans répondre à Étoile de Feu, il se faufila d'un pas furieux dans la tanière de la guérisseuse.

« Bravo ! lui lança Feuille de Lune. Tu en as trouvé beaucoup. Nous sommes parés contre les petits bobos. »

Le jeune félin laissa tomber les feuilles sur le sol. Il fit claquer sa langue pour saliver.

« Je ne vois pas pourquoi nous devrions soigner tous les clans, se plaignit-il. Si leurs apprentis veulent se pavaner sur notre territoire, leurs propres guérisseurs devraient s'occuper d'eux.

— Tous les guérisseurs œuvreront ensemble pour le bien de chacun, lui rappela son mentor.

— Je parie que Nuage de Saule et Nuage de Crécerelle n'ont pas passé la matinée à cueillir des remèdes. Même eux, ils auront peaufiné leurs techniques de chasse pour le concours. »

Tandis qu'elle rangeait l'oseille avec les autres plantes médicinales, l'exaspération de Feuille de Lune était perceptible dans le moindre de ses gestes. Elle lui répondit pourtant d'un ton calme :

« Je sais à quel point tu voudrais participer, Nuage de Geai. Cependant, j'ai besoin de ton aide. »

La colère qui bouillonnait en lui depuis deux jours éclata subitement.

« Arrête de mentir ! Je n'ai pas le droit de participer parce que je n'ai aucune chance contre de vrais apprentis ! Étoile de Feu ne veut tout simplement pas que je fasse honte au clan.

— Tu sais que c'est faux ! lui répondit-elle, choquée.

— Alors pourquoi refuse-t-il de me laisser faire au moins un concours ?

— Si tu avais suivi plus d'enseignements martiaux, tu aurais peut-être pu participer. » Elle avait beau tenter de garder son calme, son ton était cassant. « Tu as commencé tard ton apprentissage de guérisseur et l'épidémie de mal vert nous a empêchés de travailler tes autres compétences. »

Nuage de Geai s'abstint de répondre. Alors que Nuage de Houx n'était restée que très peu de temps apprentie guérisseuse, Cœur Blanc avait tout de même trouvé le moyen de l'entraîner au combat. Et si son mentor avait simplement décidé que ce serait une perte de temps de lui enseigner la moindre technique guerrière ?

Feuille de Lune changea de sujet.

« Poil d'Écureuil doit être fatiguée, elle n'a pas arrêté depuis ce matin. Tu veux bien lui apporter quelques herbes ? »

Nuage de Geai gagna la réserve d'un pas traînant, prit les feuilles adéquates et en fit un petit paquet qu'il ramassa délicatement entre ses crocs. Une fois dans la clairière, il guetta la voix de sa mère et la repéra en pleine conversation avec Griffe de Ronce sous la Corniche.

Il alla déposer son paquet devant ses pattes.

« Feuille de Lune veut que tu manges ça.

— C'est gentil de sa part, miaula-t-elle en reniflant le mélange. Tu les a préparées toi-même ? Ça sent meilleur que d'habitude.

— J'y ai ajouté du nectar de bruyère pour que ce soit moins aigre, marmonna-t-il.

— Merci, c'est gentil, ronronna-t-elle en lui donnant un coup de langue vigoureux entre les oreilles.

— De rien. »

Cette marque de gratitude illumina un instant sa morne journée, mais il s'éloigna avant qu'elle ne l'embarrasse davantage.

Tout à coup, Nuage de Lion et Nuage de Houx déboulèrent de la barrière de ronces.

« Ils sont là ! lança l'apprenti au pelage doré et tigré.

— Le Clan du Vent descend vers le lac ! » s'écria Nuage de Houx.

Les pas légers de Petit Renard et Petit Givre se firent entendre devant la pouponnière.

« Moi, j'aurais bien aimé y aller ! miaula Petit Renard.

— Nous nous amuserons ici, lui répondit Fleur de Bruyère depuis sa tanière.

— Et pourquoi doit-on rester au camp ? gémit Petit Givre. C'est injuste !

— La vie est injuste », gronda Nuage de Geai avant de regagner d'un pas lourd la tanière de la guérisseuse.

Voilà pourquoi je vais être coincé au camp comme un chaton ! bougonna-t-il mentalement.

Bois de Frêne et Cœur d'Épines jaillirent du tunnel, suivis de leurs équipes de chasseurs. Nuage de Geai huma le parfum délicieux du gibier frais. Chaque patrouilleur avait dû attraper au moins une prise.

« Bravo ! les félicita Étoile de Feu. Personne n'aura faim, aujourd'hui. »

Un appel retentit dans la forêt qui surplombait la combe.

« C'est Étoile du Léopard ! miaula Nuage de Lion. Le Clan de la Rivière est arrivé !

— Ça y est, c'est l'heure de partir, ajouta Nuage de Houx. L'Assemblée spéciale commence à midi. »

Nuage de Houx participait à l'une des rencontres, celle qui départagerait les meilleurs combattants. Pendant ce temps, lors du concours de chasse, Nuage de Lion affronterait un apprenti du Clan du Vent. Lorsque Nuage de Geai y pensait, la jalousie lui rongeait le cœur.

Des pierres dévalèrent l'éboulis quand Étoile de Feu bondit dans la clairière. Nuage de Geai préféra entrer dans la tanière de Feuille de Lune plutôt que d'assister au départ des concurrents impatients. Il essaya de se boucher les oreilles pour ne pas entendre le meneur leur souhaiter bonne chance. Il entendit tout de même la cavalcade de ses camarades qui s'engouffraient dans le tunnel.

Un silence étrange s'abattit sur le camp.

« Nuage de Geai, tu peux m'aider à préparer des cataplasmes ? » demanda la guérisseuse depuis la réserve.

Le novice se força à chasser ses idées noires et rejoignit son mentor. Il se mit à mâcher des feuilles d'oseille rapportées plus tôt. Pendant ce temps, Petit Givre et Petit Renard jouaient dans la clairière.

« N'oubliez pas, leur rappela Fleur de Bruyère, vous devez tous les deux me rapporter un scarabée, de la mousse et une mouche.

— C'est moi qui vais gagner ! se vanta Petit Givre.

— Non c'est moi ! rétorqua son frère. Je les trouverai le premier, et ce sera moi le champion ! »

Leurs miaulements résonnaient dans le camp déserté. Nuage de Geai ressentait ce vide comme la faim creuse l'estomac.

Est-ce que je suis condamné à toujours rester à l'écart ? se demanda-t-il.

« Il y en a suffisamment, à présent. » Les paroles de Feuille de Lune le tirèrent soudain de ses pensées. « On pourrait traiter les égratignures de tous les guerriers des clans jusqu'au dernier. »

Nuage de Geai recracha une ultime bouchée de pulpe d'oseille et se redressa. Il se lécha les pattes pour se débarrasser du goût du remède.

« Je dois assister à l'Assemblée, au cas où il y aurait des blessés, annonça-t-elle. De plus, je ne raterai le combat de ta sœur pour rien au monde. Tu veux venir avec moi ? »

Nuage de Geai secoua la tête. Hors de question qu'il y aille en simple spectateur.

« Comme tu veux. »

Elle sortit de sa tanière sans tenter de le convaincre.

Une fois seul, il se sentit perdu. Au loin, il distinguait les cris excités des guerriers et de leurs apprentis. Il aurait voulu hurler au Clan des Étoiles que c'était injuste, mais il ne voulait pas se comporter comme un chaton, même si on le traitait comme tel. Au lieu de cela, il entreprit de ranger les herbes, de faire des piles de feuilles bien nettes, d'aligner les cataplasmes au cas où un guerrier reviendrait blessé.

Soudain, une impression étrange l'envahit ; des fourmillements parcoururent sa queue, remontèrent le long de son échine, et sa fourrure se hérissa. Tout à coup, des images terribles déferlèrent dans son esprit.

Il se retrouvait enterré, incapable de respirer, la gueule pleine de terre qui empestait le renard et le blaireau. Terrifié, il ne parvenait plus à réfléchir. Où était le renard ? Et le blaireau ? Il s'attendait à tout instant à ce que leurs crocs se referment sur lui. Il regarda désespérément tout autour de lui, et ne vit que de la terre effondrée. Au-dessus de lui, il aperçut une petite lumière, qui disparut aussitôt quand un nouveau glissement de terrain lui projeta de la terre dans les yeux et les oreilles. Il était enterré vif !

« À l'aide ! » voulut-il crier, sans succès.

Il tenta de creuser désespérément pour trouver une issue. Le Clan des Étoiles était-il si déçu par lui qu'il avait ordonné à la terre de l'engloutir ? Il battit vainement des pattes arrière pour essayer de remonter. Ses poumons le mettaient au supplice. Il voyait ses pattes gratter juste devant son museau. Cependant, ce n'étaient plus ses propres pattes grises ; elles étaient larges et couvertes d'une fourrure dorée et épaisse, bombée au niveau des griffes.

Il comprit alors qu'il voyait par les yeux de Nuage de Lion !

Par un effort de volonté, Nuage de Geai chassa les images de son esprit et retrouva la tanière, l'odeur des feuilles et le silence qui régnait dans la combe.

Où était Nuage de Lion, à présent ?

Le concours de chasse !

Son frère devait traquer une proie le long de la frontière du Clan de l'Ombre…

Vif comme l'éclair, Nuage de Geai jaillit de la tanière et se rua vers la forêt, tous les sens en alerte. Il se faufila entre les arbres aussi vite qu'un serpent. Il devait retrouver Nuage de Lion avant que sa vision ne devienne réalité.

Nuage de Houx regarda Nuage de Lion et Nuage de Brume grimper la côte et disparaître entre les arbres pour chasser. Signe de son excitation, le poil de son frère se dressait sur son échine.

Bonne chance ! songea l'apprentie.

« Nuage de Houx, tu es prête ? » demanda Étoile Solitaire.

Celle-ci pivota. Nuage de Myosotis l'attendait déjà au milieu du cercle formé par les guerriers et les apprentis venus assister au combat. La novice du Clan du Vent la défiait du regard, la tête bien droite.

« Allez, Nuage de Houx », l'encouragea Griffe de Ronce. Il se tenait près de Poil de Fougère, l'œil brillant.

La jeune chatte noire entendait les murmures enthousiastes de la foule. Elle était si nerveuse qu'elle avait l'impression qu'un poisson frétillait dans son ventre. Résolue à n'en rien montrer, elle s'accroupit face à son adversaire, les yeux plissés.

« On ne sort pas les griffes », ordonna Étoile Solitaire en balayant le sol de sa queue.

Nuage de Houx banda ses muscles. Elle se méfiait de l'apprentie au pelage brun clair qui, malgré sa petite taille, avait deux lunes d'expérience de plus qu'elle et des muscles bien visibles sous son pelage luisant.

« Commencez ! »

Nuage de Myosotis bondit. Elle percuta Nuage de Houx, la renversa au sol et lui mordit la peau du cou. Pas suffisamment pour la blesser, mais assez pour lui couper le souffle. Elle n'allait tout de même pas se faire battre si facilement ! Nuage de Myosotis l'avait attrapée comme un vulgaire lapin.

La novice du Clan du Tonnerre réfléchit un instant. Elle rentra la tête dans les épaules et, d'une ruade, elle frappa Nuage de Myosotis de ses deux pattes arrière. Puis elle fit une roulade avant en emportant son adversaire avec elle. Celle-ci se retrouva sur le dos et ouvrit les mâchoires. Nuage de Houx se releva d'un bond et repartit à la charge, mais sa rivale esquiva son attaque et se rua sur elle.

L'apprentie du Clan du Tonnerre sauta aussi haut qu'elle put et retomba sur le dos de sa concurrente. En la serrant entre ses pattes, elle la fit basculer et lui bourra le ventre de coups bien sentis.

Aussi glissante qu'un serpent, Nuage de Myosotis se tortilla tant et si bien qu'elle s'arracha à sa prise. Elle se dressa sur ses pattes arrière pour assener à Nuage de Houx une pluie de coups de pattes avant. La jeune chatte noire l'imita et toutes deux s'affrontèrent comme des lièvres bagarreurs.

« Finissons-en, Nuage de Myosotis ! lança Plume de Jais.

— Fais-la tomber ! » feula Poil de Fougère.

Qu'est-ce que j'essaie de faire, à ton avis ? songea l'apprentie du Clan du Tonnerre.

Le museau de Nuage de Houx commençait à la brûler. Les coups de son opposante étaient puissants et bien visés, et elle-même commençait à faiblir. Elle inspira profondément, plongea en avant et glissa la tête entre les pattes arrière de Nuage de Myosotis pour la faire basculer. Puis elle pivota et planta ses crocs – pas trop fort, tout de même – dans la peau du cou de l'autre chatte tout en lui enfonçant le menton dans la terre. L'apprentie du Clan du Vent poussa un feulement furieux en se débattant sauvagement, mais Nuage de Houx avait planté ses griffes dans le sol de chaque côté de son corps pour l'empêcher de se libérer.

« C'est fini ! annonça Étoile Solitaire. Nuage de Houx l'emporte ! »

Les guerriers du Clan du Tonnerre miaulèrent de joie et Nuage de Houx relâcha la perdante.

« Bien joué, haleta celle-ci en se relevant. Ton mouvement final était génial !

— Merci. Toi aussi, tu t'es bien battue.

— Félicitations, Nuage de Houx ! »

Griffe de Ronce s'approcha de sa fille et lui caressa le flanc d'un ample geste de la queue.

« Moi, elle ne m'aurait pas battu si facilement », siffla une voix toute proche.

Nuage de Myosotis décocha un regard noir à Nuage de Lierre, une novice du Clan de l'Ombre.

« Tu veux parier ? la défia Nuage de Houx.

— Une victoire, ça suffit », lui répondit son mentor en lui donnant une pichenette sur l'oreille.

Le guerrier la couvait d'un regard empreint de fierté.

Soudain, l'apprentie aperçut une silhouette grise familière qui cavalait en haut de la pente.

« Nuage de Geai ! Tu viens de rater ma belle victoire ! »

Son frère ne semblait pas l'entendre. Il filait entre les arbres, droit vers la frontière du Clan de l'Ombre. *Par le Clan des Étoiles, mais que manigance-t-il encore ?* se demanda-t-elle.

Nuage de Geai fonçait vers le territoire ennemi en repensant à l'odeur pestilentielle de sa vision. Il y avait un terrier de blaireau abandonné près de la frontière du Clan de l'Ombre, creusé dans une ancienne renardière. Sa mère la lui avait décrite. Jadis, elle avait aidé les siens à chasser la femelle blaireau qui l'occupait, peu après l'arrivée des quatre clans autour du lac.

À chaque foulée, il plantait ses griffes dans l'herbe pour se donner plus d'élan. Malgré les senteurs fraîches qui lui parvenaient du lac, il se concentrait sur le fumet du blaireau, le guettait au détour de chaque arbre. Son instinct et ses sens ne suffisaient pas à le guider dans ce territoire inconnu. Il s'arrêta net, la truffe levée, et commença à s'orienter grâce à ses moustaches.

Clan des Étoiles ! Permettez-moi de voir un instant ! Je dois le retrouver ! implora-t-il en silence.

Soudain, la puanteur du blaireau lui parvint. Elle était éventée et mêlée à celle du renard. Il tourna la tête en tous sens en se demandant où se trouvait son frère. Puis il entendit des pas marteler le sol couvert de feuilles mortes, droit devant lui.

Il flaira aussitôt Nuage de Lion.

Puis Nuage de Brume.

Et un écureuil.

Ils laissaient dans leur sillage des vagues d'excitation brûlantes. Tout à coup, Nuage de Geai comprit avec horreur que les deux apprentis pourchassaient l'écureuil vers la source du fumet du blaireau. Ils allaient fouler le sol là où il n'était plus stable, là où la terre les engloutirait...

« Non ! »

Son cri résonna dans la forêt. Il s'élança, affolé. Puis il ressentit un choc terrible qui l'obligea à s'arrêter.

Les bruits de pas s'étaient tus. Il n'entendait plus que le grattement des griffes de l'écureuil qui grimpait à un arbre. Un silence de mort régnait à présent sur la forêt.

« Nuage de Lion ! » hurla-t-il en s'élançant de plus belle.

Il trébucha car, sous ses pattes, le terrain devenait accidenté. Le soleil lui brûlait le dos, à présent. Il était dans une clairière, et des rochers lui barraient le passage.

Sa fourrure se hérissa lorsqu'il entendit enfin des miaulements étouffés venus d'en haut.

« À l'aide !

— Clan des Étoiles, sauvez-nous ! »

Nuage de Geai tâta le terrain à toute vitesse et commença à escalader les pierres. Où étaient-ils tombés ? Le sol était toujours dur sous ses pattes. Il monta encore un peu, puis la pente s'adoucit et il se retrouva enfin sur un terrain plat, qui redescendait aussi sec. Il commença à glisser vers l'avant. Son sang battait contre ses tempes. *Et si je tombe, moi aussi ?* Il se remémora sa vision : la terre qui lui bouchait les oreilles et les yeux, ses poumons qui le brûlaient... Il sortit les griffes, qui crissèrent sur la pierre lorsqu'il s'engagea dans la descente, mi-rampant, mi-dérapant.

Soudain, ses pattes avant s'enfoncèrent dans du sable, qui se souleva comme si quelque chose gigotait dessous.

Ils sont là !

Accroupi, il se mit à creuser aussi vite que possible.

« À l'aide ! hurla-t-il en espérant que quelqu'un l'entendrait. Par ici ! »

Les griffes de ses pattes arrière ripèrent – il glissa et ses pattes avant s'enfoncèrent de nouveau.

« Clan des Étoiles, au secours ! »

D'une ruade, il se redressa en ignorant les élancements de ses muscles douloureux. Il ne pouvait pas abandonner maintenant. Il s'approcha de nouveau du bord pour se remettre à l'ouvrage. L'effort était tel qu'il tremblait de tous ses membres. Il avait creusé si profondément que son menton frôlait le trou. Une vague de terreur le submergea. Sa vision lui revint, si nette qu'il crut qu'il avait de la terre plein la gorge.

Soudain, il frôla une fourrure. Dans un regain d'espoir, il y planta ses griffes et tira de toutes ses forces. Celui qu'il avait retrouvé se tortilla dans tous les sens pour remonter plus vite à la surface et Nuage de Geai parvint finalement à le hisser jusqu'aux rochers.

Crachant et hoquetant, Nuage de Lion s'effondra près de lui. Nuage de Geai replongea ses pattes dans le sable. Nuage de Brume s'y trouvait toujours.

« Que se passe-t-il ? »

Le miaulement stupéfait de Plume de Jais résonna derrière lui. Sans s'arrêter un instant de creuser, Nuage de Geai répondit au guerrier du Clan du Vent dans un cri strident :

« La tanière s'est effondrée ! Nuage de Lion et Nuage de Brume ont été engloutis ! »

Aussitôt, le matou s'accroupit à son côté et pelleta à son tour aussi vite qu'il le put pour sauver son fils.

Un crissement de griffes sur les rochers derrière eux les avertit de l'arrivée d'autres guerriers.

« Plume de Jais ? haleta Nuage de Myosotis.

— Nuage de Brume est toujours enseveli ! ahana le guerrier du Clan du Vent.

— Nuage de Brume ? » miaula Belle-de-Nuit, horrifiée. Elle se glissa près de Nuage de Geai et se mit à creuser elle aussi. « Mon petit ! Mon cher petit ! »

À cet instant, Nuage de Geai sentit un nouveau mouvement dans le sable.

« Je l'ai trouvé ! »

Plume de Jais plongea ses pattes dans le sable devant l'apprenti du Clan du Tonnerre. Grognant sous l'effort, il parvint à arracher son fils des entrailles de la terre. Une pluie de sable piqua le museau et les yeux de Nuage de Geai. Il tendit l'oreille, guettant la respiration de l'apprenti. En vain.

« Allez chercher Feuille de Lune ! hurla-t-il.

— Je suis là !

— Est-ce que tu peux les sauver ? demanda-t-il à son mentor. Je suis venu aussi vite que possible, mais...

— Nuage de Lion respire, lui apprit la guérisseuse. J'ai enlevé la terre bloquée dans sa gorge. »

Nuage de Geai sentit Nuage de Brume remuer près de lui et crut un instant qu'il avait repris conscience. Puis il comprit que c'était Feuille de Lune qui lui avait ouvert les mâchoires.

« Tes pattes sont plus fines que les miennes, lui dit-elle. Essaie de dégager sa gueule. »

Nuage de Geai rentra les griffes. Il se concentra pour cesser de trembler et introduisit doucement une patte dans la gueule de l'apprenti du Clan du Vent. Il distinguait nettement les battements du cœur de Plume de Jais, près de lui. L'aura de concentration qui émanait de Feuille de Lune constituait la seule source de calme qu'il percevait. Il y puisa les ressources nécessaires pour accomplir sa tâche.

Soudain, Nuage de Brume se mit à tousser et son corps se tordit tandis qu'il vomissait la terre obstruant son estomac et ses poumons.

« Il va s'en sortir ? murmura Belle-de-Nuit.

— Oui, je te le promets, lui répondit Feuille de Lune.

— Merci, chuchota Plume de Jais.

— Je donnerai jusqu'à la dernière goutte de mon sang pour sauver ton petit, souffla doucement la guérisseuse à Plume de Jais. Tu le sais. »

La tension entre les deux félins était si palpable qu'elle crépitait dans l'air.

« *Notre* petit a eu de la chance que Nuage de Geai soit là, intervint Belle-de-Nuit d'un ton sec.

— Nuage de Geai ? » articula Nuage de Lion.

Le novice se tourna et s'accroupit près de son frère.

« Toi aussi, tu l'as échappé belle.

— J'ai cru que j'allais rejoindre le Clan des Étoiles », miaula le rescapé.

Le jeune matou gris tigré fut soulagé d'entendre que sa respiration était rauque, mais régulière. Puis les moustaches de Feuille de Lune lui frôlèrent la joue.

« Ils ont eu de la chance que tu sois là.

— J'ai failli arriver trop tard.

— Ils te doivent la vie. Tu as été assez courageux pour tenter de les sauver tout seul. » Du bout de la queue, elle lui donna une pichenette sur l'épaule. « Viens, ramenons-les à la combe. »

Nuage de Geai tendit la patte pour que Nuage de Lion puisse lécher les graines de pavot posées sur ses coussinets. Ce qu'il fit avec un ronron reconnaissant. Il tremblait toujours, même s'il était roulé en boule dans le nid de Nuage de Geai, près de Nuage de Brume.

Nuage de Lion avait réussi à rentrer au camp sur ses propres pattes. Nuage de Houx et Poil d'Écureuil l'avaient épaulé pour faciliter sa progression laborieuse, pendant que Griffe de Ronce allait chercher Étoile de Feu.

Belle-de-Nuit avait porté Nuage de Brume comme un chaton. Les pattes arrière de l'apprenti avaient traîné sur le sol, mais il était bien trop secoué pour s'en plaindre. Plume de Jais avait marché à côté de sa compagne pendant tout le trajet. La guerrière avait refusé son aide, préférant se charger seule de son fils, comme si elle craignait de le perdre de nouveau à tout instant. À présent, elle était lovée contre lui pour le réchauffer. Leurs deux respirations suivaient le même rythme.

« Essaie de les persuader de dormir, miaula Feuille de Lune à son apprenti. Je vais annoncer aux autres qu'ils vont bien. »

Les ronces frémirent sur son passage lorsqu'elle sortit rejoindre Étoile de Feu, Plume de Jais, Nuage de Myosotis, Griffe de Ronce et Poil d'Écureuil qui attendaient anxieusement dans la clairière.

« Je m'occupe de les endormir », murmura Belle-de-Nuit.

Nuage de Geai perçut le frottement doux de sa queue qu'elle passait et repassait sur les fourrures crottées des deux apprentis.

« Tu as été formidable. »

Le souffle de Nuage de Houx lui chatouilla l'oreille. Sa remarque le plongea dans l'embarras. Pourquoi fallait-il qu'elle le traite en héros ? Plume de Jais l'avait lui aussi félicité pendant qu'ils rentraient au camp.

« Tu t'es comporté en véritable guerrier », lui avait-il dit.

L'apprenti guérisseur n'avait pas du tout cette impression. S'il avait été plus rapide, il aurait pu prévenir Nuage de Lion. Si sa cécité ne l'avait pas ralenti…

« Nuage de Lion et Nuage de Brume n'auraient pas été blessés si j'étais arrivé plus tôt, rétorqua-t-il à sa sœur.

— Et comment les as-tu trouvés ? » Il sentait son regard sur lui, aussi chaud qu'un rayon de soleil à midi. « Ils poursuivaient un écureuil… leur proie aurait pu détaler n'importe où.

— J'ai eu une vision », avoua-t-il après une seconde d'hésitation. La panique le reprit lorsqu'il se remémora les sensations d'étouffement, le goût de la terre dans sa gueule et la vue des pattes qui grattaient désespérément devant son museau. « Quand j'ai vu la couleur des pattes qui grattaient, j'ai compris que ce n'étaient pas les miennes, mais celles de Nuage de Lion.

« — Quand tu les as *vues* ? répéta-t-elle dans un hoquet de stupeur. Tu as *vu* ses pattes ?

— Chut ! » Il regretta soudain de le lui avoir dit. Si le Clan des Étoiles pensait qu'il essayait de se vanter, il risquait de lui enlever ces rares moments où il recouvrait la vue. Il tenta tout de même d'expliquer à sa sœur : « Parfois, dans mes rêves et mes visions, j'arrive à voir. C'est difficile à décrire. C'est… c'est différent », conclut-il, faute de mieux.

Nuage de Houx ronronna bruyamment.

« Le Clan des Étoiles a dû t'accorder ce don pour une bonne raison. Je savais que tu ferais un guérisseur formidable. »

Elle frotta son museau contre le sien puis sortit dans la clairière.

Nuage de Geai soupira. S'il était soulagé que sa sœur ne lui ait pas posé de question embarrassante, il s'inquiétait pour la suite. Était-ce donc là ce qui l'attendait ? Une vie à part, que personne ne comprendrait ?

« Nuage de Geai ! l'appela Griffe de Ronce depuis l'extérieur. Viens avec nous jusqu'au lac pour la fin de l'Assemblée.

— Étoile de Feu va donner la liste des gagnants ! » ajouta Nuage de Myosotis, tout excitée.

Nuage de Geai frémit. Il n'avait aucune envie d'assister aux réjouissances des autres apprentis. Il se tourna vers Nuage de Lion et Nuage de Brume. Belle-de-Nuit avait tenu sa promesse : les deux novices dormaient profondément.

« Qui va veiller sur eux ? demanda-t-il pour trouver une excuse afin de rester au camp.

— Moi, annonça Feuille de Lune.

— Viens, Nuage de Geai, le supplia Nuage de Houx. Ce sera marrant.

— Tu devrais en profiter pour faire la connaissance des apprentis des autres clans. Tu n'en as pas encore eu l'occasion. »

À contrecœur, il suivit donc ses camarades vers le lac. Plume de Jais et Nuage de Myosotis s'en furent rejoindre le Clan du Vent, et Étoile de Feu s'éloigna vers les autres meneurs, près de la rive. Griffe de Ronce s'assit à flanc de colline dans l'attente des résultats. Nuage de Geai, Poil d'Écureuil et Nuage de Houx l'imitèrent.

« Je n'avais pas vu les clans aussi détendus depuis la fin du Grand Périple, commenta le lieutenant.

— Même le Clan de l'Ombre semble content, répondit Poil d'Écureuil, qui irradiait de bonheur.

— Mais Étoile de Jais regarde tout le monde de haut, aussi fier qu'un merle, comme si ses apprentis avaient remporté toutes les épreuves, glissa Nuage de Houx.

— Clans des bois, des collines et des ruisseaux ! »

Les félins se turent à l'appel du chef.

« Tous nos apprentis ont donné le meilleur d'eux-mêmes aujourd'hui. Ils ont chassé et se sont battus comme de véritables guerriers ! »

Des miaulements enjoués s'élevèrent de tous les clans.

« Après les délibérations, Étoile du Léopard, Étoile de Jais, Étoile Solitaire et moi avons décidé que le résultat des rencontres était nul. Chaque clan a prouvé qu'il méritait la confiance du Clan des Étoiles.

— C'est injuste ! feula Nuage de Chouette, soutenu par l'autre apprenti du Clan de l'Ombre, assis près de lui. J'étais le meilleur chasseur ! Nuage de Lion et Nuage de Brume ne sont même pas revenus !

— Chut ! lui souffla une guerrière du Clan de l'Ombre. Ils ont failli mourir.

— Ce n'est pas grave, lui dit Étoile de Jais. Nous savons tous qui a vraiment gagné, même si nous devons partager la victoire. Tu auras le droit de choisir ta pièce de gibier le premier quand nous rentrerons au camp.

— Et parmi les apprentis du Clan de la Rivière, Nuage de Grenouille mangera le plus beau poisson pour récompenser ses talents de chasseur.

— Nuage de Myosotis recevra le plus gros lapin, lança Étoile Solitaire. Elle a grimpé le Vieux Chêne jusqu'au sommet ! »

Nuage de Geai baissa le museau. Il ne tenait vraiment pas à entendre à quel point tous les autres apprentis avaient excellé.

« Et pour le Clan du Tonnerre, annonça Étoile de Feu, Nuage de Houx pourra choisir la première sa pièce de viande. Alors qu'elle est apprentie depuis peu, ses techniques de combat sont impressionnantes. »

Nuage de Geai perçut la fierté de sa sœur et se maudit de se sentir jaloux d'elle.

« Bravo, grommela-t-il. Je ferais mieux de rentrer voir si Feuille de Lune a besoin de moi.

— Reste encore un peu, s'il te plaît », l'implora-t-elle.

Nuage de Geai se détourna sans répondre. Il commençait à grimper la colline lorsqu'une voix du Clan du Vent retentit de nouveau.

« Il y a un apprenti qui mérite encore plus que les autres qu'on le mentionne », lança Étoile Solitaire.

Nuage de Geai continua d'avancer.

« Nuage de Geai ! »

L'apprenti s'arrêta net.

« Aujourd'hui, ce jeune novice du Clan du Tonnerre a gagné la reconnaissance de tous pour son courage et sa rapidité d'intervention. »

Nuage de Geai fut gêné de sentir les regards curieux de tous les guerriers sur sa fourrure. Il se tourna gauchement vers eux.

« Il a sauvé deux apprentis, ajouta Étoile de Feu. Ils ont failli périr étouffés lorsqu'un vieux terrier de blaireau s'est effondré sur eux. Nuage de Geai les a retrouvés juste à temps et les a tirés de là. »

Les miaulements choqués se muèrent en vivats. Ils l'acclamaient ! Nuage de Houx et Poil d'Écureuil se frottèrent contre lui.

Sa sœur posa sa truffe contre sa joue.

« Tu es un héros ! »

Est-ce qu'un aveugle peut être un héros ? se demanda le jeune chat. *Pourquoi pas...*

« Cette Assemblée a été une réussite, miaula Étoile de Feu lorsque le silence revint. Elle m'a rappelé le Grand Périple. Notre deuxième nouvelle saison passée ici débute ainsi sous les meilleurs auspices. Beaucoup de choses ont changé, mais nous sommes toujours de véritables guerriers ! »

De véritables guerriers... Comme s'il plongeait dans de l'eau glacée, Nuage de Geai se souvint à quel point il s'était senti perdu lors de son combat contre le Clan de l'Ombre, à quel point il avait regretté de ne pouvoir être voyant pour se défendre et défendre son clan. Le Clan des Étoiles avait donc décidé qu'il devrait devenir guérisseur.

Nuage de Geai ne voulait pas de lot de consolation. Il voulait que les choses *changent*. Il repartit vers la forêt. Peu importait que les chefs des clans le considèrent comme un héros. Il ne serait jamais un véritable guerrier.

Belle-de-Nuit s'était endormie au côté des deux apprentis. Feuille de Lune somnolait dans son nid.

« Est-ce que l'Assemblée est terminée ? demanda-t-elle dans un miaulement ensommeillé lorsque Nuage de Geai entra dans la tanière.

— Presque. Les autres seront bientôt de retour. »

Il tendit l'oreille et fut soulagé d'entendre les respirations lentes et profondes de Nuage de Brume et de Nuage de Lion. Le poids des événements de la journée s'abattit soudain sur lui et il n'eut plus qu'une seule envie : se rouler en boule dans son nid. Cependant, les deux convalescents en avaient besoin plus que lui.

Il sortit donc pour rassembler du bout des griffes quelques boules de mousse. Il les posa sur la pile de ronces sèches près de la tanière pour se faire une litière de fortune. Il tourna plusieurs fois sur lui-même avant de s'y coucher. Il avait tant creusé qu'il avait toujours mal aux griffes. De la terre y était encore incrustée, mais il était trop fatigué pour les nettoyer. Il se contenta de poser son museau dessus et de fermer les yeux.

« Nuage de Geai. »

Le miaulement de Feuille de Lune le fit sursauter.

« Est-ce que tout va bien ? » s'enquit-il, inquiet.

Son mentor lui posa doucement une patte sur l'épaule pour qu'il reste couché.

« Ne bouge pas, dit-elle en poussant vers lui une petite chose douce et chaude qui sentait bon la souris. Je me disais que tu devais avoir faim.

— Merci, murmura-t-il.

— Tu as été formidable, aujourd'hui. »

Tandis qu'elle regagnait sa tanière, une étrange sensation déclencha des fourmillements sous la fourrure de l'apprenti. Feuille de Lune lui avait parlé sur un ton étrange, comme si elle le craignait.

Non. Son imagination devait lui jouer des tours.

L'odeur du rongeur lui fit monter l'eau à la gueule. Ses camarades n'étaient pas encore revenus de l'Assemblée, et Nuage de Geai savoura le calme qui régnait sur la combe. L'esprit tranquille, il dévora sa souris puis se rallongea pour dormir.

Nuage de Geai ouvrit les yeux. Il se trouvait dans un endroit inconnu, au sommet d'une gorge sablonneuse. Au-dessus de lui, la voûte nocturne s'étendait telle une rivière noire semée d'étoiles. Il n'y avait pas un buisson pour l'abriter, pas de douces fougères chargées d'odeurs de gibier, rien que quelques buissons piquants et autres rochers lisses qui projetaient leurs ombres sur le sol comme autant de flaques noires. Un parfum familier lui chatouilla la truffe.

Étoile de Feu.

Nuage de Geai balaya le ravin du regard à la recherche du chef du Clan du Tonnerre. Sans succès.

Soudain, un long miaulement lui parvint depuis les racines d'un arbre au bout du ravin.

Curieux, l'apprenti s'approcha et vit, au pied de l'arbre, le contour d'une ouverture. La silhouette baignée de lune d'Étoile de Feu se découpait sur le trou sombre. Nuage de Geai se tapit derrière une racine.

« Je n'échouerai pas ! » miaula son chef.

Que faisait-il ici ? À qui parlait-il ? Nuage de Geai jeta un coup d'œil au-dessus de sa cachette. Il aperçut un très vieux matou assis dans l'ombre de l'arbre.

« Parfois, le destin d'un seul chat n'est pas le destin de tout un clan », déclara l'ancien d'une voix rauque.

Étoile de Feu semblait confus. Sa respiration s'accéléra lorsque son interlocuteur reprit la parole, d'une voix plus douce.

« Ils seront trois, parents de tes parents, à détenir le pouvoir des Étoiles entre leurs pattes. »

Le cœur de Nuage de Geai s'emballa. Une vision lui brûla l'esprit : il se vit auprès de Nuage de Lion et de Nuage de Houx. Leurs yeux brillaient, et leurs muscles puissants roulaient sous leur fourrure. Il acquit alors la certitude étrange que les trois chats de la prophétie n'étaient autres que Nuage de Houx, Nuage de Lion et lui-même.

Une vague de froid l'envahit et fit hérisser ses poils. *Là* était sa destinée – et Étoile de Feu, qui le savait depuis le début, avait choisi de n'en rien révéler. Pour quelle raison ? Avait-il peur que son clan abrite trois chats aussi puissants ?

Nuage de Geai réprima le ronronnement qui montait dans sa gorge pour ne pas se faire repérer. Soudain, être aveugle n'avait plus d'importance. Plus rien n'avait d'importance face à cette prophétie, qui leur promettait à tous trois un destin sans pareil. Feuille de Lune avait raison de le craindre. *Tous* ses camarades devaient le craindre. Et pas seulement lui, mais aussi Nuage de Lion et Nuage de Houx.

Un jour, nous serons si puissants que le Clan des Étoiles nous obéira !

Enfin en version numérique :

LA GUERRE DES CLANS

Cycle I

*En vente sur le site Pocket Jeunesse
et dans les librairies en ligne
www.pocketjeunesse.fr*

Ouvrage composé par
PCA – 44400 Rezé

Cet ouvrage a été imprimé
en Espagne par

Liberdúplex
Sant Llorenç d'Hortons (Barcelone)

Dépôt légal : juillet 2017

PKJ • www.pocketjeunesse.fr
POCKET JEUNESSE

12, avenue d'Italie – 75627 PARIS Cedex 13